EMILY GIFFIN

O Amor em Primeiro Lugar

Tradução
Paulo Polzonoff Junior

Novo Conceito

Título original: *First Comes Love*

Produção Editorial: Equipe Novo Conceito
Preparação de texto: Camila Fernandes

Dados Internacionais de Catalogação na Publicação (CIP)
(Câmara Brasileira do Livro, SP, Brasil)

Giffin, Emily
O amor em primeiro lugar / Emily Giffin ; tradução Paulo Polzonoff Junior. -- Ribeirão Preto, SP : Novo Conceito Editora, 2016.

Título original: First comes love
ISBN 978-85-8163-454-8

1. Ficção norte-americana I. Título.

16-07510 CDD-813

Índices para catálogo sistemático:
1. Ficção : Literatura norte-americana 813

Novo Conceito
Rua Dr. Hugo Fortes, 1885
Parque Industrial Lagoinha
14095-260 – Ribeirão Preto – SP
www.editoranovoconceito.com.br

Para Suzy, com amor,
e em memória de Bob Gipe

Prólogo

O *tempo é uma coisa complicada*, disse Daniel para sua mãe ainda quando criança. Quando você quer aproveitar algo, o tempo passa voando. Quando você quer superar algo, ele se arrasta eternamente. Elaine Garland registrou a frase no diário porque era uma observação muito astuta para um menino de oito anos.

Muito mais tarde, ela voltaria e leria a passagem e pensaria consigo mesma que isso também serve para lembranças. Quando você quer esquecer, tudo volta bruta e cruelmente. Quando você quer lembrar, os detalhes lhe escapam como um sonho ao amanhecer. Era assim para todos eles agora, embora fosse algo que raramente discutissem, ao menos um com o outro. Quase quinze anos se passaram, ao mesmo tempo lenta e repentinamente.

Aconteceu no dia seguinte ao aniversário de vinte e cinco anos de Daniel e três dias antes do Natal. Ele estava no meio do terceiro ano de medicina em Yale e voltara para casa para as festas de fim de ano depois de cumprir seu turno de neurociência clínica, trazendo consigo a namorada, Sophie, uma bela inglesa da alta classe que Daniel uma vez disse ser a mulher mais charmosa que já conheceu. Os dois namoravam há mais de um ano, mas esta era a primeira visita dela a Atlanta e também a primeira vez que conheceria os pais e as irmãs dele. Todos se sentiam, em diferentes graus, ansiosos, interessados e esperançosos. Elaine era a mais preocupada, porque Daniel não tinha o melhor dos históricos em se tratando de meninas. A namoradinha da escola dele era carente demais e sua primeira namorada da faculdade era controladora.

Mas logo depois da chegada deles, ela se sentiu aliviada, gostando de Sophie imediatamente. Para casar, Rob dissera dela, claramente orgulhoso do filho não só por ele cursar medicina, mas também por ter encontrado uma mulher tão deslumbrante. As irmãs de Daniel também a aprovaram, Josie impressionada com o estilo e a beleza de Sophie, admirando abertamente as roupas e os sapatos caros, europeus, enquanto Meredith, que costumava acusar a irmã de ser fútil, gostou de Sophie a despeito dessas coisas. O mais importante é que todos podiam dizer que Sophie despertava o melhor em Daniel – o que era muito. Ele era, sem dúvida, a estrela da família.

Sophie ganhou ainda mais pontos quando, na manhã seguinte, insistiu para que Daniel e Rob mantivessem a antiga tradição do café da manhã de aniversário entre pai e filho na Waffle House. Ela lhe deu um beijo de despedida, empurrou-o para fora da casa e depois ajudou Elaine a assar um bolo de chocolate, outra tradição dos Garlands.

— Como era Daniel quando criança? — perguntou ela batendo a massa desajeitadamente, depois de confessar que não entendia nada de cozinha.

Elaine pensou por um instante e disse que ele era hoje exatamente como fora quando criança. Um primogênito clássico. Motivado e perfeccionista. Mas também sensível e sentimental, esperto e gentil.

— A única diferença real é o temperamento — acrescentou ela, rindo. — Graças a Deus ele superou aquilo.

— Ah? Ele costumava ser mal-humorado? — perguntou Sophie.

Elaine fez que sim e lhe contou sua história preferida de ataque de raiva – quando Daniel batera na parede do quarto com um taco de madeira depois que Josie riscara seu cartão de beisebol de Hank Aaron com giz de cera rosa.

— Ainda dá para ver o remendo do reboco na parede — disse ela, alegremente.

— Espere um pouco. É o cartão de beisebol que ele ainda leva na carteira? — perguntou Sophie, o sotaque fazendo tudo parecer mais sincero.

— Esse mesmo — confirmou Elaine, que então se pôs a lhe contar sobre o *home run* que Daniel marcara logo depois do incidente – e como ele passara a considerar o cartão seu amuleto da sorte.

Naquela noite, todos foram ao Blue Ridge Grill para o jantar de aniversário de Daniel. Parecendo sofisticado como um aluno de Ivy League, Daniel usava paletó, abotoaduras de prata (presente de Sophie) e mocassins pretos de bico fino que eram diferentes de tudo o que havia no armário de estudante de Rob. Os dois brincavam um com o outro ao saírem do carro na barraquinha do estacionamento: *Onde você arranjou isso, Dani? ... Esqueça os sapatos de velho, papai... Você está usando gel demais no cabelo... Ao menos eu tenho cabelo.*

Elaine sabia que as provocações eram um sinal de intimidade e seu coração se encheu de afeto e gratidão enquanto todos eram levados à mesa redonda perto da lareira que Rob sempre reservava. Ela não tinha certeza de quando isso acontecera exatamente, mas seu filho era agora um homem e quase um médico, o primeiro na família. E não era só Daniel quem estava prosperando. Todos eles estavam bem, pensou ela. Rob ia bem no trabalho e não bebia há três anos. O casamento deles não era perfeito, mas parecia sólido. Josie e Meredith estavam amadurecendo, uma ligeiramente aventureira, a outra introspectiva demais; cada uma delas seguindo sua paixão, estudando para ser professora e atriz, respectivamente.

A conversa naquela noite foi inteligente e animada, tratando de atualidades. O 11 de Setembro ainda era uma ferida aberta. A guerra no Afeganistão estava para começar. Enron pedira falência e Winona Ryder fora pega furtando coisas numa loja. E no noticiário que parecia interessar somente a Daniel e Sophie, a pressão barométrica recorde fora registrada na Mongólia – mais de mil hectopascais, um número que não fazia nenhum sentido para os outros, mas que permaneceria gravado na mente de Elaine pelos anos vindouros.

— Você é um nerd — disse Josie para o irmão em certo momento, apesar de secretamente admirar a inteligência dele. Ela sempre contara com o próprio carisma, mas uma mulher como Sophie a fazia repensar as coisas e ela prometeu levar os estudos mais a sério em seu quinto e último ano na faculdade.

Meredith também refletia sobre a vida naquela noite. Era aplicada e esforçada como o irmão, mas era mais solitária do que ele e geralmente sentia um vazio que não sabia identificar direito. Talvez fosse amor, pensou naquela noite, observando Daniel e Sophie. Talvez fosse isso o que lhe faltasse.

Depois do jantar, voltaram para casa a fim de comer o bolo na sala de jantar, Elaine usando o melhor jogo de pratos e a prataria. Rob acendeu vinte e cinco velas e todos cantaram desafinadamente (exceto por Sophie, que era uma soprano muito afinada) e viram Daniel fechar os olhos por vários segundos antes de apagar as velas de uma só vez.

— O que você desejou? — perguntou Josie, como alguém sempre fazia.

Claro que Daniel não disse. Ele só deu um sorriso misterioso antes de Rob cortar o bolo e abriu os presentes da família – uma pasta de couro dos pais, um pijama de flanela de Josie, um livro de arte sobre beisebol de Meredith. Todos se recolheram pouco depois, Elaine fingindo não ter ouvido o piso ranger do lado de fora do quarto de hóspedes.

Na manhã seguinte, ela acordou cedo ao som da chuva no telhado e Rob fazendo as malas para uma viagem rápida a Memphis, sua última tentativa de encerrar um caso antes do fim do ano. Ela se levantou para preparar o café e se despedir do marido, depois foi à academia com as filhas, todas desejando perder dois quilos, principalmente sabendo que, depois das festas de fim de ano, teriam de perder cinco. Elas voltaram para casa, tomaram um banho e passaram o restante do dia fazendo compras, enfrentando o trânsito pesado e a multidão na Lenox Square, implicando aqui e ali umas com as outras.

Voltaram para casa ao entardecer, quando Daniel saía para levar Sophie ao aeroporto para o sofrido retorno dela a Londres. A chuva finalmente cessou, mas a temperatura despencou, e ficaram na entrada da casa, tremendo enquanto se abraçavam e beijavam e desejavam a todos um feliz Natal. Ao entrar no carro, Sophie agradeceu pela última vez.

— Até breve — respondeu Elaine, porque não gostava de dizer adeus.

Cerca de uma hora mais tarde, enquanto Elaine embrulhava presentes na mesa da cozinha, Daniel entrou correndo pela porta lateral com uma lufada de frio e um resquício do perfume de Sophie. Elaine rapidamente jogou um pedaço de papel sobre os sapatos que pretendia lhe dar e o mandou não espiar.

— Não vou — disse Daniel, balançando a cabeça. Nunca fora de espiar, ao contrário das irmãs, que se orgulhavam de encontrar até mesmo os presentes escondidos com mais afinco.

Sentou-se à mesa e suspirou, parecendo triste, claramente já sentindo falta de Sophie.

— Onde estão as meninas? — perguntou ele. Era assim que sempre se referia a Josie e Meredith.

— Meredith está no quarto... Josie foi... para algum lugar.

Ele fez que sim e a ajudou a embrulhar os presentes, dando pedaços de fita adesiva ou segurando o laço no lugar com o dedo enquanto ela amarrava. Não era muito falante, mas estava estranhamente conversador naquela noite, e não parava de falar em Sophie. Confessou que o namoro era sério e que eles pretendiam fazer residência em cirurgia juntos.

— Você acha que ela é a mulher da sua vida? — perguntou Elaine.

— Acho — disse ele, os olhos brilhando. — Ela é tão incrível... e não consigo imaginar mãe melhor para meus filhos.

Elaine sorriu para o filho, pensando que, mesmo jovem e ambicioso como era, ele parecia entender o que mais importava na vida. Imaginou se ela e Rob mereciam crédito por isso, ou se o filho simplesmente nascera assim. Chegou à conclusão de que era um pouco dos dois e beijou Daniel na testa antes de ele subir e tomar banho.

A caminho do quarto, ele passou pela porta aberta do quarto de Meredith. Ela levantou a cabeça e perguntou se ele podia emprestar o CD da Macy Gray. Daniel lhe entregou o CD, pedindo para tomar cuidado para não riscá-lo.

— Não sou a Josie. Não estrago as coisas — disse ela. Sabia que sua expressão era rabugenta, mas não podia fazer nada quanto a isso, culpando a TPM, o tempo e a irmã mais velha, que a irritara antes de sair de casa usando uma calça jeans justa demais e uma camisetinha muito curta.

— Você está bem? — perguntou Daniel.

— Como assim?

— Você parece triste.

— É só minha cara.

Ele se sentou na beirada da cama dela e lhe fez mais perguntas sobre as aulas de teatro e se ela estava gostando de alguém. De algum menino. Ela hesitou, quase contando que se sentia solitária ultimamente, mas achando melhor ficar calada. Então ele desistiu e foi tomar banho. Depois que ele saiu, Meredith se sentiu culpada por não ter dito nada sobre Sophie, sobre como gostara dela. Faria isso amanhã. Seria mais gentil com todos amanhã, disse para si mesma, fechando os olhos e ouvindo Macy Gray cantar: "I believe that fate has brought us here" [Acredito que o destino tenha nos trazido até aqui].

Cerca de uma hora mais tarde, depois do banho, Daniel reapareceu na cozinha e viu a mãe ainda colocando laços nas latas de palitinhos de queijo caseiro que ela sempre dava aos vizinhos.

— Vou sair rapidinho para comer um hambúrguer — anunciou ele.

Ela olhou para o filho e fez uma cara feia.

— Com a cabeça molhada? Vai pegar uma gripe.

Ele pegou seu boné de Yale e o cachecol verde de um gancho na porta e os vestiu. Satisfeita, ela fez que sim com a cabeça e voltou a olhar o laço vermelho.

— Já volto — disse ele, abrindo a porta.

— Tudo bem — respondeu ela, desta vez sem levantar a cabeça, sem saber que seria a última coisa que diria ao filho.

No funeral de Daniel, Rob falou daqueles últimos dias, de como ele era um bom filho, do quanto ele amava a família, os amigos e Sophie. Falou do orgulho que ele e a esposa sentiam das realizações de Daniel, mas que isso não era nada em comparação ao orgulho que tinham do caráter e da compaixão do filho.

— Nunca, em vinte e cinco anos, ele nos decepcionou — disse Rob, a voz trêmula, as pausas insuportavelmente longas ao tentar se manter calmo. — Nunca.

Mais tarde, Elaine se perguntaria quantas pessoas na igreja pensavam que o marido dela estava exagerando. Claro que um pai faria elogios superlativos ao filho morto. Claro que pintaria o filho como um ser extraordinário. Mas Daniel era mesmo extraordinário e às vezes lhe parecia, irracionalmente, que o fato de ser tão especial o tornara suscetível à tragédia. Que, se Daniel tivesse graves defeitos ou simplesmente fosse um homem de vinte e poucos anos perdido e irresponsável, daqueles que bebem e fazem sexo sem sentido com meninas quaisquer, então talvez ainda estivesse vivo. Mas ele era um menino de ouro, bom demais para o mundo.

Às vezes, ela até se perguntava se faria tal troca — uma das intermináveis variações daquele jogo cruel e sem sentido do "e se". *E se Daniel não tivesse saído para comer aquele hambúrguer? E se ela tivesse insistido em lhe preparar ovos mexidos? E se ela o tivesse atrasado o suficiente para amarrar o cachecol verde-oliva no pescoço dele, um lado maior do que o outro? E se tivesse simplesmente ido com ele, beijado seu rosto com a barba por fazer, dito algo, qualquer coisa além de "tudo bem"?*

Ela sabe a resposta. Sabe que isso bastaria para impedir que Daniel derrapasse num trecho com gelo no cruzamento da Moores Mill com a Northside, a menos de três quilômetros de casa. E que ela jamais teria de se deparar com aquele policial de fala mansa e cabelos grisalhos que apareceu na sua porta meia hora mais tarde, as luzes do carro criando um ar surreal vermelho e azul no quintal. Ela não teria ligado para Rob freneticamente, discando e rediscando e rediscando até que ele finalmente atendesse no aeroporto de Memphis. Não teria de lhe dizer aquilo em voz alta nem acordar Meredith pouco depois, repetindo as notícias. Não teria tentado, em vão, encontrar Josie antes de dirigir até o hospital Grady com a outra filha, rezando para ser um caso de erro de identidade, esperando que fosse qualquer um, menos Daniel. Não teria a horrível lembrança de ver seu agora ex-marido quando ele chegou mais tarde, naquela noite, abraçado ao filho morto, repetindo o nome dele em meio a soluços.

Em vez disso, num universo paralelo, naquele que todos futilmente imaginavam, Daniel estaria feliz e casado com Sophie, pai de dois ou três filhos. Estaria exercendo a medicina em qualquer lugar, provavelmente aqui mesmo, em Atlanta, fazendo a diferença de verdade, salvando vidas. Completaria quarenta anos no fim deste ano, uma versão mais velha e sábia do jovem que fora. O tipo de pessoa que entende que nada é mais importante do que a família. Que a vida vem em primeiro lugar.

Eles tentaram se lembrar disso – do que Daniel defendia e do que teria querido para todos. Às vezes, até tomaram decisões em memória dele ou o imaginaram vendo tudo do céu. Mas isso era só algo que faziam e que nunca aliviou a dor. Ao contrário, quase quinze anos mais tarde, ele continuava morto e eles ainda estavam ali onde sempre estiveram. Ainda revivendo, se arrependendo e se perguntando “e se”.

Capítulo um

JOSIE

É o primeiro dia de aula, um começo simbólico e cheio de esperança. Ao menos, é o que digo para mim mesma diante da minha plateia cativa e bem-cuidada de dez meninos e onze meninas, usando meu melhor traje J. Crew — sapatilhas douradas, calça cinza e uma blusa rosa com lantejoulas. Sentadas de pernas cruzadas no tapete bordado, algumas crianças sorriem para mim, enquanto outras estão inexpressivas, esperando sem julgar. É a beleza dos alunos da primeira série. São sinceros e não há cansaço entre eles.

É bem provável que tenham ouvido falar que tiraram a sorte grande na misteriosa loteria dos professores antes de entrarem pela porta da sala de aula, enfeitada com uma árvore de papel, recortes de vinte e um pássaros personalizados e uma faixa nos galhos, com os dizeres: BEM-VINDOS AO NINHO DA SRTA. JOSIE!

Depois de quatorze anos lecionando na mesma escola primária, tenho reputação de ser uma professora divertida, enérgica e criativa. Não sou considerada rígida nem permissiva. Por acaso, também sou conhecida como a "professora bonita", algo que alguns pais (e mães) parecem valorizar tanto quanto outras coisas, incluindo inteligência, uma sensação que sempre me confundiu e me irritou um pouco. Digo, sei que não estou ensinando física quântica, mas estou, sim, ensinando algumas habilidades fundamentais às crianças, ensinando-as a somar e subtrair, informar as horas, contar dinheiro e, mais importante, ler de verdade, revelando o mistério dos encontros consonantais e dos fonemas abstratos, misturados e pronunciados como palavras, reunidas em frases, preenchendo as páginas de livros com ou sem imagens. Para alguns pode parecer Feitiço do Tempo, entre eles alguns dos meus colegas que precisam muito mudar de profissão, mas sou apaixonada pelo que faço, e fico emocionada em ver coisas fazendo sentido pela primeira vez para uma nova safra de crianças todos os anos.

Mas em meio à ansiedade está sempre a melancolia do fim do verão, bem como o incômodo familiar de dúvida e nervosismo que marcou todos os meus primeiros dias letivos, como professora e aluna. Penso nos obstáculos potenciais à frente, perguntando-me quantos dos meus alunos têm TDAH ou dislexia ou outras dificuldades de aprendizado. Quem vai se frustrar ou se desinteressar ao ficar atrás dos colegas? Que crianças terão pais impossíveis de agradar que me bombardearão com e-mails e ligações, dando sugestões malucas ao nosso currículo ou apontando erros gramaticais em meus avisos sob a desculpa de estarem fazendo uma crítica construtiva? (Por mais que eu revise minha correspondência, é inevitável que em algum momento ao longo do ano eu erre uma palavra ou um apóstrofo, erros que de alguma forma são mais notórios quando vêm de uma professora do que, digamos, de um advogado ou médico.)

Há ainda o problemático caso de Edie Carlisle, filha do meu ex, Will Carlisle. Will e eu terminamos há alguns anos – oito, para ser mais exata –, mas não o superei, ao menos não completamente. E simplesmente não posso acreditar que a menininha dele tenha sido colocada na minha turma, fato que tento em vão esquecer ao entrar no meu roteiro, uma variação do que digo todos os anos.

Oi, meninos e meninas! Meu nome é senhorita Josie! Cresci bem aqui, em Atlanta, e me formei na Universidade da Geórgia. Vai, Dawgs! Adoro animais e tenho um cachorro chamado Revis. Tenho uma irmã e uma linda sobrinha de quatro anos chamada Harper. Minha cor preferida é rosa, como minha blusa. No meu tempo livre, gosto de nadar, ler, fazer biscoitos, dançar e jogar jogos de tabuleiro. Sou boa em guardar segredos e ser uma amiga confiável. Espero que todos vocês sejam bons amigos uns dos outros este ano. Estou empolgada para conhecer todos vocês e sinto que tenho sorte por ser sua professora!

Soava bem, a fala exuberante merecendo nota 10, apesar de eu poder ouvir a versão comentada na minha cabeça, que era mais ou menos assim:

Sempre que digo "senhorita Josie!" penso que pareço uma stripper – emprego que cheguei a cogitar num verão na faculdade porque stripper ganha muito mais do que garçonete. E professora, para falar a verdade. Tenho um cachorro e minha irmã se chama Meredith. Ela me deixa louca e eu a evitaria completamente se não fosse por minha sobrinha, Harper. Tinha um irmão mais velho, mas ele morreu num acidente de carro há muito tempo, algo sobre o que não quero falar, sobretudo aos meus alunos. Acho que o tema da minha cor preferida é extremamente entediante porque isso não lhes diz nada de relevante (cor para quê? Um carro, uma bolsa ou as paredes do quarto?), mas, por alguma razão inexplicável, todos vocês parecem muito atentos a isso, então vou dizer rosa porque metade de vocês gostará da minha escolha e ao menos um terço vai achar maravilhosa a coincidência de ter a mesma cor preferida que a minha. Nadar não é exatamente um passatempo, só algo que às vezes faço numa tentativa de me livrar do peso que tenho a tendência de acumular na barriga (por causa dos biscoitos que asso e como), algo que vocês parecem não notar ou ao menos não julgam. Realmente gosto de jogos de tabuleiro, mas prefiro jogos para beber com os amigos – saio para dançar com eles (já disse que poderia ter sido uma stripper quando tinha sete quilos a menos?). Sei guardar segredo, principalmente os meus, o que é bom porque, se seus pais souberem de alguns esqueletos que guardo no armário, podem pedir que eu seja despedida. Amizade significa tudo para mim porque tenho trinta e sete anos e não encontro um homem decente com quem me casar, o que é deprimente, já que não quero ficar sozinha e adoro criança mais do que tudo no mundo. Sei que meu tempo está acabando, ao menos para parir. Por favor, sejam legais uns com os outros este ano porque algo que não vou tolerar é maldade de menino ou menina – se bem que, por sorte, essa dinâmica só vai se concretizar no ano seguinte, outro motivo para eu lecionar na primeira série. Estou muito empolgada para conhecer todos vocês, e isso inclui você, Edie Carlisle. Seu pai lhe contou que ele me deu um fora pouco antes de se casar com sua mãe e ter você? Farei o possível para não usar isso contra você, mas, por favor, tenha um pouco de pena e não fale muito da sua família feliz.

Sorrio para os rostinhos ansiosos e alegres e digo:

— E então? Vocês têm alguma pergunta para mim?

Quatro crianças levantam a mão e, enquanto penso qual delas tem menos chance de fazer a pergunta que mais odeio, um menino nervoso de cabelos desgrenhados e rosto rechonchudo diz: *Você tem marido?*

Três segundos. Um novo recorde. Parabéns, Wesley, penso, olhando o nome dele no crachá plastificado que fiz durante o fim de semana e fazendo uma anotação mental para ensinar que um dedo anular esquerdo sem aliança significa *por favor, não faça perguntas sobre casamento*. Talvez eu possa incluir isso entre noções sobre o clima e o sistema métrico.

Obrigo-me a abrir um sorriso maior e mais reluzente, fazendo o meu melhor para ignorar o nó no peito.

— Não, Wesley. Não sou casada. Talvez um dia! E vamos tentar nos lembrar de levantar a mão antes de falar. Assim — digo, erguendo a mão numa demonstração visual. — Certo?

Wesley meneia a cabeça para cima e para baixo enquanto me tranquilizo pensando que Edie não sabe nada sobre meu relacionamento com o pai dela. Afinal, qualquer informação sobre o passado amoroso dele indicaria que a mãe dela é inadequada – e tenho certeza de que Andrea Carlisle tem um comportamento imaculado para combinar com seu bom gosto impecável, do qual tive uma ideia olhando a página dela no Pinterest. Salgadinhos sem glúten! Fantasias de Halloween feitas em casa! Exercícios pós-gestacionais que você pode fazer com seu filho! Cores de tinta para uma suíte serena! Graças a Deus o Instagram e o Facebook da mulher são privados – uma pequena bênção dos deuses das redes sociais.

Como se percebesse a deixa, Edie levanta a mão o mais alto possível, o cotovelo reto, os dedos eretos e apontando para o céu. Ela está prendendo a respiração, o peitinho estufado, os olhos azuis arregalados, sem piscar. Olho para além dela, apesar de ela estar sentada no meio e na frente, e aceito uma pergunta do fundo do tapetinho sobre minha comida preferida (pizza, infelizmente) e minha segunda cor preferida (bocejo).

— Hmmm. Talvez azul. Ou verde. Ou alaranjado. Alaranjado é legal — digo, rapidamente avaliando os traços de Edie, procurando semelhanças com Will. Ela tem a pele bronzeada e a boca dele, o lábio inferior razoavelmente mais carnudo do que o superior, mas o restante dos traços é da mãe, que aparece com frequência nas páginas do *The Atlantan*, ou abraçada a Will ou posando, a mão na cintura, cotovelo bem dobrado, com uma das suas amigas do mundo da moda. Só a vi pessoalmente uma vez, há cerca de quatro anos, quando ela apareceu no corredor de cereais do Whole Foods, empurrando a filhinha com um vestido florido no carrinho organizado e exuberante. (Já na época eu sabia, por causa da proximidade dos habitantes de Buckhead, que o nome da menina era Edie, variação de Eden, nome de solteira de Andrea.) Usando um traje de ginástica Lululemon preto e chinelos, Andrea parecia chique sem fazer qualquer esforço. A pele dela brilhava por causa do exercício recente ou um tratamento facial (talvez as duas coisas); os membros eram compridos e tonificados o rabo-de-cavalo espesso, ondulado e loiro saía por trás de um boné de Telluride. Às escondidas, eu a segui por três corredores, torturando-me com o ar altivo, o andar gracioso e a forma deliberada como ela consultava os rótulos e ao mesmo tempo murmurava algo gentil para a filha. Eu me odiei por ficar tão maravilhada com todos os movimentos dela e senti algo parecido com pena quando peguei o azeite trufado que ela tinha escolhido da gôndola, como se aquele único ingrediente caro pudesse me aproximar um pouco da vida que ela tinha, a vida que eu tanto cobiçava.

Pouca coisa mudou desde aquele dia, exceto pelo acréscimo do irmãozinho de Edie, Owen (de quem Andrea estava grávida de cinco meses na época, calculei mais tarde). Surpreendi-me agora olhando para Edie, que está segurando o braço levantado com a outra mão, demonstrando ter tanta resistência quanto a mãe. Lembrando que Edie não tem culpa por seu pai ter me abandonado, nem de eu jamais ter aprendido a fazer nada com aquele maldito azeite trufado, e que não tinha por que fazer compras no Whole Foods, também conhecido como Mercado Fique-Com-Todo-O-Meu-Salário, obriguei-me a ouvir a pergunta dela.

— Sim? Edie?

— Hã — faz ela, sem expressão alguma, os olhos estudando a sala enquanto o braço cai em seu colo. — Hmmm... esqueci o que ia dizer.

— Tudo bem. Não tenha pressa — digo, sorrindo, um retrato da paciência.

Ela fica toda animada ao se lembrar.

— Ah, sim! Hã, você tem namorado? — pergunta Edie, jogando sal sobre minhas feridas.

Eu a encaro por um segundo meio paranoico e então tomo a decisão repentina de mentir.

— Tenho! Sim, eu tenho namorado — anuncio, empinando um pouco o nariz e juntando as mãos. — E ele é incrível. Simplesmente incrível.

— Qual o nome dele? — pergunta Edie.

— Jack — respondo; é meu nome masculino preferido desde que assisti a *Titanic* pela primeira vez. Também adoro tudo dos Kennedys, e escolhi me ater à versão Camelot de JFK em vez do lado sórdido do homem que se envolveu com Marilyn Monroe.

— Qual o sobrenome dele? — pressiona Edie.

— Prince. Jack Prince — digo, acrescentando uma nota de rodapé inteligente. — Infelizmente ele não mora em Atlanta.

— Onde ele mora? — pergunta uma menina chamada Fiona, cuja franja curta demais não leva em conta o cabelo liso. Um topete grande demais cresce no alto de sua cabeça, parecendo zombar do infeliz corte "de volta às aulas".

— África — digo. — Quênia, para ser mais precisa. Ele é médico das Forças de Paz. Trabalha num campo de refugiados.

A mentira é como uma terapia, assim como meu silêncio posterior: *Aguenta essa, Edie. Seu pai trabalha com finanças, o que é um eufemismo para jogar golfe com os amigos de sangue azul enquanto investem o dinheiro que a família ganhou para eles.*

— Jack já viu um leão? — pergunta um menino em miniatura chamado Frederick com uma voz doce e a dicção perfeita. Sinto-me imediatamente protetora em relação ao pequeno Freddie, projetando que ele será um dos meus preferidos. (Não importa o que as professoras digam, elas sempre têm preferidos.)

— Não tenho certeza, Frederick. Vou perguntar ao Jack mais tarde, quando conversarmos por Skype – o que fazemos todos os dias – e respondo para você amanhã.

Afinal, é muito mais difícil responder a uma pergunta simples de sim ou não sobre ver um leão do que inventar toda uma relação intercontinental.

Várias perguntas frenéticas se seguem sobre Jack ter ou não avistado tigres e crocodilos, hipopótamos e macacos. Os alunos da primeira série adoram questões tangenciais. Eu também, na verdade, e, por mais tentador que seja continuar falando sobre meu namorado bonzinho, sei que é hora de assumir o controle da situação e ensinar.

O restante do dia se passa tranquilamente enquanto memorizo o nome dos alunos e conheço um pouco de suas personalidades. Quase consigo me esquecer de Will, até que Edie perde um dente da frente comendo cenoura e homus na hora do lanche. Ela já perdeu um dente mais à direita, mas mesmo assim está animada como uma "virgem dental" quando os amiguinhos se reúnem ao seu redor para examinar o troféu ensanguentado. Veterana de dentes moles e caídos, tanto na retirada quanto na armazenagem deles, ajudo-a a limpar o espaço em sua gengiva, depois limpamos o dentinho, guardando-o em segurança num dos saquinhos plásticos que mantenho na minha mesa para essas ocasiões. Pego um Post-it rosa de uma das gavetas e escrevo: "Para a Fada do Dente". Depois, desenho um coração e coloco o bilhete no saquinho, fechando-o.

— O que você acha que ela lhe trará? — pergunto, olhando para meu coração e depois bem dentro dos belos olhos de Edie.

— A mesma coisa que ela me trouxe para este dente — diz Edie, apontando para a boca e enfiando a língua no buraco. A voz dela é baixa e rouca — o tipo de voz que um dia deixará os homens loucos.

— E o que ela trouxe? — pergunto, pensando na voz da mãe dela, sabendo que serei incapaz de resistir a obter informações durante todo o ano. Já lhe fiz várias perguntas sobre seu irmãozinho, aprendendo que o apelido de Owen é O, que o quarto dele é decorado com aviões e que ele "dorme muito".

— Ela me trouxe uma moeda de um dólar — responde Edie, o que me causa uma dor nova, assim como uma onda de decepção por não poder pintar Will e Andrea como pais superprotetores. A maioria das Fadas do Dente em Buckhead pagam muito caro por dentes, mas uma moeda de um dólar é uma quantia adequada e muito mais satisfatória do que uma cédula amassada. Droga.

Entrego o saquinho a Edie, arrependida pelo coração no Post-it, com medo de que seus pais interpretem mal o desenho. Mas é tarde demais para refazer tudo, uma vez que Edie já o está segurando com um sorriso de orgulho. Ela então vai até seu cubículo e o guarda no bolso da mochila de borboletas cor-de-rosa com as iniciais dela gravadas. Digo a mim mesma que não tem problema, que Andrea e Will provavelmente são ocupados e felizes demais para analisar algo tão banal. Mais importante, digo a mim mesma que sou uma boa professora e uma boa pessoa – e que a doce Edie merece aquele coração, apesar de o pai dela ter estraçalhado o meu.

Capítulo dois

MEREDITH

— Hoje o dia foi horrível — anuncia Josie, entrando na minha cozinha e interrompendo um raro momento de paz.

É quinta-feira, meu único dia de folga na semana, e acabei de colocar Harper diante da televisão para poder consultar meu e-mail. Em outras palavras, não quero companhia, e se minha irmã tivesse, digamos, ligado antes, eu teria lhe dito isso.

— Ah, oi, Kimmy — digo, olhando para trás, fazendo uma referência à irritante vizinha de *Três É Demais* que costumava entrar na casa dos Tanners sem bater.

Josie, que ainda assiste a reprises do programa, um sinal de sua maturidade, ri e diz:

— Você espera mesmo que eu toque a campainha da casa da minha infância?

Resisto à vontade de dizer sim, porque esta não é mais sua casa, Nolan e eu a compramos, simples assim – ou eu poderia dizer que meu marido e eu precisamos de privacidade e poderíamos estar fazendo sexo na sala, ao menos teoricamente. Em vez disso, ajo com elegância e deixo que a pergunta seja retórica enquanto continuo a consultar minha caixa de entrada.

— Digo, foi horrível mesmo — acrescenta Josie, pairando sobre mim.

— O que aconteceu? — pergunto, lembrando que hoje foi o primeiro dia de escola e certa de que a resposta envolve o ex-namorado dela, Will, ou a esposa ou a filha dele, que foi colocada na turma de Josie. Ela não fala de outra coisa desde que recebeu a lista de alunos no verão, fingindo-se indignada por circunstâncias que eu sei que, no fundo, a deleitam. Josie adora um drama envolvendo seus homens do passado ou do presente.

Ela suspira, apoiando-se na minha mesa.

— Por onde começo? — diz, e olho sua sandália dourada e a lembro que estamos numa casa onde não se usa calçados do lado de dentro. — Pare com isso, Mere — reclama ela, como se fosse a primeira vez que discutimos isso. — Você age como se eu tivesse acabado de passar por um terreno cheio de fezes. Você precisa mesmo tomar um remédio para seu TOC. Ouvi dizer que Zoloft é bom para isso.

Eu a interrompo, perguntando-me se de alguma forma ela sabe que estou de fato tomando Zoloft. Seria bem típico dela espiar meu armário de remédios.

— Antes de mais nada, você certamente poderia ter pisado, sem querer, em algo que não é bem-vindo nos cômodos onde vivemos e comemos. Além disso, é nossa casa e nossas regras. Então... pronto.

Ela me encara por um tempo e então negligentemente tira as sandálias, uma delas caindo sob minha cadeira.

— Só para você saber, li numa coluna de etiqueta que "o máximo da falta de educação é convidar as pessoas para sua casa e pedir que elas tirem outra coisa que não o casaco" — diz Josie, fazendo aspas no ar, enquanto eu a imagino procurando aquilo no Google, memorizando a resposta que lhe serve e ignorando todas as outras opiniões, como as que dizem que é nojento usar sapatos dentro de casa.

— Bom, eu não a "convidei para minha casa", não é? — digo, fazendo aspas no ar também.

Sei que há 50 por cento de chance de ela se virar e ir embora, e por mim tudo bem. Mas como Josie sempre foi sensível e claramente está precisando de um pouco de terapia gratuita, ela simplesmente dá de ombros e tenta ter a última palavra no assunto.

— Bom, acho que tenho micose no pé. Não diga que não avisei.

— Vamos correr esse risco — digo, e encerro o assunto. Quanto mais cedo eu a deixar expressar sua obsessão por Will, mais cedo ela sairá para sua happy hour ou qualquer que seja a atividade inútil que planejou para quando sair daqui. — E então, como ela é? A filha do Will?

— O nome dela é Edie. Apelido carinhoso de Eden. Nome de solteira de Andrea — diz ela, parando dramaticamente e andando descalça até a geladeira, abrindo a porta. — E por mais que eu adorasse lhe dizer que ela é uma mimadinha precoce... na verdade gosto dela. Ela é doce, interessada e adorável.

— Que ótimo — digo.

— Ótimo? Longe disso. É insuportável. Um lembrete diário do que não tenho — diz ela, pegando uma das Bud Lights de Nolan da prateleira de baixo, abrindo a tampa e bebendo um gole demorado. — E aposto qualquer coisa como a sra. Will Carlisle vai se oferecer para ser representante de classe. Você vai ver.

— Você é a professora. Não é você quem escolhe a representante? — pergunto, enquanto recuso o convite para um aniversário naqueles lugares com brinquedos infláveis onde as crianças correm mais risco de ter uma concussão ou uma doença de pele do que de se divertir.

— No final das contas, sim. Mas tudo se baseia em quem se oferece. Em qual mãe preenche o formulário que mandei para elas. Então, se ela for a única a se oferecer... — Josie suspira, deixando a frase incompleta.

— Antes de mais nada, você terá ao menos cinco voluntárias — digo, pensando em todas as mães prestimosas da turma da pré-escola de Harper. — E, mesmo se não tiver, você pode simplesmente pedir a outra mãe e esperar que ela não conte nada a Andrea.

A despeito da insistência de Josie em dizer que ser professora é uma das profissões que mais cansam emocional, física e mentalmente, sempre senti que estou ignorando alguma coisa. Simplesmente não vejo o trabalho dela como algo assim tão complicado, não em comparação com a política e as pressões do meu escritório de advocacia, ainda mais levando em conta que ela tem doze semanas de férias por ano.

— Ah, ela ficaria sabendo — afirma ela. — Esse tipo de coisa sempre acontece.

Faço que sim, cedendo nesse ponto. As mães sempre conversam. Na verdade, a não ser que a esposa de Will seja incrivelmente cuidadosa ou absurdamente ignorante quanto ao passado do marido, tenho certeza de que metade das mães já ouviram a fofoca sobre a professora da primeira série da filha deles.

— Bom, eu disse que você deveria ter feito alguma coisa — digo, lembrando como planejei a ligação dela com a diretora há várias semanas, pedindo que tal criança fosse transferida para outra sala de primeira série por causa de uma "questão pessoal".

— Quando recebi a lista da turma era tarde demais — diz ela. — A lista já tinha sido distribuída para os pais.

— E daí? — pergunto.

— Eles saberiam que eu pedi a troca.

— E daí? — pergunto novamente.

Josie me olha e bebe outro gole demorado de cerveja.

— E daí que o contrário do amor é a indiferença. E trocar uma aluna de turma não é uma demonstração de indiferença.

— Ficar obcecada também não é — digo por minha conta e risco. — E isso nunca a impediu.

Josie dá uma risadinha nervosa, aparentemente usando a obsessão como uma forma de medalha de honra.

— Não corro atrás de Will há anos. Até acontecimentos recentes. Além disso, você não pode considerar uma espiada rápida de dentro do carro como obsessão. Eu não joguei ovos na casa. Só queria saber onde eles viviam.

— Certo — respondo, pensando que Will e a esposa talvez não considerassem o passeio de madrugada como algo completamente inocente. O mais provável é que considerassem preocupante e louco.

— Eu lhe contei o que ela dirige? — pergunta Josie, com um quê de alegria.

— Você mencionou uma minivan — digo, pensando que a vitória dela é bem rasa. — Talvez seja o carro dele — acrescento.

— Não. Tinha um adesivo "College of Charleston" — diz ela. — A faculdade dela. O carro dela. Por favor, me mate se um dia eu dirigir uma minivan.

— Está esquecendo que eu dirijo uma minivan? — pergunto, imaginando se ela tem a intenção de me ofender ou se isso é só algo que ela faz naturalmente.

— Como pude me esquecer? Sem ofensa. Digo... você e eu somos bem diferentes.

— Muito — respondo, surpresa por termos os mesmos pais e a mesma criação. Logo em seguida, penso na outra pessoa que compartilhava dos nossos genes e infância. Olho o relógio – 17h50 –, um hábito que tenho sempre que me lembro do meu irmão. Durante muito tempo, Daniel foi meu primeiro pensamento no dia, mesmo antes de meus olhos se abrirem e eu tirar a cabeça do travesseiro. Ainda hoje, tantos anos mais tarde, às vezes penso nele até a metade da manhã – apesar de nunca saber se isso é um sinal de progresso ou uma fonte de culpa. Para apaziguar a culpa, pigarreio e digo o nome dele em voz alta. — Aposto que Daniel dirigiria uma minivan.

A expressão de Josie nubla, como sempre acontece quando menciono nosso irmão. Então ela faz que não com a cabeça e diz:

— De jeito nenhum. Cirurgião não dirige minivan.

— Cirurgião prático com filhos pequenos dirige — respondo, pensando que poucas coisas na vida são tão agradáveis quanto aquele botãozinho que automaticamente abre a porta de correr antes de você pôr ou tirar seu filho impotente do carro.

— Cirurgião prático com filhos pequenos e bom gosto... não — diz ela.

— Muito obrigada. — Olho feio para ela.

— De nada. — Ela sorri, confirmando minha suspeita constante de que, de alguma forma, gosta do conflito, principalmente comigo.

Arrisco-me.

— Por falar em Daniel, a mamãe ligou ontem...

— Daniel e mamãe são a mesma coisa agora?

— Posso terminar?

Ela dá de ombros e me corrige como se eu fosse um de seus alunos:

— Posso terminar, por favor.

— Ela estava falando do aniversário de quinze anos — começo, escolhendo as palavras com cuidado e me ressentindo por isso. Se pudesse mudar uma única coisa em Josie – e há muitas, muitas coisas que eu mudaria – seria a forma como ela lida com a perda de Daniel. A muralha impenetrável que ela construiu em torno dele e da memória dele.

— Aniversário? — diz ela, pegando a cerveja, depois recolocando-a na bancada sem beber. — Eu não chamaria de aniversário.

— Na verdade é um aniversário.

Ela faz que não.

— Aniversário significa celebração. Anos de casamento... coisas boas... não acidentes e morte.

É o máximo que ela diz sobre Daniel em anos e, de uma forma perversa, as palavras acidentes e morte, ditas em voz alta, parecem uma pequena vitória para mim.

— Um aniversário é a data em que algo aconteceu no passado. Coisas boas e ruins — digo, mantendo a voz calma. Quase me levanto para abraçá-la, mas não somos uma família de gente que se abraça. Pelo menos, não somos há anos. Então fico na mesa e a observo de uma distância confortável.

Josie engole em seco, olhando para os dedos dos pés, as unhas pintadas de um tom alaranjado vivo. Lembro-me de quando lhe disse que gente com dedos gordinhos deveria usar esmalte neutro. Foi um pouco rude, acho, mas só estava brincando. Ela ficou furiosa, depois deixou claro que preferia ter dedos gordinhos a pernas atarracadas, e juro que os dedos do pé dela são pintados com cores aberrantes desde então.

Como ela não levanta a cabeça, eu a chamo:

— Josie? Ouviu o que eu disse?

Ela diz que sim, que me ouviu.

— Então a mamãe quer que façamos alguma coisa. Nós três. Talvez ela até convide o papai.

— Ela tem de conversar com ele antes — diz Josie, bruscamente. — Além disso, ele está com uma namorada nova.

— Está? — pergunto, sentindo uma pontada de ressentimento, mas também de ciúme por ela ter uma relação mais próxima com nosso pai. — Desde quando?

— Desde... sei lá... meses atrás.

— Você a conhece? — pergunto, pensando que não pode ser tão sério – não há nenhum sinal dela no Facebook e isso é algo que todas as namoradas do papai sempre fizeram: publicar fotos, geralmente em viagens ou na casa dele no lago Burton, marcando-o depois para aparecerem na página dele.

Ela dá de ombros e diz:

— O nome dela é Marcia. É repórter de tribunal. — Ela então escreve num teclado imaginário enquanto eu imagino uma moça com um decote enorme e unhas vermelhas.

— Quantos anos ela tem?

— Por que você sempre pergunta isso?

— Por que não?

— Sei lá... quarenta e poucos... divorciada... dois filhos... Então, o que a mamãe tem em mente para esse estranho "aniversário"? Um jantar? Uma consulta ao tabuleiro Ouija?

— Josie! — repreendo-a.

— O quê? Você sabe que a mamãe acredita nessas porcarias.

— Ela não acredita em tabuleiros Ouija... Ela acredita em sinais.

— Isso é ridículo. Não existem sinais. Daniel não está fazendo um arco-íris aparecer ou jogando moedas na calçada — diz Josie com um olhar de desdém. — E você não respondeu a minha pergunta. No que ela está pensando para comemorar o aniversário de um acidente trágico?

— Não sei. Talvez em fazer uma viagem.

— Isso parece certo para você? — pergunta Josie, erguendo o olhar para me encarar. — Fazer uma viagem aos trópicos...

Eu a interrompo antes que ela possa continuar seu ataque e digo:

— Não acho que seja uma questão de certo e errado. E não falei em trópicos nem em férias. Ela mencionou Nova York, na verdade.

— Por que Nova York?

— Por causa de Sophie.

— Que Sophie?

— Pare com isso, Josie... você sabe quem é... a Sophie de Daniel.

Ela balança negativamente a cabeça e diz:

— É estranho que a mamãe ainda pense nela. Não é saudável.

— Talvez — respondo. — Talvez por isso ela queira visitá-la. Para conseguir pôr um fim nisso.

— Pôr um fim? Daniel morreu há quinze anos, Meredith — diz ela, o olhar sério.

— Sei disso.

Ela me encara um pouco antes de retrucar.

— E sabe de uma coisa? — Antes que eu possa responder, ela continua: — Eles teriam terminado. Ela teria arrasado com o coração dele, ou vice-versa. E, de qualquer forma, a mamãe a odiaria e teria antipatia como tem por todos os nossos ex-namorados, e já teria se esquecido de Sophie há muito tempo. E em vez disso...

— Em vez disso, Daniel morreu — digo, pensando que isso na verdade resume tudo. Daniel morreu e isso mudou tudo, para sempre. E essa é a parte que Josie parece sempre ignorar.

Josie fica séria antes de dizer que vai conversar com Harper.

Suspiro e a vejo sair da cozinha. Pouco depois, ouço-a gargalhando com Harper, corroborando uma das duas teorias que sempre tive sobre minha irmã. Que ela (a) usa as crianças para esconder suas emoções adultas ou (b) ainda é uma criança.

Trinta minutos de risadas mais tarde, Josie volta à cozinha com Harper a reboque. Ela calça os sapatos e diz:

— Certo. Foi legal. Mas estou indo embora.

— Para onde você vai? — pergunto, apesar de não estar lá muito interessada.

— Vou jantar com Gabe. — Ela joga a garrafa vazia de cerveja na lata de lixo para a reciclagem.

— Você já não o vê demais como o cara que mora com você? — pergunto, imaginando quando a situação finalmente implodirá. Não importa o que eles digam, acredito firmemente que homens e mulheres não podem ser "apenas amigos", ao menos não quando moram sob o mesmo teto.

— Você ficaria surpresa. Nós dois temos vidas sociais muito ocupadas — diz ela. — É isso o que acontece quando se tem amigos.

Ela está falando diretamente comigo, já que sempre acreditou que quantidade é melhor do que qualidade quando se trata de amigos. Quanto mais fotos você publica com várias pessoas, mais todos estão se divertindo, é claro. Ela é uma mulher de trinta e sete anos que nunca superou o conceito de popularidade.

— Certo. Bom, divirta-se.

— Vou mesmo. Obrigada — responde ela, pendurando a bolsa no ombro. Enquanto isso, Harper a puxa pelo braço e implora para ela ficar. Não posso deixar de me sentir irritada, notando que minha filha nunca reclama da minha ausência com tanta veemência. Se bem que é um pouco mais difícil ser mãe do que aparecer e bancar a tia engraçada por uma hora de vez em quando.

— Tenho que ir, querida — diz Josie, ajoelhando-se para beijar o rosto de Harper antes de se levantar e sair pela porta da frente.

— Tchau, Josie — digo, de repente e estranhamente querendo que ela não fosse embora. Que nós duas estivéssemos saindo para jantar juntas.

— Até mais — diz ela, sem tirar o olho do celular e indo até a porta.

Eu a observo por uns segundos e a chamo. Ela se vira para me olhar, os cabelos loiros e compridos escondendo o rosto.

— Sim?

— Você vai ao menos pensar no que falamos? — pergunto. — Por favor.

— Ah, sim. Claro — diz ela à toa, de uma forma que deixa evidente não só que está mentindo como também quer que eu saiba disso. — Vou pensar direitinho no assunto.

Capítulo três

JOSIE

— Na hora certa! – digo para Gabe, que se junta a mim no bar do Local Three, um dos lugares que frequentamos. Aponto para o peixe frito e a sopa fria de melancia, pratos que usei para suborná-lo quando ele me disse que estava cansado demais para sair do sofá. Gourmet quase transformado em evangelista da comida, Gabe sempre se sente motivado por uma boa refeição, principalmente quando prometo pagar – como fiz esta noite.

— O que ela fez desta vez? — pergunta ele. Não lhe dei detalhes da nossa conversa ainda, só disse que ele precisava reverter o "efeito Meredith" – a porção de sensações ruins que minha irmã me dá com frequência.

— Vou falar dela num segundo — digo. — Antes, o mais importante.

Entrego-lhe meu telefone e o observo ler o e-mail que recebi quando estacionava.

De: Andrea Carlisle
Enviado em: 18 de agosto
Para: Josephine Garland
Assunto: Mãe representante de classe

Cara Josephine (ou senhorita Josie),

Obrigada pelo excelente primeiro dia de aula da primeira série. Edie veio para casa empolgada e sei que você teve muito a ver com isso. Obrigada também por mandar o dente de Edie para casa em segurança. Tenho certeza de que a Fada do Dente também agradecerá seus cuidados. ☺

Estou devolvendo o formulário de voluntariado na agenda de Edie amanhã, mas queria lhe avisar com antecedência que vou me oferecer para ser representante de classe. Tenho certeza de que posso fazer um bom trabalho como seu contato com os outros pais.

De qualquer forma, estou ansiosa por conhecê-la pessoalmente na noite de Portas Abertas. Ouvi muitas coisas boas sobre você (e sua família) do Will. Mundo pequeno, não?!

Atenciosamente,
Andrea

— Interessante — diz Gabe, colocando meu telefone no balcão do bar diante de mim. — O que você acha?

Adoro isso em Gabe. Ele geralmente pergunta o que eu acho antes de me dizer o que ele acha – ao contrário de Meredith e da maioria das pessoas.

— Não sei — respondo. — Talvez seja aquela coisa de manter os amigos perto e os inimigos mais perto ainda?

— Talvez. Mas não estou captando a vibração de uma motivação anterior. A não ser a velha coisa de puxar o saco da professora, acho.

— Que energias você está captando? — pergunto, ansiosa por sua análise direta.

— Eu meio que estou captando uma energia positiva, na verdade.

Faço que sim, relutante. Era muito mais fácil odiar a esposa de Will do que lidar com a possibilidade de ela realmente ser uma pessoa agradável.

— Você respondeu? — pergunta Gabe, bebendo o chope que também pedi para ele.

— Não ainda.

— Mas vai responder?

— Vou. Tenho que responder. É política da escola responder a todos os e-mails dos pais.

— E você sempre segue as regras — brinca ele.

— Sigo mesmo. Na escola, ao menos... Acha que devo escolhê-la como representante?

— O que significa ser representante de classe?

— Como Andrea eloquentemente escreveu, ela será o contato com as outras mães — digo, exagerando no sarcasmo e pronunciando com um biquinho, apesar de não saber direito o que estou querendo criticar.

— Então dê uma chance a ela — diz Gabe. — Será um gesto de boa-fé.

Faço uma careta.

— Jesus. Você tem mesmo que relaxar nessa coisa do Will. Ele é passado.

— Eu sei — digo, pensando que tive ao menos meia dúzia de rompimentos desde Will.

— Na verdade, acho que você nunca o amou — diz Gabe.

Já ouvi essa teoria antes e quero acreditar nela, mas nunca consigo, principalmente agora que conheço a filhinha de Will. Penso no buraco na gengiva e sinto uma dor triste que beira a dor física.

— Isso é ridículo. Claro que o amei.

Gabe dá de ombros.

— Suas ações indicam o contrário. Você sabotou aquele relacionamento.

— Não sabotei — retruco, pensando que ele, entre todas as pessoas, sabia que era muito mais complicado do que isso.

— Sabotou, sim. E agora olhe só para você.

— O que você quer dizer com isso?

— Está aqui comendo costelinhas de porco comigo — responde ele, o rei da autodepreciação.

— O que há de errado com costelinhas de porco? — pergunto, sorrindo, já com o humor melhor.

Gabe é meu melhor amigo homem já há um bom tempo. É sempre assim que me refiro a ele, apesar de não saber direito por que incluo o gênero quando ele é simplesmente meu melhor amigo, ponto. Ele cresceu em Atlanta também, mas estudou na North Atlanta High depois de ser expulso da Lovett por entrar no sistema de informática e mudar as notas dos amigos (ainda que ele não precisasse mudar suas próprias notas). Então, fora alguns eventos sociais em comum, só nos conhecemos de verdade no meu último ano na Universidade da Geórgia, logo depois que Daniel morreu. Gabe foi ao funeral com toda a família, mas isso não chamou minha atenção, já que literalmente centenas de pessoas foram até lá e a coisa toda foi confusa mesmo. Foi o bilhete manuscrito que ele me mandou mais tarde o que realmente me marcou. Ele não disse nada muito profundo, só que sentia muito e que sempre admirou meu irmão "em praticamente tudo". Muitas pessoas o admiravam, Daniel era o tipo de cara que se dava bem com todo mundo, mas o fato de Gabe se dar ao trabalho de expressar sua admiração foi importante. Assim, quando o encontrei algumas semanas mais tarde no East West Bistro em Athens, me aproximei dele e agradeci.

Ele meneou a cabeça e me preparei para aquela série de perguntas sobre como eu estava indo. Mas não perguntou nada, só disse que sentia muito, depois mudou de assunto, e me senti muito grata por esse sinal de solidariedade. Conversamos a noite toda e, depois da saideira, ele me acompanhou até meu apartamento e simplesmente pediu meu telefone. Disse a ele que tinha namorado – o que era um exagero, porque eu só estava ficando com um jogador de beisebol –, mas quis deixar claro que não gostava dele daquele jeito. Gabe deu de ombros e disse que estava tudo bem, só queria que fôssemos amigos.

— Sempre achei você legal.

Como acreditava nele e como é claro que eu era legal, dei meu número e nos tornamos imediatamente íntimos. Em geral, íamos a bares e bebíamos – ou bebíamos em nossos apartamentos. Também passeávamos com o cachorro dele, um velho labrador preto chamado Woody, e estudávamos para a aula de antropologia em cuja turma um não sabia que o outro estava, de tanto que faltávamos, e saíamos para ver bandas, e às vezes fumávamos maconha.

Nossa amizade era incomum porque era mesmo. Não tanto por causa da coisa de homem e mulher, e sim porque não tínhamos tanta coisa em comum, mesmo quando todos na faculdade tinham muito em comum. Gabe era meio diferentão e um tanto hipster, nada parecido com as amigas e os amigos em torno dos quais eu gravitava. Eu o achava estimulante, apesar de ele ter a tendência de me humilhar de brincadeirinha.

Rapidamente perdi a conta de quantas vezes ele me olhou incrédulo e disse: "Como você não conhece uma coisa dessas?" ou "Você precisa mesmo ler/assistir/ouvir isso". Mas via que ele admirava minha simplicidade assim como eu admirava suas muitas camadas, e de alguma forma simplesmente combinávamos.

Ao longo dos anos, Meredith e muitos outros amigos questionaram nosso acordo platônico, acusando-nos de ficar às escondidas. No mínimo eles achavam que Gabe tinha uma queda por mim – ou que eu tinha uma queda por ele. Sempre deixei claro que não sentíamos nada um pelo outro. Sim, provavelmente sempre haverá momentos fugazes de atração entre amigos íntimos de gêneros diferentes, principalmente quando há bebida envolvida. Mas com Gabe e eu isso nunca bastou para perdermos o bom senso, ou pior, para tentarmos uma relação de verdade fadada ao fracasso. E se tornou uma verdade silenciosa o fato de que nenhum de nós queria arriscar perder a amizade em nome da luxúria, solidão ou curiosidade. Em outras palavras, éramos a prova viva de que homens e mulheres podem, sim, ser apenas amigos.

Também ajudou, claro, o fato de Gabe não fazer meu tipo, e nem eu o dele. Eu era cheia de curvas e loira e bonitinha, e Gabe gostava de morenas pequenas e magras, quanto mais exóticas, melhor. Ele teve duas namoradas asiáticas e, do pescoço para baixo, as duas pareciam meninos adolescentes. Enquanto isso, eu preferia atletas de ombros largos, cabelos curtinhos e olhos azuis, algo bem distante do corpo magro, dos olhos escuros e da onipresente barba por fazer de Gabe, que geralmente se transformava numa barba de verdade (algo de que eu realmente não gostava).

— Não me leve a mal — diz Gabe agora, pedindo outra cerveja ao atendente do bar. Vejo pela expressão dele que ainda está falando de Will. Conclui o pensamento dizendo: — Fico feliz por vocês terem terminado.

— Ah, muito obrigada. Você está feliz por eu ter trinta e sete anos e estar solteira e desesperada?

Ele ri e diz:

— Mais ou menos.

Sorrio porque sei o que ele quer dizer e sinto a mesma coisa. Sempre fico um pouco feliz quando Gabe está solteiro e me senti aliviada quando ele terminou com a namorada mais recente, uma esnobe insuportável do tipo que fica citando nome de pessoas famosas. Não que não desejemos o melhor um para o outro, porque realmente desejamos. Quero que Gabe se apaixone e se case e tenha uma família (apesar de nem ele saber se foi feito para isso) e sei que ele quer o mesmo para mim. Mas é difícil negar o elemento clássico da tristeza que adora companhia, uma dinâmica comum entre amigos íntimos solteiros. Como um adendo – e uma proteção –, sempre juramos que nunca namoraremos alguém que não goste da nossa amizade. Na verdade, Gabe uma vez chamou isso de filtro, uma forma de excluir meninas ciumentas e instáveis que ele também chama de "psicopatas".

O interessante é que a única pessoa que teve problemas com Gabe foi Will, que o chamava de "metido depressivo". Era uma acusação injusta, já que Gabe nunca tenta impressionar ninguém e não se importa com o que os outros pensam dele, quase que exageradamente. Também não é exatamente depressivo, só um tanto melancólico e ácido – o que às vezes cansa as pessoas. Mas ele também é divertido, com uma generosidade e uma lealdade que superam seus defeitos. Não tenho dúvida de que Gabe faria qualquer coisa por mim.

— Então o que houve com Meredith? — pergunta ele, mudando de assunto.

Suspiro e lhe conto as novidades – que ela e minha mãe estão planejando algo para dezembro.

— Sabe, faz quinze anos...

Ouvinte atento, ele me olha, à espera.

— Elas querem visitar Sophie. Em Nova York — continuo.

— Sophie? — pergunta Gabe.

— Você sabe, a menina que ele namorava.

— Ah, certo... — Gabe balança a cabeça e assobia.

— Exatamente! Nada saudável, não é?

— É um pouco estranho... Reconheço. — Percebo que ele hesita como sempre à menção de Daniel.

— É muito estranho. Bizarro. Todo mundo precisa seguir com a vida.

Ele arqueia a sobrancelha e me olha, e sei que ele está pensando em Will novamente. Quase leio um balão sobre sua cabeça: *Não é o roto falando do esfarrapado?*.

— Que foi? — pergunto, sentindo-me na defensiva.

— Nada — responde ele, com os olhos tão arregalados numa expressão de ingenuidade que sou obrigada a tomar medidas drásticas. Pego meu telefone e escrevo um e-mail com dedos ágeis.

De: Josie
Enviado em: 18 de agosto
Para: Andrea Carlisle
Assunto: Re: Mãe representante de classe

Cara Andrea,

Obrigada por suas palavras gentis. Edie é um amor e mal posso esperar para conhecê-la melhor este ano. Espero que a Fada do Dente seja boazinha com ela hoje à noite! Obrigada por se oferecer para ser nossa mãe representante de classe – adoraria aceitá-la. Estou ansiosa para conhecê-la. E, sim, que mundo pequeno!

Sinceramente,
Josie

Procuro erros rapidamente e depois envio o e-mail, ouvindo o sonzinho enjoativo da decisão irreversível.

— Pronto — digo, mostrando-lhe a mensagem enviada.

Ele a lê rapidamente e me devolve o celular, rindo.

— Uau. Olhe só para você, Senhorita Bem Resolvida.

— Eu sou bem resolvida — digo e, por um segundo, acredito mesmo.

Naquela noite, acordo por volta das duas horas e não consigo voltar a dormir. Digo para mim mesma que é apenas o nervosismo da primeira semana de aula ou que estou me ajustando ao novo horário de sono, mas à medida que a manhã se aproxima sei que é algo mais profundo do que isso. Sei que tem algo a ver com Daniel e Sophie, mamãe e Meredith, Will e Andrea. E talvez tenha algo a ver com Edie, que dorme profundamente a esta hora. Imagino os cabelos loiros dela sobre o travesseiro, a moeda embaixo dele, enquanto ela sonha algo mágico. Penso na minha conversa com Gabe, a pessoa que mais me conhece e a única que sabe meus segredos. Meu coração se arrepende de tantas coisas, grandes e pequenas, incluindo erros que me fizeram fabricar namorados em continentes distantes que são tão imaginários quanto a Fada do Dente.

Capítulo quatro

MEREDITH

Na sexta-feira à noite, quarenta e cinco minutos antes de Nolan e eu sairmos para jantar com amigos, nossa babá cancela por mensagem de texto. *Desculpe, estou doente e não posso cuidar da Harper hoje à noite. Tive uma intoxicação alimentar.* ☹☹☹

— Mentirosa — digo, antes de bater com o celular na bancada do banheiro, com tanta força que tenho de ver se não quebrei a tela. Mesmo que acreditasse na doença dela, e não acredito, as desculpas petulantes com três emojis ainda assim me teriam irritado.

— Quem você está chamando de mentirosa? — pergunta Nolan do closet, onde está se vestindo.

— A babá. Ela acabou de cancelar.

— Quem é ela? — pergunta Nolan, aparecendo de cueca, meias e uma camisa azul nova de linho. Um dos muitos luxos de ser um marido, ao menos na nossa casa, é que Nolan não se preocupa com logísticas domésticas como contratar babás. Tudo o que ele precisa fazer é escolher a própria camisa.

— A filha do meio dos Tropper — respondo. — Aposto que ela cancelou por causa de algum menino.

— Ela pode ter sofrido uma intoxicação alimentar mesmo — diz Nolan. — As pessoas ficam doentes, sabia?

— De jeito nenhum. Quem tem intoxicação alimentar às seis e quarenta e cinco de uma sexta-feira à noite? E, por sinal, se você realmente está com intoxicação alimentar, você mente e diz qualquer outra coisa que não intoxicação alimentar. Porque intoxicação alimentar sempre soa como uma mentira quando se está cancelando um compromisso.

— É mesmo. — Nolan ri. — Mas por quê?

— Porque geralmente é... Deveria ligar para ela. Dizer para ela vir de qualquer jeito, já que não é algo contagioso.

— Não se pode ter uma babá com intoxicação alimentar — diz Nolan, perdido. Eu o vejo desabotoar a camisa e colocá-la de volta num cabide na minha parte do closet.

— O que você está fazendo? Vista isso de novo. Vou ver se minha mãe ou Josie podem cuidar da Harper.

— Sério? — Ele parece decepcionado.

— Você não quer sair? — pergunto, pensando que passei a semana ansiosa para jantar com os Graham.

— Acho que sim. Mas por mim tudo bem ficar em casa. Podemos pedir comida chinesa e assistir a *Homeland*. Ainda faltam três episódios.

Cruzo os braços e o encaro.

— Nós quase nunca saímos — digo.

— Não é verdade. Saímos para jantar sábado passado.

— Sim, mas foi com o pessoal do trabalho. Não conta — respondo, sabendo que, se ficarmos em casa, Nolan assistirá a algo na TV enquanto eu coloco Harper para dormir, uma tarefa árdua e frustrante que pode levar horas. Quase lhe digo que estou desesperada para beber algo e ter uma noite de adultos sem nossa filha, não necessariamente nessa ordem, e em vez disso digo que vou tentar falar com minha mãe ou Josie, talvez uma delas esteja livre.

— Você sabe que Josie estará ocupada. Ela sempre tem planos para uma sexta-feira à noite — diz Nolan, sem camisa. Sempre em boa forma, ele está mais musculoso do que o normal, treinando para seu próximo triátlon, a manhã de treinamento num conflito conveniente com a arrumação de Harper para a escola.

Envio mensagens de texto para elas assim mesmo, mas, bem como Nolan previu, Josie responde imediatamente que tem compromisso. Minha mãe escreve que adoraria, mas já planejou ir ao cinema com Kay, uma amiga da igreja.

— Droga — murmuro comigo mesma.

— Podemos ligar para os Graham e convidá-los para virem aqui — diz Nolan.

Faço que não, irritada pela sugestão.

— A casa está uma bagunça e não temos nada para comer.

— E daí? Podemos pedir pizza.

— Não quero fazer isso — digo, pensando que terei de pôr Harper para dormir. — Além do mais, os Graham não vão querer pagar uma babá para os filhos deles a fim de passar a noite com nossa filha.

— Certo. Bom, tenho certeza de que podemos pensar em algo divertido para fazer. — Ele faz uma arminha com os dedos e pisca e, apesar de saber que está tentando ser engraçado, também me parece uma sugestão séria.

Resmungo algo evasivo, perguntando-me em que posição colocaria sexo com meu marido nestes dias – acima ou abaixo de pôr nossa filha para dormir?

Sei o que pareço. Pareço uma merda de mãe e esposa. Ou no mínimo uma esposa inadequada e uma mãe ingrata – o que é um grande contraste em relação à imagem que tento retratar no Instagram. *Hashtag vida feliz. Hashtag família linda. Hashtag abençoada.* Às vezes, como hoje à noite, me pego pensando o que é mais grave: fingir ser feliz quando não se é ou se sentir constantemente insatisfeita quando você deveria estar feliz. Minha terapeuta, Amy, me diz para não ser tão dura comigo mesma – o que provavelmente explica muito bem por que continuo me consultando com ela. Ela diz que todos criam uma versão da vida que desejam que seja real e na qual tentam acreditar. Em outras palavras, todos mentem nas redes sociais ou ao menos mostram apenas seu melhor lado – e as melhores fotos. Amy também diz que, apesar de ter muito a agradecer, eu perdi meu irmão num acidente trágico que abalou profundamente minha família, direta e indiretamente provocou o divórcio dos meus pais e me deixou com uma irmã que é uma combinação de egoísmo e autodestruição. Em outras palavras, tenho o direito à minha frustração e melancolia, apesar das muitas coisas boas que me aconteceram desde aquele dia horrível.

Além disso, também admiro a perspectiva quarentona de Amy de que os trinta anos são um limiar para muitas pessoas e de que a maternidade não é aquela jornada constantemente abençoada que todos pensam que será quando fazem o chá de bebê. Ela jura que as coisas melhoram quando os filhos crescem e se tornam mais autossuficientes, mas também afirma que, seja qual for a idade dos filhos ou da mãe, a maternidade é difícil. Muito difícil. Mãe "do lar" sofre; mãe que trabalha fora sofre; e mãe que trabalha em meio período, como eu, sofre, apesar de os dois primeiros tipos insistirem que temos o melhor dos dois mundos, quando na verdade acho que temos o pior deles. Pronto. Fiz de novo. Megera, megera, megera. E estou falando de megera que faz "megerice".

Para deixar claro, amo minha filha mais do que tudo e todos no mundo. Ela é a melhor coisa que já fiz e jamais farei na minha vida. O problema é que cuidar de uma criança pequena é entediante para mim, algo que só admito para Amy, a pessoa que pago para ser completamente honesta comigo por uma hora. Não posso dizer isso para meu marido, que disse que eu não tinha instinto materno numa briga recente. Não posso dizer isso a minhas amigas, porque isso acabaria com minha fachada de perfeição no Facebook. Não posso dizer isso para minha irmã, que quer desesperadamente ser mãe. E não posso dizer isso a minha mãe, porque sei que ela daria tudo para ter de volta um pouco mais de seu primogênito, mesmo que fosse um daqueles momentos horríveis e exaustivos dos quais eu constantemente reclamo. Além disso, minha mãe precisa que eu esteja bem. A filha com quem ela não tem de se preocupar. A única que não avacalhou nem morreu.

O problema mais urgente, e meu maior segredo, é como me sinto em relação a Nolan, meu marido há quase sete anos. Nem sei por onde começar, a não ser pelo início, com a resposta àquela pergunta: "E então, como vocês se conheceram?". Todo casal tem a resposta enlatada, a história que repetem sempre. Às vezes o marido vai tomar a dianteira na hora de contar a história, às vezes é a esposa. Às vezes, é um esforço coordenado, um roteiro pensado em todos os detalhes, com a piada perfeita, o suspense, o olhar de amor compartilhado, a risada e a reviravolta mágica. E então ele disse isso. E então fiz aquilo. E agora aqui estamos nós. Felizes para sempre.

Às vezes me pergunto se parte do meu problema com Nolan não é a nossa história em si, como e por que ficamos juntos. Pois, mesmo se me atenho à versão resumida e feliz, evitando detalhes sórdidos como "Nolan carregou o caixão do meu irmão", sempre voltamos a Daniel.

Na infância e na juventude, desde que lembro, Nolan sempre foi o melhor amigo do meu irmão, apesar de, por causa da diferença de idade de quatro anos e meio, eu jamais ter prestado muita atenção a eles, pelos menos não quando eu era bem pequena. Ele era só um dado a mais, como o sofá em "L" da nossa sala ou a mesa de trabalhos manuais do papai na garagem, parte do pano de fundo da minha infância, um dos muitos meninos que vinham trocar cartões de beisebol, jogar bola no quintal dos fundos ou passar a noite, dormindo na cama embutida que era puxada de baixo da cama de Daniel.

Quando cheguei à quinta ou sexta série, ficou mais difícil ignorar Daniel e seus amigos, nem que fosse apenas porque Josie estava prestando bastante atenção a eles. Lembro-me dela falando de Nolan em particular e tive de concordar que ele era bonito. Com cabelos loiros ondulados, olhos azuis e aquele tipo de pele que se bronzeia facilmente, tinha uma aparência óbvia de salva-vidas de Malibu, tanto que Daniel o provocava chamando-o de Baywatch. Ele também era o amigo mais atlético de Daniel, à vontade em todos os esportes, apesar de não ter a mesma motivação e ética do trabalho de Daniel, o que os igualava no campo. Mas o que mais chamava minha atenção era o senso de humor de Nolan, a forma relaxada como ele abordava todas as coisas, uma diferença marcante em relação ao meu irmão certinho. De certa forma, eles eram o oposto um do outro, e suas diferenças aumentaram com os anos, depois que Daniel se formou como orador de turma da Lovett e foi para Harvard, enquanto Nolan se concentrava nas meninas e festas na Ole Miss, mal conseguindo se formar (tudo de que precisava para voltar a Atlanta e cuidar da gráfica da família). Apesar dos caminhos divergentes, os dois permaneceram próximos, sempre retomando a amizade. Na verdade, poucos dias antes da morte de Daniel, eu o ouvi dizendo a Sophie que Nolan um dia seria seu padrinho de casamento.

Então, foi ao mesmo tempo normal e aterrador quando voltamos para casa na manhã seguinte ao acidente e encontramos Nolan apoiado no

Tahoe preto estacionado ao acaso diante da nossa casa, a porta da frente aberta. À medida que meus pais e eu saímos do carro, ele deve ter percebido que havia algo de errado – muito errado – ao perguntar calmamente:

— Onde vocês foram? Cadê o Danny? Nós marcamos de jogar basquete às dez. — Ele comia uma rosquinha com cobertura e lambeu o dedo, esperando uma resposta.

Prendi a respiração e olhei para meu pai, ainda usando o terno amassado da viagem de negócios, a gravata vermelha enfiada no bolso. Ele começou a responder, mas abaixou a cabeça e entrou correndo em casa, minha mãe de braços dados com ele. Nolan saiu da caminhonete, o sorriso desaparecendo.

— Meredith? — disse ele, um olhar questionador. — O que está havendo?

Eu tinha só vinte anos, não tinha idade nem para beber dentro da lei, mas ficou claro para mim que teria de contar ao melhor amigo de Daniel que ele estava morto.

— Daniel sofreu um acidente de carro na noite passada – disse, de alguma forma conseguindo ter voz, apesar de minha garganta estar fechada, o coração batendo nos ouvidos.

— Ele está bem? – Nolan meneou a cabeça, como se desse a deixa para a resposta certa. – Ele vai ficar bem. Certo, Meredith? — Meneou a cabeça de novo, os olhos arregalados.

Respirei fundo e me obriguei a dizer em voz alta pela primeira vez: *Daniel morreu*.

Nolan ficou me olhando, a expressão impassível, como se não tivesse ouvido o que eu disse ou simplesmente não pudesse processar o significado das minhas palavras.

— Um caminhão atingiu o carro dele na esquina da Moores Mill com a Northside — disse, entorpecida, ainda em choque. — Ele estava usando o cinto de segurança, mas os ferimentos internos foram graves demais. Disseram que tudo foi rápido... Ele não sofreu nada.

Repeti as palavras exatamente como ouvi minha mãe dizer a meus avós. *Ele não sofreu nada*. Queria desesperadamente acreditar que era verdade, mas sempre duvidei, sempre me perguntei qual foi o pensamento final de Daniel e se ele sabia o que estava lhe acontecendo.

Nolan caiu sentado no banco do motorista, as pernas compridas pendendo da porta, seus tênis de cano alto desamarrados plantados no chão. Prendi a respiração, horrorizada, enquanto ele falava uma série de obscenidades, a voz um murmúrio baixo e gutural. *Meu Deus, não. Porra. Jesus Cristo. Ah, caraaaaalho. Deus, não.*

Meu instinto me dizia para fugir, escapar da presença de Nolan. Mas não pude deixá-lo. Então, dei a volta pela frente do carro, abri a porta e me sentei ao lado dele. Só então percebi que estava com frio e que tinha deixado meu casaco no hospital.

— Pode ligar o aquecedor? — pedi, baixinho.

Nolan se ajeitou, fechou a porta e girou a chave ainda pendendo na ignição. O rádio começou a tocar antes que ele o silenciasse com um soco, seguido por um golpe ainda mais forte no painel, fazendo um corte nos nós dos dedos. Abri a bolsa e lhe estendi um lenço, mas ele não aceitou. O sangue escorria de sua mão e pelo pulso enquanto ele anunciava que estava de saída.

— Vai embora? — perguntei, de repente em pânico, com medo de entrar em casa, literalmente com medo de ver Josie, sabendo que não tínhamos mais um irmão. Que agora éramos somente nós duas.

— Acho que devo ir. Certo?

Fiz que não com a cabeça, olhando para o saco de rosquinhas no assento entre nós.

— Não. Por favor, entre.

— Tem certeza? Não deveria ser só... a família? — A voz de Nolan tremia enquanto lágrimas rolavam por seu rosto.

— Você é da família — respondi. — Daniel iria querer que você entrasse.

Quase todos descrevem o momento imediatamente seguinte à morte da mesma forma – um borrão surreal, ao menos para os mais íntimos, responsáveis pelos detalhes. Vi as pessoas indo e vindo – amigos próximos, vizinhos e parentes, incluindo alguns que mal conhecia. Traziam comida, ofereciam condolências, choravam. Mamãe e papai escolheram o caixão e um terreno no cemitério com a moça da agência funerária e planejaram o velório de Daniel com John Simmons, nosso pastor havia muitos anos. Papai se sentou no escritório e escreveu o elogio fúnebre, um copo de uísque na mesa.

Enquanto isso, não me lembro de Nolan indo embora, mas ele deve ter ido para casa a fim de tomar banho e dormir. A pedido dos meus pais, ele ficou sentado na sala com o computador de Daniel, repassando os contatos dele, mandando e-mails e ligando para seus colegas de faculdade, um a um. Ligou até mesmo para Sophie, horas depois do avião dela pousar, e ouvi a conversa, surpresa ao perceber que ele dizia as coisas certas, como Daniel a amava, como ela era especial para meu irmão. Mexeu nas fotos da família, criando uma colagem a ser exibida no velório. E depois que não havia mais nada a fazer ele simplesmente ficou comigo num silêncio paralisado, a eternidade de tudo começando a nos atingir.

Era difícil dizer que ele foi um consolo, porque nada podia nos consolar naquele momento, mas havia algo de tranquilizador na sua presença. Não era nada parecido com meu irmão, mas era uma conexão forte com ele, e entendi claramente por que Daniel o amava.

Cerca de uma semana depois do funeral, e na véspera do meu retorno ao primeiro ano de faculdade, Nolan apareceu para dar oi e, em suas palavras, "ver como todo mundo estava". De pé na entrada da nossa sala, olhou para o alto da escada quando eu lhe disse que minha mãe já estava na cama com dor de cabeça e meu pai estava no escritório, trabalhando até tarde.

— E Josie? — perguntou ele. — Ela voltou para a escola?

— Ainda não. Ela vai na semana que vem... Não sei onde ela está hoje — disse, pensando que isso era típico dela, antes do acidente e principalmente depois dele. Não sabia ao certo aonde ela ia ou com quem saía, mas a vi raramente por dias. Ainda tínhamos de conversar sobre aquela noite, sobre onde ela estava ou como descobriu, e estava começando a sentir que jamais conversaríamos sobre isso. A morte de Daniel nos afastaria ainda mais.

Nolan enfiou as mãos nos bolsos, me olhou por uns segundos e então perguntou se eu queria comer algo. Sentindo-me ao mesmo tempo surpresa e estranhamente lisonjeada pelo convite, disse sim. Passamos a hora seguinte passeando por Buckhead, tentando decidir aonde ir, vetando restaurante após restaurante até finalmente escolhermos o OK Cafe, uma lanchonete sulista de comida simples toda iluminada. Escolhendo uma mesa nos fundos, comemos carne e macarrão com queijo, bebemos chá e conversamos sobre tudo, menos Daniel. Nolan fez perguntas básicas como se não me conhecesse há tempos, e de certo modo acho que não conhecia mesmo.

— Por que você escolheu Syracuse? — perguntou ele. — Nunca conheci uma pessoa de Atlanta que fosse para Syracuse. Exceto você.

— Não é razão suficiente? — retruquei, impassível.

— Sério? — disse ele com um sorriso, as covinhas aparecendo.

— Na verdade, sim. Mais ou menos — respondi, sorrindo um pouco. — Além disso, eles têm uma ótima faculdade de artes dramáticas.

— Ah, isso é verdade. Você é uma menina do teatro. Fez muitas peças no Pace, não é?

Fiz que sim e disse que era disso que gostava – um dos motivos para ter escolhido uma escola diferente da dos meus irmãos.

— Daniel tinha orgulho de você.

Fiquei olhando para o prato, tentando não chorar, enquanto Nolan me distraía com mais perguntas rápidas.

— Então você quer ser atriz?

Fiz que sim novamente.

— Mas você é tão tímida — disse ele, algo que as pessoas geralmente me diziam quando lhes contava o que estava estudando.

— Não sou exatamente tímida. Sou introvertida. — Expliquei a diferença – estar com pessoas não me deixava incomodada, eu só preferia ficar sozinha na maior parte do tempo. — Daniel era introvertido também. Ele escolhia com cuidado as pessoas com as quais passava o tempo... Ele adorava sair com você.

Nolan sorriu, e me ocorreu que talvez ele não estivesse sendo apenas legal ao me convidar para jantar. Talvez eu também fosse um consolo para ele, sua conexão mais próxima a Daniel.

— E no que mais vocês são parecidos? — perguntou ele.

Hesitei, sem saber direito que tempo verbal usar, o presente para mim ou o passado para meu irmão.

— Tenho TOC. E as notas boas dele. — Eu sorri. — Apesar de não dar para comparar neurocirurgia e teatro shakespeariano... Sou inteligente, mas ele era muito mais.

— O que você estuda não tem nada a ver com seu QI.

— Verdade — disse, mas ainda tinha certeza de que o QI de Daniel era mais alto do que o meu – mais alto do que todos na família.

— Vocês dois são mais parecidos do que você e Josie, não é?

Fiz que sim.

— Sim, ela é bem extrovertida. Gosta de festa. Mas é estranho... Sou mais parecida com Daniel, só que ele era mais próximo dela. — Senti uma ponta de ciúme e depois culpa por causa do ciúme. — Daniel se sentia atraído por pessoas como você... e ela.

— Pirados? — Ele sorriu.

— Pessoas felizes — respondi, segurando a caneca quente com as duas mãos, depois de pedir café. — Pessoas divertidas. Você sempre o fazia rir.

O lábio inferior de Nolan tremeu.

— Eu o ouvi dizer a Sophie que você seria o padrinho de casamento dele. Um dia.

— Ele disse isso?

— Sim. Mas você já sabia, não?

— É, acho que sim. Mas ele seria meu padrinho. O melhor amigo que alguém poderia ter. Deus. Todas as vezes que ele me apoiou... as confusões das quais me tirou...

Esbocei um sorriso, lembrando-me de algumas histórias engraçadas no elogio fúnebre de Nolan, como ele capturou perfeitamente a essência leal e sólida de Daniel ao mesmo tempo que retratava a si mesmo como o amigo bobão.

— Ainda não acredito que foi ele... e não eu — disse Nolan. — Deus, queria que tivesse sido comigo.

Fiz que não com a cabeça, apesar de ter desejado a mesma coisa. *Se tivesse acontecido comigo*, pensei mais de uma vez, *então meus pais ainda teriam uma filha de reserva*.

Mais tarde naquela noite, quando Nolan me deixou em casa, ele perguntou se podia ver o quarto de Daniel. Hesitei, incomodada. Ainda não tinha entrado no quarto dele e sabia que meus pais só estiveram lá uma vez, e só por necessidade, para pegar as roupas para o enterro de Daniel. Mas concordei e nós dois entramos em silêncio em casa, depois subimos e seguimos pelo corredor até a porta fechada do quarto do meu irmão. Meu coração acelerou quando girei a maçaneta e espiei. O quarto estava escuro, as persianas fechadas, e, por um segundo, me peguei realmente rezando para encontrarmos um milagre: Daniel dormindo na cama, que tudo isso não tinha passado de um sonho ruim. Mas a visão do edredom imaculado e preso sob o colchão confirmava nosso pesadelo.

— Jesus — sussurrou Nolan, e demos uns passos hesitantes para dentro do quarto, nossos olhos se ajustando à escuridão. Tentei falar, mas não conseguia nem começar a pensar no que dizer. Não havia nada a dizer.

Mas Nolan encontrou algo.

— Acho que não entro aqui desde a escola. Está igualzinho.

Fiz que sim, feliz por meus pais não terem redecorado nossos quartos como vários pais faziam quando os filhos saíam para a faculdade, e me perguntei se eles redecorariam o quarto agora. Nolan e eu ficamos olhando, criando um inventário visual da estante de livros de Daniel com romances em papel-jornal e troféus de tênis e bolas de beisebol autografadas e uma coleção de globos de neve. Estudamos os uniformes de beisebol emoldurados nas paredes e a colagem de fotos no quadro de avisos e a pilha de livros médicos na mesa. A pasta dele estava aberta e arrumada sobre uma almofada num canto, e vi o pijama que Josie lhe dera de Natal, ainda com a etiqueta. Olhei para o pote de protetor labial no criado-mudo, sobre uma cópia de *O Ponto da Virada*, de Malcolm Gladwell, com uma ficha dentro, quase no meio. Tive uma vontade repentina de ler a última página que ele lera, mas não ousava tocar em nada. Vi que Nolan sentia o mesmo, como se estivéssemos diante de um quarto de museu, vendo a história, o fim da vida de um jovem, um momento congelado no tempo. Olhamos e olhamos até que não houvesse mais nada para observar, e então Nolan segurou minha mão, me puxou para perto e me abraçou.

— Eu amo você, Meredith — sussurrou ele no meu ouvido.

Claro que sabia o que ele queria dizer – e de que modo ele me amava: como um irmão mais velho substituto. Mas as palavras ainda assim me pegaram desprevenida, assim como o arrepio no braço quando sussurrei em resposta:

— Eu também amo você, Nolan.

Naquele segundo, não podia mais negar o que tentava negar há semanas, talvez anos. Tinha uma queda por Nolan. Era algo absurdo em vários sentidos. Até mesmo a palavra parecia frágil e tola e estúpida em meio à nossa perda monumental. Para além do fato de Nolan ser mais velho e bonito demais para mim, ele era o melhor amigo do meu irmão, proibido antes e com certeza agora. Além disso, como eu podia me sentir atraída por alguém logo depois da morte do meu irmão? Era o tipo de coisa inapropriada que aconteceria a Josie, não a mim. Ainda assim, ali estava – inequívoco como minhas mãos suadas e meu coração acelerado e culpado.

Desviei o olhar, dizendo a mim mesma que tudo aquilo era coisa da minha cabeça, uma espécie de reação ilusória à perda. Estresse pós-traumático. Aquilo passaria. E, mesmo que não passasse, ninguém jamais saberia. Eu nunca contaria a ele. Nunca contaria a ninguém.

— É melhor irmos — disse, afastando-me dele.

— É mesmo — respondeu ele, passando a mão nos próprios cabelos, parecendo agitado. — Melhor eu ir embora.

Poucos segundos mais tarde, estamos lá embaixo na sala, nos despedindo constrangidos.

— Então você vai para a faculdade amanhã? — perguntou ele.

— Sim — respondi. — Amanhã pela manhã.

— Certo. — Nolan me deu um abraço rápido seguido por um beijo no rosto. — Cuide-se, Mere.

— Você também, Nolan.

— Vou manter contato, prometo — disse ele, mais sincero do que nunca.

Fiz que sim, acreditando que era a intenção dele, mas duvidando de que aquilo aconteceria mesmo. Acabaríamos por perder contato e a conexão da minha família com Nolan seria outra baixa da nossa tragédia.

— Então, tenho uma proposta para lhe fazer — digo para Harper ao encontrá-la no quarto (o quarto da minha infância) depois de oficialmente cancelar nosso jantar e vestir meu pijama mais confortável.

Ela tira os olhos da coleção de ratinhos de pelúcia que vivem na última gaveta de seu criado-mudo e pergunta:

— O que é isso?

— Quer saber o que significa? — pergunto, sentando-me na beirada da cama. — É um acordo. Quer fazer um acordo?

Ela me olha desconfiada, mas faz que sim, disposta ao menos a me ouvir.

— Se você escovar os dentes e se aprontar para dormir, vou ler duas historinhas e... — faço uma pausa para criar suspense — ... eu não vou sair.

Com um brilho nos olhos, ela diz:

— Nada de babá?

— Nada de babá.

Ela sorri para mim. Exceto por minha mãe, os pais de Nolan e Josie, Harper odeia ter uma babá, principalmente à noite, e mesmo as babás jovens e divertidas despertam nela um redemoinho de ansiedade pela separação e um sentimento de perda.

— Mas você tem que ir diretamente para a cama depois disso. Luzes apagadas. E tem de ficar na cama. Nada de truques.

Ela me olha e vejo as engrenagens funcionando em sua mente.

— Aceita o acordo? — pergunto, sabendo que estou diante da melhor negociadora de Atlanta.

Claro que ela tem uma contraoferta.

— Quatro livros — diz.

Tento não sorrir e digo:

— Três.

— Não, cinco — responde ela, mostrando o punho e abrindo a mão, expondo os dedinhos.

Faço que não com a cabeça, explicando calmamente que não funciona assim. Depois que ela diz "quatro", não pode aumentar para cinco. Mas, como admiro a coragem dela, cedo um pouco.

— Vamos começar com três e ver o que acontece. Se não ficar tarde demais, leremos um quarto — digo, apontando para a estante. — Você escolhe, querida.

Empolgada, ela corre até a estante, escolhendo estrategicamente três livros infantis com mais palavras por página. A menina não é boba. Suas duas primeiras escolhas são boas, mas então ela pega *Horton Hears a Who!* e solto um gemidinho. Apesar de adorar a mensagem moral de tolerância e igualdade do livro, não estou a fim de ler Dr. Seuss.

— Posso vetar um? — pergunto, pensando que há muitos livros ótimos que negligenciamos há algum tempo.

— Não, mamãe — diz ela, levando a mão à cintura. — Você disse que eu podia escolher. E eu escolhi *Horton Hears a Who!*

— É justo. Agora vamos. Vá escovar os dentes.

Ela faz que sim e vai ao banheiro que eu e minha irmã dividíamos, enquanto eu arrumo os brinquedos dela, guardo o ratinho e me ajeito na cama para esperá-la.

Pouco depois ela volta. Resisto à vontade de lhe dizer que ela não pode ter escovado bem os dentes em tão pouco tempo, mas em vez disso só me afasto, dando-lhe espaço. Ela sobe na cama cheirando a pasta de dente com sabor de chiclete e me entrega *Sylvester and the Magic Pebble*. É um dos meus livros preferidos – eu me lembro de minha mãe lendo esse livro para Josie e para mim quando éramos crianças. Digo isso a Harper porque ela adora ouvir histórias de "mamãe e Josie" quando crianças. Ela sorri, o rosto iluminado pela ansiedade, e se acomoda na dobra do meu braço. Abro o livro e começo a ler com a minha voz mais animada, saboreando a doçura do momento. Lembrando-me de nunca deixar de dar valor às coisas.

Capítulo cinco

JOSIE

Na sexta-feira à noite, quando estou prestes a sair para um encontro com um fisioterapeuta chamado Pete que conheci pelo Match.com, Meredith me manda uma mensagem com um pedido de última hora para cuidar da filha e com reclamações enraivecidas sobre uma adolescente mentirosa. Hesito antes de responder, na verdade cogitando o favor porque, sinceramente, prefiro passar a noite com Harper a ter uma conversa boba com um cara qualquer, mesmo que ele seja bem bonitinho na foto do perfil. Mas acho melhor seguir com meus planos porque nunca se sabe quando você pode estar cancelando um encontro com seu futuro marido.

Decido que já basta. Este será meu último encontro, a última tentativa desesperada. Se as coisas não funcionarem com Pete, o fisioterapeuta, para mim chega. Admito a derrota. Jogo a toalha para essa coisa de família e vida tradicionais. Não sei direito o que isso significa – se vou me mudar para a África para fazer trabalho voluntário, como meu namorado imaginário Jack, ou se vou a um banco de esperma, seguindo o caminho da mãe solteira. Mas não vou continuar com esta busca fútil. Já disse isso antes, só que agora é diferente. Desta vez estou falando sério.

Repito tudo isso para mim mesma ao dirigir pela Peachtree a caminho de conhecer Pete, percebendo que não sinto nenhuma pressão. Na verdade, parte de mim até quer que o encontro seja ruim porque um encontro ruim é melhor do que aquele encontro neutro, nota seis – o bastante para fazê-la ter esperança, uma esperança inevitavelmente arruinada no segundo ou terceiro encontro, quando você descobre que o homem é, na verdade, nota quatro ou cinco. Pior ainda, você chega à conclusão, no segundo ou terceiro encontro, de que ele é na verdade nota oito ou nove ou dez – o que é garantia de que ele nunca mais ligará para você.

Então, em vez de mergulhar no meu autoconvencimento de sempre antes de um encontro, eu me concentro em críticas prévias a Pete, o fisioterapeuta. Para começar, ele usa emojis demais, deixa nossa conversa cheia de expressões de desenho animado, incluindo o tolo sinal de positivo seguido por uma taça de vinho tinto confirmando detalhes do nosso encontro. Há ainda a questão do perfil dele no Facebook: o close de um gato preto (e só sei disso porque ele quebrou uma das regras dos encontros às escuras me adicionando no Facebook antes do encontro). Por fim, para esta noite ele escolheu o restaurante Brio, uma cadeia genérica de comida italiana – não é um lugar ruim para uma refeição, mas certamente é má escolha para um primeiro encontro. Por acaso, a Josie de antigamente, desesperada para casar, estaria procurando desculpas para Pete, tais como: (1) emojis são sinais de um bom coração; (2) homens extremamente evoluídos que não precisam ser bajulados o tempo todo por um cachorro tendem a gostar de gatos; e (3) Brio fica ao lado da Barnes & Noble e ele também sugeriu que entrássemos na livraria depois do jantar, outro sinal de inteligência.

Mas não sou mais assim. A nova Josie diz *não vai dar em nada* ao entregar o carro ao manobrista e entrar no restaurante. Imediatamente avisto Pete sentado no bar, usando a camiseta polo vermelha que ele me disse que estaria vestindo (numa mensagem de texto seguida por um emoji de piscadela). Ele está olhando para o telefone, o que me dá uns segundos para estudá-lo e formar uma primeira impressão. Não é de arrasar corações, mas ao menos é bonitinho como sua foto de perfil – infelizmente, nota sete. Não sei se é muito alto, mas tem um corpo atlético com um queixo proeminente o bastante para disfarçar a ligeira calvície. Enquanto lembro a mim mesma que o queixo não muda o fato de ele ter escolhido o Brio, trocamos olhares e ele acena. Aproximo-me com um sorriso e sem nada a perder.

— Josie? — pergunta ele, levantando-se quando chego ao bar, confirmando uma altura de cerca de um e setenta e cinco, talvez um e setenta e oito. Tem uma voz agradável e grossa, sem sotaque identificável, se bem que, por causa do perfil no Match.com, sei que ele é de Wisconsin. Gosto dos dentes dele e realmente gosto do sorriso, o que lhe dá um ponto extra.

— Oi, Pete — digo.

Ele pergunta se quero ficar no bar ou ir para uma mesa. Começo a dizer que tanto faz, mas então opto pelo bar; se a conversa for ruim, sempre podemos incluir nela o bartender – um truque que aprendi com o tempo.

— Então. Que bom conhecer você — diz Pete ao nos sentarmos nos banquinhos e nos posicionarmos um de frente para o outro. Coloco a bolsa no gancho sob o bar e tomo cuidado para nossos joelhos não se tocarem.

— Prazer em conhecer você também. — Noto a covinha no queixo dele. Um ponto a mais, o que lembro a mim mesma que na verdade é um ponto a menos.

— Fico feliz por finalmente nos encontrarmos. —Pete se refere à nossa dificuldade de agenda nas últimas semanas.

— Eu também — respondo, e por acaso decido compartilhar minha observação de que ele faz parte de uma minoria de homens mais bonitos do que sua foto de perfil.

— Que engraçado — diz Pete. — Estava pensando o mesmo sobre você.

Sorrio e digo:

— É sempre melhor diminuir as expectativas, não é?

Ele ri e diz que sim, bem observado.

— Mas ainda sobre o assunto das fotos, posso lhe dar um conselho sobre sua foto de perfil no Facebook? — pergunto.

— Você está falando do pedido de amizade no Facebook que recusou?

— Não recusei. Só ignorei.

— Muito justo. — Ele sorri. — Qual seu conselho?

— Tire o gato.

— O quê?! — diz Pete, com uma indignação exagerada. — Você não gosta de Fudge[1]?

— O nome dele é Fudge?

— Dela. E sim. O nome dela é Fudge. Porque ela é preta, entendeu?

— Uau. — Balanço a cabeça negativamente e abro um sorriso forçado.

— Que foi? — pergunta Pete.

— Fudge? Esse é mesmo um nome ruim.

---

1. Calda de chocolate, em inglês. (N. T.)

— Minha sobrinha deu a ela esse nome — conta ele. — E agora ela morreu.

Por um segundo, penso que ele quis dizer que a sobrinha morreu – e fico horrorizada por minha indelicadeza. Então percebo que ele provavelmente estava falando que a gata morreu.

— Fudge morreu? — pergunto.

— Sim. Minha sobrinha ficou arrasada. A gata era dela, mas ela morava comigo porque a esposa do meu irmão é alérgica... Foi difícil para todos nós. Fudge era mesmo uma boa gata.

— Sinto muito — murmuro, notando o cuidado dele com animais e sua proximidade com a família. — Mesmo assim. Você realmente deveria ter vetado o nome Fudge.

Ele me encara por um segundo e diz:

— Ah, é? Bom, você deveria ter vetado o Brio. E aqui estamos nós.

Irrompo numa gargalhada.

— E por quê?

— Porque... é o Brio — responde Pete com um quê de Gabe – uma certa pretensão gastronômica. — Várias meninas da região cancelam o encontro quando escolho este restaurante.

— Você queria que eu cancelasse? — pergunto, notando que o bartender está perto. Não lhe damos abertura e ele vai até outro casal.

— Gosto de eliminar as esnobes. Sou de Wisconsin. Gente esnobe e eu não combinamos.

— Não há esnobes em Wisconsin?

— Talvez dois ou três.

— Bom, não sou esnobe — digo, convicta. — Mas meu melhor amigo é, e ele realmente me aconselhou a cancelar o encontro com base na sua escolha do restaurante.

— Gay metido a gourmet? — sugere Pete.

— Não recorra a estereótipos — respondo, sorrindo.

— Tudo bem. Mas estou certo?

Faço que não.

— Na verdade, não. Ele é hétero metido a gourmet.

Pete faz cara de surpresa e me olha sério.

— Melhor amigo homem hétero?

— E mora comigo.

— Hmm... Interessante.

— Já está se sentindo ameaçado? — pergunto, sentindo-me mais e mais ousada. — Alerta vermelho.

— Já está tentando me fazer ciúme? — retruca ele. — Alerta vermelho.

Ficamos nos encarando timidamente até o bartender reaparecer. Desta vez, levantamos a cabeça e pedimos. Peço um vodca-martíni com Tito's, se eles tiverem, ou Belvedere, se não.

O bartender meneia a cabeça afirmativamente, agora olhando para Pete.

— E para o senhor?

— Quero uma Miller Lite... E vamos querer uma focaccia também — diz Pete, lendo o cardápio. Pergunta se tenho alguma preferência e lhe digo para escolher algo com carne.

— Linguiça? — pergunta Pete.

Faço que sim e, enquanto o bartender se afasta com nosso pedido, Pete diz:

— Que bom. Você não é vegetariana.

— Nem evito glúten — digo, pensando na mais recente novidade da minha irmã. — Nem sei direito o que é glúten. É trigo? Ou outra coisa?

— Não tenho a menor ideia. Mas sabe como se descobre que uma pessoa evita glúten?

Balanço a cabeça e digo que não.

— Ela fará questão de lhe dizer! — responde ele com um sorriso lindo.

Rio e ele parece feliz por ter feito a piada.

— E você é professora? — pergunta.

— Sim. Primeira série... Adoro. Adoro criança.

Ele meneia a cabeça, os olhos brilhando um pouco. Tento pensar em algo mais interessante a dizer e então me lembro de não tentar ser interessante – ou pelo menos não mais interessante do que já sou. Em vez disso, faço uma pergunta que jamais sonharia em fazer num primeiro encontro, ainda mais tentando causar uma boa primeira impressão.

— Você gosta de criança?

Ele hesita, reconhecendo a pergunta desesperada de uma mulher de quase quarenta anos ao ouvi-la, mas se mantém impassível e responde:

— Criança é tudo de bom.

— Então temos muito em comum — digo assim que nossas bebidas chegam. — Nós dois gostamos de carne, glúten e criança.

Pete dá uma risada sincera e pega o copo.

— À carne, ao glúten e às crianças.

Nossos copos se tocam, depois nossos joelhos, antes de bebermos o primeiro gole. Bebo, espero um pouco e então me arrisco completamente:

— Então. Este é meu último encontro com um homem.

Ele me olha, parecendo ao mesmo tempo surpreso e confuso, e diz:

— Está querendo dizer que não vai mais sair comigo?

— Bem isso. Sem ofensa, decidi isso antes mesmo de chegar aqui.

— E por que você decidiu isso?

Pigarreio e continuo:

— Bom. Como você sabe do meu perfil no Match.com, tenho trinta e sete anos. Quase trinta e oito. Então acho que é hora de jogar a toalha nessa coisa de conhecer pessoas e tentar encontrar um marido. Além disso — digo, agora desenfreadamente —, a filha de seis anos do meu ex-namorado está na minha turma. Um lembrete diário de que fiquei para trás e de que meu tempo está se esgotando. Então, a não ser que você acabe sendo "O Escolhido" e depois o pai dos meus filhos, este é meu último encontro antes de ir atrás do esperma de um estranho. Ou talvez me mudar para a África e dedicar minha vida aos pobres. — Sorrio. — Sem pressão, claro.

Duas horas e meia mais tarde, nosso encontro termina e estamos os dois diante do balcão do manobrista, esperando nossos carros. Apesar de a noite ter sido mais divertida do que eu esperava – nota sete –, nem eu nem ele mencionamos a Barnes & Noble.

— E então? — diz Pete. — Este foi mesmo nosso último encontro?

Sorrio e respondo:

— É, acho que sim.

— Então não devo ligar para você?

— Você queria me ligar?

— Só se você quiser que eu ligue.

Pondero cuidadosamente e lhe digo a verdade:

— Não sei... Talvez...

Ele ri.

— Pode ser um pouco mais clara?

— Bom. Gostei da noite e gostei de você, mas acho que não temos... química.

Pete faz que sim e diz:

— Então... isso quer dizer que você vai para a África?

— Ou para o banco de esperma — respondo, vendo o manobrista me olhar de cima a baixo antes de sair do meu carro, o motor ligado.

— Boa sorte — diz Pete.

— Obrigada. — Dou a gorjeta ao manobrista e pego meu carro. Sinto Pete olhando para mim, então abro a janela e digo: — Por sinal, a covinha no seu queixo é linda.

Ele sorri.

— É o bastante para me render um segundo encontro, mesmo sem química?

— Você pode tentar — digo, aumentando a aposta, se bem que não estou nada ansiosa. Aceno-lhe um adeus e sigo pela Peachtree, sem nem esperar chegar em casa para contar tudo a Gabe.

Ele atende ao primeiro toque.

— Como foi?

— A semente da produção independente foi oficialmente plantada — respondo. — Trocadilho intencional.

Capítulo seis

MEREDITH

Depois do funeral de Daniel, me senti secretamente aliviada por voltar à faculdade e fugir do sofrimento insuportável de Atlanta. Ligava para meus pais com a maior frequência possível, já que sabia que eles se preocupavam demais comigo, agora mais vulneráveis do que nunca aos temores típicos dos pais. Também tentei não pensar em Daniel, concentrando-me em aulas e testes para papéis, qualquer coisa para me manter ocupada e distraída. Por sorte, minha queda por Nolan rapidamente desapareceu, substituída por uma queda muito maior por um cara chamado Lewis Fisher.

Lewis e eu nos conhecemos na aula de dicção para teatro naquele semestre, e depois fomos escolhidos para interpretar Mitch e Blanche em *Um Bonde Chamado Desejo*. Um ator brilhante do Brooklyn, ele me cativou com seu talento, apesar de eu também adorar sua peculiaridade e sua sofisticação urbana. Certa noite, depois do ensaio, ficamos nos bastidores até bem depois do restante do elenco e da equipe técnica irem embora, descobrindo que tínhamos algo em comum além do teatro: ambos tínhamos perdido irmãos. Contei a ele sobre o acidente de Daniel e ele contou que sua única irmã, Ruthie, pulara nos trilhos do metrô, em frente ao trem da linha N, uma semana antes de completar dezesseis anos.

Ficamos quase a noite toda conversando, analisando as duas tragédias com uma franqueza brutal. Concluímos que, apesar de a morte de Ruthie ter sido emocionalmente mais complicada e perturbadora, de certa forma parecia mais injusto perder Daniel – alguém que fora tão feliz e produtivo.

Lewis se sentia culpado por não ter salvado a irmã – enquanto eu me sentia culpada por ter sobrevivido. Não era apenas catártico conversar sobre nossas perdas, mas também algo muito íntimo. Nossa ligação era intensa e nossa química, inegável. Depois de chorarmos juntos, nos abraçamos e nos beijamos.

Na estreia, já éramos um casal. Até mesmo o crítico de teatro do *Daily Orange*, conhecido pela virulência de seus comentários, elogiou nosso "calor palpável" como uma das melhores coisas da produção, lamentando que Stella e Stanley não tivessem o mesmo ardor. Para comemorar a crítica, fizemos amor. Foi minha primeira vez e ele disse que queria que tivesse sido a dele também.

Lewis e eu nos tornamos inseparáveis. Evitávamos festas e bares, passando a maior parte do tempo sozinhos ou com um pequeno grupo de amigos, também atores. Fazíamos as mesmas aulas, participávamos de testes para as mesmas peças e passávamos todas as noites na cama dele ou na minha. Éramos jovens demais para pensarmos em casamento, nenhum de nós almejando uma vida tradicional, mas conversávamos sobre o futuro, o que aconteceria depois da formatura – se trabalharíamos na televisão, no teatro ou no cinema, se deveríamos nos mudar para Nova York ou Los Angeles. Talvez um de nós tivesse sorte e se tornasse um sucesso comercial – mas esse não era nosso objetivo. A única coisa que importava era que estávamos fazendo o que amávamos e estávamos juntos.

Eu era quase feliz, o mais perto que podia chegar disso levando em conta o que havia perdido, e, durante meses, tudo pareceu fácil, efeito do amor verdadeiro. Até que tudo ficou mais complicado – o efeito do amor perdido. O afastamento começou no outono do último ano, quando nós dois participamos de testes para *Como Gostais*. Lewis conseguiu o papel de Jaques. Uma linda loira chamada Poppy conseguiu o papel de Rosalinda. Eu consegui o insultante papel de Audrey, uma caipira. Lewis e eu nunca tivemos uma dinâmica competitiva, mas percebi que estava me sentindo insegura, ressentida e com ciúme, principalmente de Poppy, a quem ele parecia adorar.

Desenvolvi um ligeiro transtorno alimentar e comecei a me depreciar e duvidar de mim mesma. Questionei meu futuro como atriz. Não era bonita o bastante, nem talentosa o bastante, e claramente não tinha casca grossa. Quando confidenciei minhas dúvidas a meus pais, ambos pareceram aliviados. Disseram que o teatro tinha sido uma boa experiência, mas me encorajaram a encontrar uma profissão mais prática. Minha mãe disse que eu sempre poderia fazer teatro comunitário nas horas vagas e meu pai mencionou a faculdade de direito. Ele próprio um advogado, papai disse que o direito era somente um tipo diferente de atuação. Não aceitei o argumento, mas me matriculei num cursinho preparatório e comecei a pesquisar faculdades, dizendo para mim mesma que era bom ter um plano B.

Sempre um pouco hipócrita, Lewis ficou horrorizado, me acusando de me vender. Respondi que era fácil para ele dizer, seus pais eram boêmios moradores do Brooklyn. Em outras palavras, ele podia seguir seu coração sem acabar com os sonhos da família. As coisas ficaram mais e mais tensas entre nós e o sexo, antes cheio de paixão, se tornou mecânico.

Nas férias de Natal, apenas um ano depois da morte de Daniel, meus pais se sentaram comigo e com Josie à mesa da cozinha e anunciaram que estavam se separando – um eufemismo para divórcio. Sabia que as coisas estavam abaladas e que meu pai voltara a beber, mas ainda assim me senti enganada e fiquei arrasada com esse segundo golpe em nossa família. Sem meu irmão mais velho e a segurança do casamento dos meus pais, era como se eu não tivesse mais família nenhuma.

Tinha ainda menos do que isso, na verdade, pois, assim que voltei para a faculdade, Lewis oficialmente me trocou por Poppy. Confessou que estavam juntos desde o Dia de Ação de Graças, mas que não suportara me magoar antes de 22 de dezembro.

— Sei como é difícil esse primeiro ano — disse ele.

— Nossa, muito obrigada — respondi, esforçando-me ao máximo para não chorar. — Isso é muito nobre de sua parte.

Meu último semestre na faculdade foi horrível. Parei de atuar e caí numa depressão paralisante, a perda de Lewis e do meu irmão me atingindo de uma só vez. Era como se nossa relação obsessiva no ano anterior tivesse simplesmente atrasado meu processo de luto e eu tivesse voltado à estaca zero, minha mãe me acordando de um sono profundo para me dizer que

Daniel estava morto. Um professor que notou minha alarmante perda de peso e a queda em minhas notas insistiu para que eu procurasse o psiquiatra da universidade. A terapia e os remédios mal me mantiveram funcional.

A única coisa boa aconteceu naquela primavera, quando recebi minhas cartas de aceitação nas faculdades de direito, incluindo uma de Columbia. Não era Harvard ou Yale, e a faculdade de direito estava longe de ser o curso de neurocirurgia, mas ainda era Ivy League e sabia que a notícia deixaria meus pais orgulhosos. Isso, por sua vez, me encheu de orgulho, o que era melhor do que estar completamente vazia.

Poucos meses mais tarde, saí de Syracuse, me mudei para Nova York e mergulhei no meu primeiro ano da faculdade de direito, fazendo o melhor para evitar teatro, peças e quaisquer outros eventos culturais. Talvez Lewis tivesse razão, pensei, ao descobrir que ele e Poppy moravam no Village e entraram para a mesma companhia de teatro. Talvez eu fosse uma covarde vendida. Mas talvez estivesse fazendo algo nobre e altruísta, colocando meus pais em primeiro lugar. Eu me convenci de que era isso mesmo e decidi me tornar a filha estável e bem-sucedida deles, a cura para suas feridas ainda abertas.

Claro, acho que eles esperavam que um dia eu tivesse uma família também, de preferência em Atlanta. Mas, se isso não desse certo para mim, daria para Josie. Na época, ela namorava um homem bonito chamado Will, que vinha de uma "boa família" (expressão da minha mãe) em Macon, tinha modos impecáveis e usava tecido listrado e sapatos brancos em ocasiões especiais. Os dois se apaixonaram seriamente e eram aquele tipo de casal que escolhe nomes de bebês antes mesmo do noivado. Ela estava fazendo a parte dela para tornar meus pais felizes e tínhamos um acordo tácito, um pacto inaudito: eu me realizaria a distância e ela se casaria, se tornaria mãe e lhes daria netos belos na mesma cidade. Talvez isso fizesse papai parar de beber. Talvez reaproximasse nossos pais. No mínimo, nós duas os ajudaríamos a viver o chamado novo normal, termo que eu odiava.

Na minha formatura, meus pais me deram de presente a pasta do meu irmão, a mesma que ele ganhara no aniversário de vinte e cinco anos. Foi um momento mais triste do que feliz e me lembro de ter muito ciúme da parte da minha irmã no acordo. Eu tinha um diploma de advogada e uma pasta. Ela tinha felicidade. A vida dela como professora parecia simples, pontuada por happy hours e viagens de fim de semana, uns atrás dos outros. Mais importante, ela tinha alguém para amar.

A fim de não virar uma mulher amargurada, tranquilizei-me dizendo para mim mesma que as escolhas dela poderiam acabar por me libertar no longo prazo. *Talvez um dia*, eu me dizia ao passar na prova da OAB e começar a trabalhar num grande escritório de Manhattan, cobrando setenta ou oitenta horas por semana. *Talvez um dia*, depois que Josie se casasse com Will e tivesse um bebê, eu seguisse meu coração também. *Talvez um dia* eu fosse feliz.

Mas, antes que eu pudesse me livrar de minhas amarras legais, Josie fodeu tudo com aquele seu estilo grandioso. Ela me ligou no meio da noite (apesar de eu ainda estar no trabalho, terminando uma petição), chorando, dizendo que estragara tudo e que Will a deixara. Perguntei o que tinha acontecido, tentando analisar os fatos para poder aconselhá-la adequadamente.

— É uma longa história — disse ela, o que sempre dizia quando tinha culpa ou não queria explicar. — Só acredite em mim. Acabou.

— Bom... Você vai superá-lo e encontrar outra pessoa. Você não tem nem trinta anos. Tem muito tempo.

— Promete? — perguntou ela com tanta rapidez que não pude deixar de me perguntar se realmente amava Will ou se só queria casar. Talvez qualquer menino bonitinho com um terno de risca de giz servisse.

Obviamente não podia garantir o destino dela, tanto quanto não pude garantir o de Daniel, mas ainda assim lhe disse que sim, tudo ficaria bem. Afinal, pensei, o universo nos deve um pouco de misericórdia.

Uma semana mais tarde, voei para Atlanta a pedido de Josie, sentindo a angústia da volta para casa. Voltar sempre desenterrava o luto que quase conseguia esconder na correria da minha vida em Nova York, onde não havia qualquer referência a meu irmão. Respirei fundo e me segurei ao subir a escada rolante até a entrega das bagagens. Para minha surpresa, lá estava Nolan. Ele ainda me mandava e-mails a cada seis meses, mais ou menos, só para ver como eu estava e dizer oi, mas inacreditavelmente aquela era a primeira vez que o via desde a noite em que entramos no quarto de Daniel juntos.

— Oi — disse ele, acenando para mim. Josie, que às vezes o encontrava em bares, tinha me dito que ele estava mais bonito do que nunca, mas ainda assim não estava preparada para toda a beleza dele ali de pé, usando calça jeans, camiseta e boné da Ole Miss.

— O que você está fazendo aqui? — Percebi que sorria para ele. — Meu pai vinha me buscar.

— É, eu sei. Joguei golfe com ele hoje. Disse que pegaria você. — Ele despenteou meus cabelos com se eu tivesse doze anos – apesar de nunca ter feito aquilo. — Você está ótima, Mere. Uau.

— Você também... Senti sua falta.

— Também senti a sua falta — disse ele, sorrindo e levando minha mala para o carro.

Ao me levar para casa, rapidamente colocamos a conversa em dia. Ele explicou que ainda estava trabalhando na empresa da família, o pai preparando-o para assumir os negócios. Contei a ele tudo sobre o escritório de advocacia e algumas das fofocas internas. Conversamos sobre nossos pais, como fora triste quando os meus se separaram, mas que os dele precisavam fazer o mesmo. Falamos de pessoas que conhecíamos em comum. Muitas deixaram Atlanta para estudar, mas a maioria voltara para começar uma família.

— Por que você ainda não se casou? — perguntei, jocosa. — Medo de compromisso?

— Não. Só não encontrei a mulher certa. E você? Está saindo com alguém?

— No momento não. Trabalho demais.

Nosso único instante de silêncio foi quando passamos pelo hospital Grady. Ninguém disse o nome de Daniel em voz alta, mas ele pairou no ar assim mesmo.

Quando chegamos ao cruzamento da West Paces Ferry, ele apontou para o OK Cafe.

— Lembra da noite em que fomos ali? — perguntou, como se tivéssemos jantado juntos inúmeras vezes.

— Claro — respondi.

— Acredita que já se passaram quase sete anos? — Ele baixou a voz, encarando a estrada.

— Na verdade, não. — Senti uma ponta de dor no peito. — Ele perdeu tantas coisas.

— Eu sei. Muita coisa mudou. Você mudou... Não acredito que não a vi em nenhuma das vezes em que você veio para casa — disse ele, diminuindo a velocidade num sinal amarelo pelo qual poderia facilmente ter passado. Tive a sensação de que estava protelando, prolongando nosso tempo juntos.

— Não volto para casa com tanta frequência — confessei, pensando em todas as vezes em que encontrara uma desculpa qualquer para ficar na faculdade ou no trabalho.

Ele me olhou de lado, a expressão mudando de repente do luto para a graça.

— A estudante de teatro se transformou na advogada importante da cidade grande.

— Não tem nada de importante no meu trabalho — disse, e era verdade.

— O sapato que você está usando diz o contrário — respondeu Nolan, olhando para meus pés. — São lindos... Belas pernas também.

— Obrigada — disse, olhando pela janela e sorrindo.

— Sabe... Ouvi dizer que você... desabrochou.

— Quem disse isso? — perguntei, deleitando-me com o elogio.

— É o que dizem por aí — respondeu ele, balançando a cabeça. — Inteligente, bem-sucedida e linda.

Quase disse que ele estava confundindo aparência bem cuidada, exercícios compulsivos e elegância nova-iorquina com beleza de verdade, mas achei melhor não corrigi-lo.

Poucos minutos mais tarde, ele estacionava na casa da minha infância, onde minha mãe ainda morava. O carro de Josie estava na entrada da garagem e previ uma noite longa de conselhos sobre a crise dela com Will.

— Ei, Meredith? — disse ele enquanto saía do carro.

Olhei para ele, sentindo uma velha pontada de atração e adoração adolescente residual.

— Sim, Nolan?

— Sei que você está aqui para visitar sua família... mas acha que posso levá-la para jantar enquanto você estiver na cidade?

— Num lugar como o OK Cafe? — perguntei, com um quê de constrangimento.

— Não. Num encontro de verdade. — Ele estalou os dedos e se ajeitou no banco para me olhar melhor. — Supondo que você ache que Daniel não teria problemas com isso, claro. Ele tinha uma regra clara de não-fique-com-minhas-irmãs antigamente.

Olhei dentro dos olhos dele, um frio na barriga.

— É. Sei que ele tinha... mas era mais sobre a Josie — respondi, pensando que era ela quem os amigos de Daniel queriam convidar para sair. — Além disso... acho que ele abriria uma exceção para nós dois. — Estava selando nosso destino, mas não sabia disso ainda.

Quando contamos "nossa história", sempre partimos desse ponto, daquela noite, com a surpresa de vê-lo no aeroporto e aquela inocente carona para casa. Nolan sempre fala dos meus sapatos de salto alto – eu rio e digo que ainda bem que esqueci de colocar um par de chinelos na minha mala de mão. Dizemos que foi muito bom nos reencontrarmos, que continuamos exatamente de onde havíamos parado anos antes.

Nesse momento, avançamos e passamos por cima do nosso primeiro encontro. Jantamos no Lobster Bar, ficamos meio bêbados e fomos para o apartamento dele, onde bebemos mais vinho e subimos na cama desarrumada dele e fizemos sexo. Se fôssemos contar essa parte da história, tenho certeza de que diríamos que era previsível, que parecia predestinado. Mas a verdade é que foi surpreendente como tudo aconteceu rápido. Eu não era de fazer sexo casual e, depois da transa, com a cabeça no peito de Nolan, eu lhe disse justamente isso.

— Bom — respondeu ele, acariciando meus cabelos. — Não dá para ter sexo casual com alguém que você conhece a vida toda... Além disso, quem disse que vai ser só uma vez?

Ri e confessei minha queda antiga, como me sentira naquela noite no quarto do meu irmão. Ele fingiu surpresa e me disse que sentira alguma coisa por mim também.

Virei-me, apoiei-me nos cotovelos e olhei bem dentro de seus olhos.

— Sentiu mesmo? — Não sei por que isso importava para mim no momento, mas, por algum motivo, importava.

Ele fez que sim.

— Pois é. Eu me senti bem próximo de você naquela noite.

— Por causa do Daniel? Ou algo mais?

Ele ficou pensativo e disse:

— Sim, por causa do Daniel. Mas não só isso. Afinal, não estou na cama com Josie, não é?

— Não. — Sorri para ele. — Com certeza não está.

Resisti à vontade de perguntar se ele já se sentira atraído por ela, pois achava que a resposta seria sim.

— Você vai contar a ela sobre isso? — perguntou ele, hesitante.

Disse-lhe que não, que aquele seria nosso segredo.

— Tudo bem — respondeu ele, determinado. — Como quiser.

Na segunda-feira à noite, voltei para Nova York, me perguntando se veria Nolan novamente, imaginando que se passaria mais meia dúzia de anos. Mas ele tinha outros planos para nós, pois apareceu no meu apartamento no Upper East Side cinco dias depois, segurando uma dúzia de rosas vermelhas. Compensou os pontos que perderia comigo por causa do clichê com seu estilo e segurança.

— Eu disse que não seria só uma noite — anunciou ele.

Eu ri e disse:

— Como você sabia que eu estaria livre?

— Corri o risco. Você está?

Fiz que não e lhe contei que tinha um encontro às cegas.

— Ele é cego? — disse Nolan.

Ri novamente e ele me pediu para "dar um fora no cara". E foi o que fiz, depois banquei a guia turística para Nolan durante todo o fim de semana. Não podia acreditar no que estava acontecendo. Mas insistia comigo mesma que nada estava acontecendo, não mesmo. Não estávamos embarcando num relacionamento. Só tendo um caso, aproveitando o momento, motivados por sentimentalismo.

Mas continuamos aproveitando o momento, nos visitando a cada duas semanas e escondendo nosso segredo da família. Não queria que minha mãe tivesse esperanças como tivera em relação a Josie e Will. No fundo, acho que eu não queria ter esperança e de alguma forma me iludir achando que poderíamos ser um casal de verdade. Não tinha nem certeza se era isso o que eu queria.

Mesmo depois de Nolan ter dito que me amava naquele Natal, e eu ter dito o mesmo a ele, e depois de revelarmos nosso namoro a distância, mantive minhas expectativas sob controle, me lembrando em silêncio que nós nos amávamos, mas não estávamos apaixonados – nem éramos compatíveis no longo prazo. No papel, eu provavelmente era intelectual demais para ele – e ele era bonito demais para mim. Eu era introvertida, ele, extrovertido. Eu amava artes, ele amava esportes. Queria ficar em Nova York, ele não podia abandonar a empresa da família em Atlanta. Nosso rompimento era inevitável, uma questão de quando, não se.

Então, num sábado úmido e quente de julho, cerca de nove meses depois do nosso primeiro encontro, Nolan e eu saímos para caminhar no Chastain Park e acabamos no Wilkins Field, onde ele e meu irmão jogaram beisebol por muitos anos. Andamos pelas bases e nos sentamos no banco de reservas vazio, admirando o belo campo através da cerca. O sol se punha, derramando uma luz dourada sobre o montinho de onde Nolan lançava a bola e Daniel às vezes rebatia.

— Este era o lugar preferido do Daniel — disse Nolan, parecendo falar mais consigo mesmo do que comigo.

— É, eu sei — respondi, desejando ter passado menos tempo brincando com minha irmã nas arquibancadas e fazendo viagens às barraquinhas, e mais tempo vendo meu irmão jogar.

Em nosso silêncio reflexivo, Nolan segurou minha mão e me olhou com melancolia. De repente, tive a sensação de que ele terminaria o namoro, algo em que eu pensava bastante ultimamente – ou ao menos previa. Tinha sido legal e muito divertido, mas faltava alguma coisa. Ainda estava triste, porém, odiando términos de quaisquer tipos.

Preparando-me, murmurei:

— Vá em frente. Acabe com isso de uma vez. — Ao menos, é disso que Nolan se lembra e que escolhemos como a versão oficial da nossa história.

Ele me olhou, confuso.

— Você não está prestes a terminar comigo? — perguntei.

Nolan riu, fez que não e disse:

— Não, Meredith. Não vou terminar com você. — Então ele se ajoelhou no banco de reservas empoeirado e fez a pergunta que jamais imaginei ouvir dele nem de ninguém. *Quer casar comigo?*

Por um segundo, achei que ele estivesse brincando. Até que ele mostrou um belo e reluzente anel de diamante. Olhei para o anel e para Nolan, impressionada e um pouco temerosa. No meu coração, a resposta era não. Ou no máximo talvez. Mas não disse nada, só fiz que não com a cabeça, mordi o lábio e contive as lágrimas.

— Diga alguma coisa — pediu Nolan, com uma risada nervosa.

— Eu... não consigo.

Acho que queria dizer que não podia me casar com ele, mas parecia que estava lhe dizendo que não conseguia responder. Então ele continuou falando, fazendo um discurso emocionado. Primeiro, disse o quanto me amava, depois, que nunca conhecera uma mulher como eu. Aí, seguiu contando que pedira permissão a meus pais e que os dois choraram, minha mãe chamando-o de filho. Ele falou de todas as lembranças que compartilhamos ao longo dos anos. Disse que nós éramos o único lado bom da morte, de outro modo inútil, de Daniel. Disse que podia imaginar meu irmão aqui, torcendo por ele, exatamente como torcera tantas vezes nesse campo, nesse mesmo banco.

E com esse comentário final sobre meu irmão, meu não ou talvez se transformou em sim e, para o bem ou para o mal, meu futuro incerto se transformou em algo que sempre imaginei para minha irmã.

Nosso noivado foi curto porque eu não queria um grande casamento e também porque tinha medo de que, com um noivado longo, um de nós pudesse desistir, argumentando que, por mais que nos conhecêssemos há muito tempo, não nos conhecíamos o bastante para nos casarmos. Afinal, estávamos juntos há menos de um ano, num namoro de longa distância, e nosso tempo juntos parecia mais férias do que uma vida normal e cotidiana. A despeito da tragédia que enfrentáramos há muito tempo, nossa relação nunca fora testada. Nunca tivéramos uma grande discussão. Mas nunca expressei quaisquer dessas reservas a Nolan, o que acho bem relevador.

A única vez que discuti meus temores foi com Josie, no fim de semana em que ela e minha mãe viajaram para Nova York para me ajudar a escolher o vestido de noiva.

— Não sei mesmo se deveria ter aceitado — disse repentinamente, de pé, só de calcinha e sutiã, olhando para meu anel no provador da Mika Inatome enquanto a vendedora saía para pegar outro vestido. Foi o único compromisso que minha mãe perdeu, pois voltara ao meu apartamento com outra enxaqueca.

— Aceitado casar com Nolan? — perguntou minha irmã, assustada.

Fiz que sim.

— Você está brincando, não é?

— Não — respondi, baixinho. — Acho que estou em dúvida.

Ela franziu a testa e me tranquilizou, dizendo que era só medo.

— Acho que pode ser mais do que isso — respondi.

— Pare com isso, Mere — disse ela, dando início a uma história edificante na qual dava para ver que ela acreditava cegamente. — Você vai se casar com Nolan Brady. Ele é lindo. É engraçado. E é um cara muito legal.

— Eu sei. — Senti-me culpada e ingrata.

— Digo... olhe só esse diamante. — Ela pegou minha mão esquerda e a balançou.

— Eu sei — repeti, olhando para meu anel. — Mas não sou eu mesma. Nem estes vestidos.

— Então o que é? Essas coisas não importam... Você vai se casar com um cara ótimo. Vai mesmo achar um motivo para ser infeliz? — perguntou, com um tom de voz que eu conhecia bem.

Suspirei e tentei explicar.

— É só que... às vezes acho que apressamos as coisas... que o anel foi uma aquisição de impulso. Que eu possa ser uma aquisição de impulso.

— Pare com isso, Mere. Você age como se o tivesse conhecido num bar... Vocês se conhecem há muito tempo — disse Josie. — A vida inteira.

— Eu sei, mas não estamos juntos há muito tempo. E não quero que ele se arrependa.

— Isso é ridículo. Ele adora você. Ele idolatra você.

— Talvez — respondi, pois tinha mesmo a sensação de que Nolan admirava várias coisas em mim. Ele se orgulhava da minha carreira e da minha inteligência. Especial era a palavra que sempre usava. Ele fazia com que eu me sentisse especial.

Respirei fundo e disse:

— Mas ele está apaixonado por mim? Ou pela ideia que faz de mim?

— A ideia que faz de você? — perguntou Josie. — Você não é a Julia Roberts. O que quer dizer com isso?

— Não sei. — Estava frustrada com minha incapacidade de descrever o que sentia para minha própria imã, apesar de saber que tinha algo a ver com Daniel e os motivos para eu aceitar o casamento.

— Você o ama? — perguntou ela.

Disse que sim, porque amava mesmo, desejando poder identificar a única coisa que me faltava. Pensei em Lewis, não pela primeira vez nos últimos meses. Eu o tinha superado, mas ansiava pela intensidade do que sentira na época. Mas então me perguntei se aquele tipo de paixão era necessariamente uma coisa boa – ou uma sensação que sempre e inevitavelmente passaria. Estava muito confusa.

— Olhe, Meredith — disse Josie, carinhosamente. — Você está procurando algo que não existe. E, se você terminar com Nolan, vai se arrepender para sempre. Como estou arrependida por ter perdido Will... — A voz dela tremeu um pouco e a frase se perdeu. Ainda não tinha me contado todos os detalhes do rompimento e jamais me contaria, mas sabia que Will já tinha começado outro namoro sério.

Fiz que sim com a cabeça, sempre motivada pelo medo de me arrepender, e concordei que ela talvez tivesse razão.

— Obrigada, Josie — sussurrei.

— De nada. — Ela sorriu, passando o braço por minha cintura e me puxando para um abraço apertado. — Agora vamos lá. Vamos em frente.

Eu a abracei, sentindo-me um pouquinho melhor, bem quando nossa vendedora chegou com outro vestido – este mais enfeitado do que os outros, com rendas e contas pelo corpete todo.

— Ah, eu amei este — disse Josie, virando-se para mim. — O que você acha, Mere?

— Pomposo demais — respondi, balançando a cabeça.

— Experimente — insistiu ela.

Suspirei, deixando as duas me ajudarem, fecharem o zíper e arrumarem a cauda a meus pés.

— Uau — disse Josie, me virando para o espelho.

Olhei para meu reflexo e não contive um sorrisinho.

— Está vendo? — disse ela. — Eu falei.

— É bem bonito, não é? — perguntei a minha irmã.

— É perfeito. Assim como o anel. Assim como Nolan. Assim como sua vida, sua vaca.

— Vaca é você — respondi, sorrindo e decidindo, de uma vez por todas, que iria em frente.

E foi assim. Nos meses seguintes, tudo aconteceu muito rápido. Pedi demissão do meu emprego, entrei para um escritório novo em Atlanta e comprei a casa da minha mãe da minha infância em Dellwood. Foi a solução perfeita, já que ela sentia que a casa era grande demais para ela morar sozinha, mas queria muito mantê-la na família.

Então, numa bela tarde de outono, entrei na igreja onde o caixão de Daniel esteve um dia e troquei votos com o melhor amigo dele.

Capítulo sete

JOSIE

Na manhã seguinte ao meu último encontro, Pete me liga enquanto ainda estou dormindo, deixando um recado meio incoerente.

— Então, pensei muito — diz ele sem nem dizer oi. — Bom, tanto quanto se pode pensar em algo em menos de doze horas, das quais sete foram de sono... De qualquer modo, e ao contrário da sua opinião, acho que a química pode se desenvolver com o tempo. Na verdade, consigo pensar em vários exemplos do cinema e da literatura nos quais as duas partes não têm nenhum interesse romântico pela outra no começo da interação entre elas... só para descobrir que a relação desabrocha – intensamente – mais tarde.

Sorrio ao ouvir, de repente sinceramente interessada – não necessariamente em Pete, e sim no que isso vai dar.

— Então digo que deveríamos tentar novamente, só por garantia... Na verdade, se você estiver livre hoje à noite, vou a uma festa. Adoraria que você fosse comigo... E você pode trazer uma amiga, — para ela me julgar ou talvez lhe dar uma segunda opinião. Então... me dê um toque e me diga o que você acha.

Ouço a mensagem outra vez e a apago, balançando a cabeça diante da previsibilidade de tudo isso. É uma página tirada de um daqueles manuais de encontros – minha indiferença repentina e minha independência, nenhuma das quais pode ser falsificada, me tornaram mais atraente ao sexo oposto.

Ligo para Pete imediatamente, algo que jamais faria quando bancava a estrategista, e digo:

— Quais são os exemplos do cinema e da literatura?

— Quem é? — pergunta ele em meio à música alta.

— Josie — digo, imitando o tom de voz seco dele. — Seu encontro às cegas da noite passada.

— Ah! Sim, oi, Josie — diz ele, desligando a música.

— Quais são os seus exemplos? — pergunto novamente. — E você tem exemplos da vida real ou só fictícios?

— Vou lhe contar pessoalmente hoje à noite.

— Então você está mesmo me convidando para sair duas noites seguidas?

— Sim. Estou mesmo.

— Sabia que essa é uma coisa básica a não fazer se você gosta de alguém?

— Quem disse que gosto de você?

— *Touché* — digo, rindo para o telefone.

— E então? O que você acha? Da festa? Vai ser divertido. Ouvi dizer que essa menina dá festas como Gatsby. Soberbas.

A descrição me deixa tentada por um segundo, mas respondo com sarcasmo:

— Como o menino do Brio consegue ser convidado para uma festa como essa?

— Ela rompeu um ligamento dançando. Cuidei do joelho dela — confessa ele. — Ela me disse que eu podia levar amigos.

— Provavelmente falava de amigos homens — respondo. — Aposto como ela gosta de você.

— Não. Não assim. Então, você aceita?

Hesito, mas estou determinada a não sucumbir.

— Acho que não — digo, mantendo-me firme.

— Então é isso? Você "acha que não"? Não vai nem inventar uma desculpa? Tipo, dizer que já tem compromisso ou algo assim?

Rio e digo que realmente já tenho um compromisso.

— Para fazer o quê? — pergunta ele, quebrando outra regra fundamental: não faça perguntas intrometidas durante a primeira conversa ao telefone.

— Vou ficar em casa hoje. Vou pesquisar bancos de esperma — respondo.

Ele ri, mas, como não digo mais nada, ele se manifesta:

— Você não está brincando sobre isso, não é?

— Não. — Tento não pensar nos bons genes em potencial que podem estar esperando por mim na festa. É a falsa promessa que sempre me motivou, que me manteve saindo fim de semana após fim de semana. Sempre há um objetivo; o motivo é sempre conhecer alguém. Mesmo que a saída esteja disfarçada na forma de uma noite só de mulheres. Mesmo que você seja aquela que finge realmente gostar de ir ao cinema ou comer sozinha no bar. Mesmo que você tente se convencer de que só quer aproveitar uma bela festa no terraço num fim de verão.

— Bom, ao menos é uma busca por algo sublime — diz ele. — Você vai me contar como foi?

— Você está mesmo interessado?

— Sim — responde Pete. — Moderadamente.

Desligo, pensando se ele falava de mim ou do meu projeto. Acho que foram as duas coisas e tenho de admitir que o sentimento é mútuo. Mas daí lembro que um interesse moderado não faz mais o meu tipo.

Como prometido, dediquei todo o dia à pesquisa de um doador, tomando notas detalhadas sobre médicos especializados em fertilidade e bancos de esperma em Atlanta num bloco amarelo que antes usava para anotar perfis interessantes (incluindo o de Pete) do Match.com. Ao ler e entrar em várias salas de bate-papo, sinto-me cada vez mais empolgada e empoderada, livre para deixar que o sonho do casamento morra. Só preciso de um bom esperma e um médico para colocá-lo dentro de mim. Não vai ser fácil – nem barato –, mas é muito mais simples do que encontrar "O Escolhido" e, mais importante, está tudo sob meu controle.

De vez em quando, procuro Gabe na casa ou no jardim e divido com ele porções do meu conhecimento recém-adquirido. Ele ouve atentamente, como sempre, mas tenho a sensação de que está apenas me tolerando. O interesse dele finalmente aumenta quando encontro um site dedicado a compartilhar testemunhos, tanto positivos quanto negativos, de pessoas envolvidas em reprodução assistida, desde doadores de óvulos e esperma até crianças assim concebidas, barrigas de aluguel e os pais de verdade.

— Se você fosse produto de um doador de esperma ou óvulo, acha que sentiria que algo faltaria em sua vida? — pergunto a ele depois de ler em voz alta um relato especialmente problemático de uma adolescente que não sabia praticamente nada de seu pai biológico e que agora está com problemas de identidade, concluindo com "jamais perdoarei minha mãe por essa decisão egoísta, que deixou uma lacuna permanente no meu coração e na minha alma".

— Para mim, parece a típica adolescente melodramática — diz Gabe, olhando para trás. Caseiro, ele ficou aqui hoje para assistir a *Nos Bastidores da Notícia*, um de seus filmes preferidos, mas pausa o filme e conclui o comentário: — Se ela conhecesse o pai, simplesmente encontraria outro motivo para odiar a mãe.

— Talvez — digo. — Então você não acha que seria uma pessoa amargurada também?

— Se não conhecesse meu pai biológico? — pergunta Gabe com um olhar torto, porque ele não conhece o pai biológico, que morreu de câncer de próstata pouco antes de ele nascer. O único pai que conheceu é seu padrasto, o professor de fala mansa e gentil com quem sua mãe se casou quando Gabe tinha sete anos. Por alguns anos, Gabe o chamou de Stan, mas em algum momento acabou por chamá-lo de pai.

— Mas apesar de você não ter conhecido seu pai biológico — digo, tentando diferenciar os cenários —, você ao menos sabia quem ele era. Nunca foi um mistério total.

— Mas um doador de esperma também não precisa ser um mistério. Você mesma disse mais cedo que há vários acordos possíveis.

— Verdade. — Penso na história que li sobre a menina que entrou em contato com o pai doador e os meios-irmãos por Facebook. — Mas isso apresenta vários outros problemas.

Gabe dá de ombros, ainda olhando para a tela congelada, bem no meio da cena em que Albert Brooks sua profusamente.

— Todos têm problemas. E, no final das contas... você é quem é.

Fecho os olhos por um instante e digo:

— O que você quer dizer com isso? "Você é quem é"?

Ele suspira.

— Digamos que eu descubra que vim do esperma de um doador e não do homem que conheço de velhas fotos e umas poucas lembranças... Ou digamos que minha mãe tenha tido um caso com o leiteiro e que eu acabe de descobrir... Ainda assim serei exatamente quem sou hoje.

Olho para ele, impassível.

— Digo, é só uma célula doada — continua ele. — No final das contas, não é nada diferente de um coração ou córnea ou rins doados.

— É completamente diferente — retruco, apesar de querer acreditar no que ele diz. — Uma córnea não é a mesma coisa que metade de seu DNA.

— Verdade. Mas isso também não muda quem você realmente é. Vindo do meu pai biológico ou do esperma doado, ainda assim fui criado por minha mãe e Stan. Meu pai.

Respiro fundo e digo:

— Mas e se eu tivesse um bebê de um doador de esperma e nunca me casasse? E se nunca desse a meu filho um pai de nenhum tipo?

— Bom, essa é uma questão completamente diferente... Tem a ver com as pessoas na sua vida, não com sua identidade. E essa situação pode acontecer de qualquer forma. As pessoas morrem. Vão embora. Muita gente cresce sem pai ou mãe. Então, se você nunca se casar, seu filho vai ter só você. — Ele dá de ombros. — E daí?

— E daí o quê? — pergunto. — Isso não é triste?

— Mais triste do que nunca ter nascido?

Faço que sim e ele me oferece seu argumento final:

— As pessoas só precisam ser quem são.

Eu o encaro, digerindo sua citação, enquanto ele aperta o play do filme e continuo lendo o testemunho animador da avó de um bebê concebido com esperma anônimo que foi criado por mães lésbicas. Tranquilizo-me pensando que as histórias positivas e inspiradoras com finais felizes parecem superar e muito os casos ruins, principalmente quando todos os envolvidos são honestos desde o princípio. No final das contas, não é algo tão diferente da família tradicional, pois todos somos vulneráveis à tragédia e ao afastamento, às mentiras e aos segredos.

— Gabe?

— Sim? — responde ele, desta vez sem parar o filme.

— Você acha que sou louca por cogitar isso?

— Você está mesmo cogitando isso? Ou é só como aquela sua coisa de praticar meditação budista? — pergunta ele, ainda olhando para a televisão.

— Estou mais do que cogitando isso. — Sinto minha primeira onda de medo real, o que de certa forma confirma minha resposta. — Você acha que sou louca?

— Sim — responde Gabe com um sorriso malicioso. — Mas não mais do que o normal. E, como eu disse, as pessoas só precisam ser quem realmente são.

Naquela noite, antes de ir para a cama, ligo para Meredith, querendo muito conversar com minha irmã sobre tudo. Percebo que ela está de mau humor, o que é algo bem comum ultimamente.

— O que houve? — pergunto a ela.

— Nada.

— Você parece irritada.

— Não estou.

— Tudo bem. O que você fez de bom hoje?

— Três máquinas de roupa. Compras no mercado... ah, e eu peguei as camisas de Nolan na lavanderia — diz ela, descrevendo sua rotina de mártir.

— Só isso?

— Hmm. Deixe-me ver... Também levei Harper à Buckles.

— Ela ganhou sapatinhos? — pergunto.

— Não. Ela fez um escândalo por causa de umas sandálias roxas brilhantes... e tivemos de ir embora.

Rio e ela acrescenta um comentário gratuito:

— A mamãe diz que o mundo é injusto, já que nunca dei escândalos assim. Esse era seu departamento.

Percebendo a provocação, suspiro, mas acho melhor usar isso como uma abertura.

— Então acho que isso significa que vou ter o filho perfeito! — ataco.

Ela não reage a isso, nem se dá ao trabalho de me perguntar o que fiz hoje, o que seria apenas um sinal de boa educação. Em vez disso, diz que encontrou nossa velha amiga Shawna na loja. Estava comprando tênis para o filho – Keds azuis.

— Como ela está? — pergunto.

— Muito bem — responde Meredith.

— Ela perdeu o peso que ganhou durante a gestação?

— Sim. Parece mais magra do que nunca.

— Magra demais?

— Não. Não magra demais.

— Ela parecia feliz? — pergunto.

— Tanto quanto se pode ser com uma criança de dois anos — responde Meredith.

— Ela perguntou de mim? — digo, contra minha vontade. Meredith sempre me acusa de achar que tudo gira ao meu redor.

— Não... mas ela me disse que vocês não se falam há meses. — Noto um quê de satisfação em sua voz e sinto outra onda de irritação com uma pontada de rivalidade entre irmãs à menção de Shawna, nossa única amiga em comum na infância.

— Não diria meses... mas faz tempo.

— Ela quer sair para beber...

— Nós três? — pergunto.

— Ela falou de mim e de Nolan. Um programa de casais. Mas tenho certeza de que ela adoraria ter notícias suas também.

— Claro — digo, pensando que é isso o que ganho por ter confiado em minha irmã. — Certo, Mere. Vou deixar você em paz.

— Se quer desligar, diga. Não diga que vai "me deixar em paz" — responde ela, agora sendo simplesmente uma megera.

— Certo, então — digo, tomando o cuidado para controlar o tom de voz. — Eu quero desligar.

Desligo, irritada com Meredith e com Shawna por dar a Meredith esse tipo de munição, mesmo que sem querer. Ela, mais do que ninguém, sabe da nossa história complicada, voltando a 1989, quando os Ebersoles se mudaram para a casa do outro lado da rua. Em se tratando de idade, Shawna ficava entre nós duas, mas era precoce e pulou uma série. A mãe dela, uma executiva da Coca-Cola, foi transferida com a família de Hong Kong, matriculando Shawna na Atlanta International School para ela poder continuar usando o mandarim. Era só uma das muitas coisas que fascinavam Meredith e a mim, assim como suas histórias de viagens (num contraste marcante com os destinos simples da maioria das famílias de Buckhead, que incluíam no máximo Lake Burton, Sea Island e Kiawah). Nós três andávamos de bicicleta, construíamos fortes junto ao riozinho atrás da casa de Shawna e brincávamos com outras crianças da vizinhança. Num verão, plantamos um jardim de hortaliças e fomos de porta em porta vendendo manjericão e tomates com a velha perua vermelha de Daniel. Lembro-me de Shawna tendo essas ideias, falando mais do que todo mundo e geralmente criando diversões para Meredith e eu. Pensando agora, acho que Mere concordaria que foi a única época harmoniosa da nossa convivência.

No ginásio, Shawna deixou de ser nossa amiga de brincadeiras e se transformou na nossa destemida pioneira. O primeiro pênis adulto que Meredith e eu vimos foi graças a Shawna, direto da coleção de revistas pornográficas dos pais dela, que eles às vezes esqueciam no criado-mudo com um tubo de KY (Shawna descreveu clinicamente para que servia o gel). Ainda lembro que minha irmã e eu oscilamos entre o horror e a fascinação diante daquele pedaço grande de carne com aspecto de linguiça, pendurado no corpo de um homem imenso e nórdico chamado Big John. Rimos e cobrimos os olhos com as mãos, depois espiamos, rimos mais e analisamos a anatomia do escroto sem pelos presos ao bastão com a cabeça rosada de um só olho. Pouco depois, Shawna nos ensinou sobre masturbação, as várias formas de dar prazer a si mesma, até demonstrando o movimento de dois dedos por sobre a seda de sua calça do pijama. Não havia tabu para Shawna – e ela ou pesquisava um assunto provocativo sozinha ou perguntava a seus pais diretamente. Qual era a diferença entre gay e transgênero? Como alguém podia ser contra o aborto em caso de incesto e estupro – se matar um bebê era errado, não era errado independentemente das circunstâncias? E assim por diante.

Naqueles anos que faziam a ponte entre a infância e a adolescência, Shawna não foi apenas nossa amiga e confidente, mas também a fonte de muitos segredos que Meredith e eu guardávamos juntas. Nossos pais, republicanos presbiterianos conservadores, gostavam muito dos Ebersoles, mas chamavam Shawna de "perdidinha" e se referiam aos pais dela como "permissivos" e "liberais". Lembro-me muito bem da cara do papai ficando vermelha quando ela nos disse, certa noite, durante um jantar, que o criacionismo era "um mito ignorante perpetuado nos estados republicanos" e como ele respondeu balbuciando que a Bíblia certamente não era um mito. Só Daniel conseguiu acalmá-lo, mudando o assunto para o "design inteligente", dizendo que era possível conciliar o cristianismo com o darwinismo e a evolução. Também ajudou muito o fato de Daniel gostar de Shawna da mesma forma que amava Nolan. Nenhum dos dois era chato.

De qualquer maneira, continuamos unidas até aquele verão antes de Shawna e eu entrarmos na nona série, quando ela convenceu os pais a transferi-la para a Lovett, onde Daniel e eu estudávamos. Estava escrito nas estrelas, mas Meredith resistiu ferozmente à mudança inevitável da nossa dinâmica. Ficou para sempre magoada, o que só irritou Shawna e eu, assim como a reclamação dela para mamãe e papai de que a estávamos "excluindo". Insisti dizendo que não era nada disso, que Shawna e eu simplesmente tínhamos mais em comum. Estávamos na mesma série, na mesma escola, meu Deus! Além disso, nós nos interessávamos por coisas diferentes. Meredith ouvia música folk deprimente; Shawna e eu dançávamos ao som de R&B e pop. Meredith não falava com os meninos; Shawna e eu começamos a namorar. Meredith era toda certinha; Shawna e eu roubávamos cerveja e cigarros.

— Qual é o problema? — perguntei para a mamãe quando ela me puxou de lado e conversou comigo sobre os "sentimentos da minha irmã". Ela disse que Meredith era um pouco solitária e tinha passado a contar com Shawna e comigo. Respondi que a diferença de idade se tornara mais relevante com o tempo e que alunos do ensino médio não saíam com alunos do fundamental. Mamãe argumentou que Shawna sempre fora uma amiga da vizinhança. Não é mais, eu disse.

Com o tempo, Meredith superou a traição e fez amigas entre as alunas de teatro na Pace, mas acho que aquilo sempre doeu. Shawna continuou sendo uma ferida entre nós. No fundo, sabia que estava sendo insensível e talvez até maldosa, e, olhando para trás, vejo que havia um componente claro de competitividade também. Minha irmã, como meu irmão, agradava nossos pais. Não era inteligentíssima como Daniel, mas conseguia notas muito boas, nunca se envolvia em confusão e, mais importante, tinha uma paixão sincera pelo teatro e talento para atuar. A mamãe e o papai adoravam suas peças e atuações, assim como adoravam o beisebol de Daniel, enquanto eu era a clássica irmã do meio sem esporte nem passatempo para me tornar especial. Era ridículo considerar Shawna como algo que me tornava especial, mas secretamente ficava feliz por estar ganhando da minha irmã nesse cabo de guerra específico.

Depois da formatura, Shawna e eu decidimos ir para a Universidade da Geórgia. No primeiro ano, ficamos ainda mais próximas, morando juntas e depois prestando juramento à mesma irmandade. Começamos até mesmo a ficar fisicamente parecidas, usando as mesmas roupas e exibindo o mesmo cabelo liso, supercomprido e loiro demais. Algumas pessoas nos confundiam ou perguntavam se éramos gêmeas, o que eu achava lisonjeiro.

Até que, no segundo ano, Shawna começou a namorar Jacob Marsh, um babaca total. Não o suportava e cometi o erro de dizer isso a ela – tiro que quase sempre sai pela culatra. E foi o que aconteceu no nosso caso. Fomos nos afastando até que Shawna finalmente caiu em si e deu um fora em Jacob: a deixa para ele vazar um vídeo de Shawna se masturbando ao som de *Justify My Love*, da Madonna. O vídeo se espalhou em poucos dias, não só pela UGA, mas também pela SEC, Auburn, Alabama e Ole Miss. Além de se sentir humilhada, ela foi expulsa da irmandade sob a justificativa de promiscuidade. Um grupo apelou da decisão, argumentando que ela não tivera culpa de o vídeo vazar, que era para ser algo particular. Mas as senhoras da sede nacional não cederam e Shawna teve de ir embora da nossa casa. Acabou se transferindo para a Georgia State e nos afastamos ainda mais – para a estranha alegria de Meredith. Lembro que, quando ela ficou sabendo, sua primeira reação não foi de solidariedade – e sim uma afirmação grosseira de que "sempre soube que Shawna era encrenca".

Reencontrei Shawna novamente nas férias de Natal, quando nos deparamos uma com a outra num bar em Atlanta. Eu a abracei e lhe disse que sentia sua falta. Ela disse que sentia a minha falta também, mas as coisas pareciam estranhas. Isso me deixou triste, a emoção exacerbada pelas festas de fim de ano, mas também tive um pouco de raiva.

Afinal, eu não tinha culpa de ela ter confiado num babaca. Ao vê-la se divertindo com novos amigos, tomei a decisão consciente de me divertir mais do que eles. Bebi todo o meu coquetel de vodca, depois pedi outro, a caminho de uma noite de bebedeira – aquele tipo de lacuna no tempo seguida por nada. Na verdade, tinha certeza de que esqueceria completamente aquela noite, só que foi exatamente quando perdi meu irmão num acidente de carro.

Capítulo oito

MEREDITH

Cerca de uma semana mais tarde, Josie manda um e-mail coletivo misterioso pedindo que meus pais, Nolan, Harper e eu nos reunamos com ela para jantar na noite seguinte. Ela nos diz para "não nos preocuparmos", mas afirma que tem "algo importante a discutir" conosco. Reconhece que estamos todos ocupados e que meus pais podem não gostar de ideia de se verem, mas assim mesmo insiste que nos reunamos com ela. Tudo é típico da Josie. Assumindo o comando, fazendo exigências, criando drama.

Mamãe me liga cinco minutos após o surgimento do e-mail nas nossas caixas de entrada.

— Acha que tem algo a ver com a saúde dela? — pergunta, pânico surgindo na voz. — Ela fez mamografia recentemente? Ou se consultou com algum médico? Ela nunca me conta nada...

— Mamãe, acalme-se — digo, colocando-a no viva-voz para poder continuar trabalhando nas respostas de vários interrogatórios previstos para o fim do dia. — Ela não incluiria Harper se pretendesse falar de um caroço no seio ou coisa assim. Sinceramente, não a vejo incluindo papai nesse tipo de conversa também. Ao menos não no início.

Rapidamente mudo de assunto, já que a única pessoa que quero analisar ainda menos do que Josie é meu pai. Claro que não vou contar para minha mãe que ele está com uma nova namorada, apesar de ter certeza de que Josie falará sobre isso amanhã à noite também. Droga, ela provavelmente convidou a namorada dele num e-mail separado.

— Quando foi a última vez que você conversou com ela? — pergunta a mamãe.

— Hmm... sábado à noite. Ela me ligou numa hora imprópria... Eu estava semiadormecida.

— Ela parecia incomodada?

— Não, mãe. Ela só queria bater papo... Aparentemente ela não consegue seguir a regra do por-favor-não-me-ligue-depois-das-dez, assim como não consegue se lembrar de tirar os sapatos na minha casa.

— Então... você acha que Josie pode na verdade ter boas notícias? — pergunta a mamãe com uma esperança patética. — Talvez um aumento?

— Duvido — respondo, pensando que é mais provável um problema financeiro do que um aumento. Claro que não seria a primeira vez que Josie pediria dinheiro emprestado para um de nós.

A mamãe lança outra teoria.

— Talvez ela tenha conhecido alguém?

— Por que ela simplesmente não contaria isso? — pergunto. — Além do mais, não parece possível, levando em conta a obsessão atual dela por Will.

— Eu sei. Perguntei a ela sobre a primeira semana na escola e ela só falava daquela menininha... É triste...

— Triste no sentido de patético?

— Seja boazinha — diz ela.

Suspiro, tirando-a do viva-voz.

— Estou tentando, mamãe. Mas é difícil... Ela é tão egoísta. Tudo gira em torno dela. Esse e-mail mostra isso.

— Meredith. Por favor, dê uma chance para sua irmã. Você sempre pensa o pior dela. Talvez ela queira falar sobre Daniel e nossa viagem para ver Sophie. Ou...

Eu a interrompo, confiante de que a reunião não tem absolutamente nada a ver com Daniel.

— É o seguinte — digo. — Vamos ver o que ela quer discutir. Se não for algo completamente autorreferente, vou começar a lhe dar uma chance.

Na noite seguinte, quando Nolan, Harper e eu chegamos à casa da minha irmã, ela não está lá. Em vez disso, meus pais e Gabe estão sentados constrangidos na sala, uma miscelânea do gosto antropológico de Josie e das tendências contemporâneas de Gabe. A mamãe e o papai estão sentados em horríveis cadeiras com estampa de zebra que Josie comprou num mercado de pulgas, enquanto Gabe está jogado no sofá de couro com uma cara de tédio. Obviamente sei que Josie e ele moram juntos, mas por algum motivo não esperava encontrá-lo hoje, e sua presença rabugenta me irrita mais do que o normal. Ou talvez eu estava só um pouco mais irritada com Josie por dar esse golpe, incluindo uma pessoa de fora da família e não se dando ao trabalho de chegar na hora marcada. De repente, ocorre-me que talvez o anúncio dela envolva Gabe – que talvez eles tenham começado a namorar ou estejam começando um negócio maluco qualquer. Mas na verdade acho que ele tem juízo bastante para não fazer nada disso, por mais que eles claramente tenham uma conexão anormal.

Dou um oi tenso, nem tentando esconder minha irritação, enquanto Nolan compensa com um cumprimento mais efusivo do que o normal, abraçando minha mãe, depois meu pai e dizendo todas as coisas que um genro tem de dizer. Os dois o adoram, mas é difícil saber se o que adoram é ele ou a ligação que tem com Daniel. No caso do papai, acho mesmo que é a ligação, o que torna Nolan uma fonte constante tanto de consolo quanto de tristeza para ele. Inevitavelmente, quando nos reunimos a conversa se volta para o passado e eles recontam as mesmas histórias de sempre, jogos da Little League e piadas internas. E, mesmo quando começam rindo, o papai sempre acaba chorando enquanto Nolan o consola, provando que seguir em frente é muito mais fácil para um amigo do que para um pai.

— Venha cá, Harper, minha querida! — diz papai, ainda de pé. Ele estende os braços.

Olho para trás e vejo Harper, que não se mexe, só continua a acariciar Revis, o cachorro mal adestrado de Josie.

— Harper — digo. — O vovô está falando com você.

Ela levanta a cabeça, sem expressar nada, enquanto Nolan a empurra sussurrando "vá abraçar o vovô". Ela obedece relutante, recuando nos braços do meu pai. É um sinal claro de que os dois não são nada próximos – pelo que Nolan me culpa, em vez de culpar o alcoólatra que abandonou a família. Harper foge com pressa e vai diretamente para o colo da minha mãe.

— Onde está a Josie? — pergunto, caminhando de um lado para o outro diante da lareira para olhar as fotografias enfileiradas – várias imagens dela com Gabe e outros amigos, e uma dela e Harper. Não há nenhuma foto minha, de Daniel ou dos nossos pais.

— Ela está saindo do banho — responde Gabe, a expressão inescrutável.

— Harper, querida, vá chamar a tia Josie — digo, ainda andando para lá e para cá.

Enquanto Harper desce do colo da mamãe e sai pelo corredor, faço um comentário venenoso sobre o tempo de Josie ser mais valioso do que o dos demais. Ninguém se dá ao trabalho de defendê-la, até porque não podem. Sento-me ao lado de Gabe e lhe pergunto diretamente se ele sabe o que está acontecendo.

Ele dá de ombros, sem se comprometer. Nunca sei se ele não gosta de mim ou se é só babaca, mas dá para contar nos dedos de uma das mãos quantas vezes ele pareceu verdadeiramente de bom humor na minha presença.

— Ela não lhe disse nada? — pergunto. — Difícil de acreditar.

Antes que ele possa responder, Harper entra correndo na sala, trazendo Josie pela mão. Seus cabelos estão envoltos numa toalha e ela usa uma calça de moletom que poderia passar por pijama.

— Oi! — diz ela, toda tranquila. — Como está todo mundo?

— Uma maravilha! — respondo sarcasticamente, enquanto Nolan se senta ao meu lado e aperta meu joelho, numa tentativa ou de me repreender ou de me acalmar.

Josie me encara, cruza os braços e diz:

— Certo. Isso foi tão falso.

— Olhe aqui, Josie. Estamos todos um pouco preocupados com o motivo de você ter convocado esta reunião hoje.

— Não é uma reunião. É jantar — diz ela, enfiando uma mecha de cabelo molhado na toalha e sentando-se no chão, no centro.

— Mas você disse no seu e-mail coletivo formal que tinha algo a nos contar. Não é? — pergunto.

Josie faz que sim.

— E então? O que é?

— Deus! Acalme-se, Mere — diz Josie, o que quase sempre provoca o efeito oposto a qualquer pessoa que esteja um pouquinho agitada.

— Josie — digo, quase gritando. — Nolan e eu estamos preocupados. A mamãe está preocupada. O papai está preocupado.

— Na verdade, não estou muito preocupado — diz o papai. — Deveria estar?

— Sim — respondo, rispidamente. — Você deveria estar, papai. — Quero acrescentar "e, se você já tivesse pensado em alguém além de Daniel, estaria preocupado". Mas não quero confundir as coisas.

— Não, ele não deveria estar — diz Josie. — Não há absolutamente nada com o que se preocupar. Está tudo bem.

Fico ainda mais tensa, pensando que nunca está tudo bem.

— Só diga que não está doente — pede a mamãe antes de beijar Harper no alto da cabeça.

— Perfeitamente saudável — responde Josie. — Só queria ter a família junta... para falar sobre uma coisa... — Ela deixa a frase no ar.

— Josie — finalmente diz Gabe; ele é a única pessoa que consegue argumentar com ela. — Por que você não conta a eles para que todos possamos jantar?

Ela respira fundo, parecendo aproveitar o momento.

— Espere — digo, e me ocorre que as notícias dela podem ser impróprias para menores. — Tem certeza de que Harper pode ouvir?

Josie me olha.

— Nossa! Como você pode confiar tão pouco em mim?

— Desculpe. Mas tenho de pôr minha filha em primeiro lugar.

— Olhe aqui, Meredith — retruca ela. — Não gosto de você insinuando que eu faria alguma coisa para...

— Meninas! — apela a mamãe. — Por favor, por favor, não briguem! Isso já é bem difícil...

— Na verdade, mamãe, não há nada de difícil com a noite de hoje — diz Josie. — Isso é uma celebração. Tenho ótimas notícias.

Faço que não com a cabeça, certa de que não vou concordar, enquanto ela se levanta, olha determinada pela sala e diz numa voz alta e clara:

— Chamei vocês aqui para dizer que vou ter um bebê. — Ela respira fundo, sorri e parece triunfante.

Ao menos cinco segundos de silêncio se passam antes de Harper começar a bater palmas e gritar, imitando a reação à notícia da nossa amiga de que anunciou estar grávida no mês passado, claramente incapaz de ver a diferença entre as duas situações.

— Uma menina? — pergunta ela, os olhos brilhando.

— Ah. Não sei ainda, querida — responde Josie, sorrindo enquanto mordo a língua com força, determinada a não ser a primeira adulta a falar, principalmente porque as palavras que me vêm à mente são "que porra é essa?".

— Ei, Jo — diz Gabe, bem baixinho. — Acho melhor você esclarecer as coisas.

Ela o olha impassível e me ocorre novamente que ele talvez cumpra um papel nisso tudo.

— Seu anúncio... É um tanto... enganador — diz ele.

Como ela continua com a mesma expressão, ele lhe lança seu melhor olhar de "não seja babaca" e então nos dá uma dica:

— Ela não está grávida. É só que ela... está planejando ficar grávida.

Vejo mamãe suspirar de alívio.

— Ah. Sim. Claro — diz Josie, fazendo um gesto de desprezo com a mão. — Quando digo que vou ter um bebê, não estou dizendo que estou grávida agora. Estou dizendo que planejo engravidar. O mais rápido possível.

— E como exatamente você planeja conseguir isso? — pergunto.

— Vou a um banco de esperma. Assim.

Olho para Nolan e de repente fico feliz ao notar que ele finalmente parece irritado.

— Josie — diz ele, apontando para Harper.

— Ah, pare com isso. Ela não sabe o que é um banco de esperma — responde Josie, baixinho, o que, claro, é o sinal para Harper perguntar o que é um banco de esperma.

— Harper, querida, por que você não pega um osso para Revis? — diz a mamãe.

Harper fica feliz em aceitar a sugestão, mas, antes de ela sair da sala, Josie diz:

— Acho que não há por que guardar segredo... Quero que Harper saiba de onde o priminho dela veio.

— Certo — diz Nolan, calma e firmemente. — Quando ela tiver idade bastante para entender... Mas realmente gostaríamos de evitar uma conversa dessas com ela aos quatro anos...

— Não foi minha intenção — diz Josie, e então começa uma daquelas suas explicações sabichonas sobre o desenvolvimento das crianças.

Eu a interrompo.

— Bom, quando você tiver seu bebê de proveta, vai poder tomar essas decisões. Harper é nossa filha. E gostaríamos que você a mantivesse longe dessas discussões.

Josie me olha fazendo biquinho e diz:

— Antes de mais nada, não acho que uma criança deva ser definida pelas circunstâncias de sua concepção. Depois, não seria um bebê de proveta.

Antes que eu possa reagir, mamãe diz:

— E quanto ao casamento?

— O que tem isso? — pergunta Josie desafiadoramente.

— Bom... você está simplesmente... desistindo da ideia?

— Ah, mamãe. Talvez isso aconteça mais tarde... Espero que sim... Mas já tenho quase trinta e oito...

— As mulheres têm bebês até depois dos quarenta agora — diz o papai, sua primeira contribuição à conversa.

Olho para ele, pensando se planeja engravidar a repórter, enquanto Josie diz:

— Sim. Verdade. Algumas. Mas é arriscado esperar.

— Você sempre pode congelar seus óvulos — diz a mamãe.

— Posso. Mas estou preparada para um bebê agora.

— Bom, é só o que você quer, não é? — digo.

— O que você quer dizer com isso? — me pergunta Josie. — Não posso ser mãe só porque não sou casada? Há muitas mães solteiras maravilhosas por aí... Por outro lado, há vários casais com filhos que são pais infelizes e horríveis. — Ela me olha com determinação, claramente falando do meu casamento, se é que não de como sou mãe, e sinto a raiva crescendo dentro de mim.

— Você realmente acha que está na posição de julgar alguém? — pergunto à minha irmã.

— Não estou julgando. Nem estou pedindo conselho ou permissão. Estou simplesmente contando meu plano para as pessoas que são mais importantes para mim. E meio que esperava por mais apoio. Gabe acha que é uma ótima ideia.

Olho para ele, me perguntando quanto tempo depois do parto ele procurará uma nova pessoa com quem morar.

— Certo. Bom. Com todo o respeito a Gabe — digo —, ele não tem ideia do que está em jogo aqui. Ele não é pai, ou é? Merda... você me disse que ele esquece de levar o cachorro para passear quando você não está em casa.

Gabe olha para Josie e diz:

— Isso aconteceu uma vez.

— Certo. Olha, papai, o que você acha? — pergunta Josie, recorrendo à terceira pessoa menos qualificada para avaliar a criação de um filho.

— Acho que... Acho que você tem que fazer o que a faz feliz — balbucia ele enquanto prevejo que as fraldas que ajudará a trocar poderão ser contadas nos dedos de uma das mãos.

Mamãe faz uma cara feia para o ex-marido, depois se vira para Josie.

— Querida, você sabe que queremos apoiar... Só estamos perguntando... você pensou mesmo direito nisso?

— Sim. Pensei muito. E, para ser sincera, desde que a filha de Will entrou na minha turma...

— Eu sabia! — grito, interrompendo-a. — Sabia que tinha a ver com Will.

— Não tem a ver com Will! — ela retruca, gritando. — Tem a ver com Edie e com o fato de eu perceber que...

Eu a interrompo novamente.

— Se você o amava tanto, por que ferrou com o relacionamento?

Parece que Josie acabou de levar um tapa.

— Você está mesmo me perguntando isso? — pergunta ela, a voz trêmula.

— É. Deixe disso, Meredith — diz Gabe. — Isso não foi legal.

— Bom — digo, cruzando os braços e encarando-o. — Ela está usando Will como desculpa para trazer uma criança a este mundo.

— Uma desculpa? — diz Josie. — Pelo que sei, trazer uma criança a este mundo não é uma coisa ruim.

— É se você não puder cuidar bem dela.

— Quem disse que não posso cuidar bem de um bebê? Posso não ter tanto dinheiro quanto vocês dois, mas tenho um emprego – um ótimo emprego... E tenho amigos e uma família que posso querer que se envolva com a vida da criança... Mas acho que é pedir demais.

— Isso não é justo — diz mamãe. — Claro que queremos nos envolver.

— Claro que nos envolveríamos — ecoa o papai.

Josie olha para mim, esperando.

— Claro. — Dou de ombros. — Vou aparecer para uma partida rápida de Twister... daí vou embora feliz... Não é isso o que tias fazem?

— Uau. Isso é tão injusto — diz Josie. — Sou totalmente envolvida na vida de Harper.

Gabe entra na conversa, concordando com ela.

— É mesmo, Mere. E você sabe disso.

— Certo. Tudo bem. Mas você tem ideia de como é mais fácil ser tia do que ser mãe?

— Você tem ideia de como você é uma vaca? — pergunta Josie.

— Josie. Olhe a boca — diz Nolan, enquanto anuncio que estamos indo embora. Levanto-me e vou até Harper, tentando afastá-la do cachorro, mas ela chora e diz que não quer ir, que quer ficar na casa da tia Josie.

— Certo. Fique com a tia Josie — digo, furiosa. — Na verdade, por que você não mora com a tia Josie e o tio Gabe? Já que eles querem brincar de casinha e sabem tudo.

— Meredith — repreende Nolan, horrorizado por eu descontar a raiva na nossa filha. Meu rosto queima de vergonha enquanto recupero o fôlego e digo a Nolan que o esperarei no carro.

— Você não pode simplesmente se sentar? — pergunta ele, olhando para mim. — Para discutirmos isso com calma?

— Não. Não posso — respondo, fazendo que não com a cabeça. Então, falando da minha irmã na terceira pessoa, acrescento: — Alguém pode dizer a ela que trazer uma criança a este mundo é a coisa mais difícil que alguém pode fazer?

Como ninguém responde, finalmente me viro para sair da casa, vendo a angústia na expressão da mamãe e sabendo, num instante, que ela acha que estou errada quanto a isso. Que ver seu filho deixar este mundo é na verdade muito mais difícil.

Capítulo nove

JOSIE

— Uau, tudo saiu como o planejado, hein? — diz Gabe assim que a porta se fecha depois de a mamãe e o papai saírem, os dois dando um novo significado à expressão "sair como cachorro magro".

— Tudo culpa da Meredith — digo. Não havia como nos recuperarmos do ataque e da saída dela, a conversa oscilando entre o constrangimento e a controvérsia pura e simples.

— É — concorda Gabe, enquanto voltamos para a mesa e começamos a tirar a louça. — Mas não é surpresa alguma. Nós dois sabíamos que isso aconteceria.

— Acho que sim. Mas sempre acho que ela agirá de outra forma.

— Você sabe que essa é a definição de insanidade de acordo com Einstein? — pergunta Gabe, arqueando a sobrancelha. — Fazer a mesma coisa repetidas vezes e esperar resultados diferentes?

Suspiro e digo:

— Pois é. Bom, sabia que ela não adoraria a ideia, mas achava que ao menos ficaria para jantar.

— Eu não — diz Gabe. — Embora seja bem difícil resistir à minha comida.

— Verdade — respondo, rapidamente reconhecendo seu talento culinário. — Mas ela nem me deu ouvidos... Ela tem opinião formada sobre tudo.

— Ela realmente tem a mente fechada. Tem razão.

— A mamãe também — digo, pensando no que ela disse durante o jantar – em todas as maneiras diferentes que ela usou para sugerir que eu simplesmente saísse com outros homens.

— Sim, mas é diferente. Sua mãe é só... tradicional. Conservadora. Ela quer que você siga aquela coisa de menino-conhece-menina porque acha que é o único caminho para a felicidade... Meredith não é tradicional – ela só gosta de criticar você. Se outra amiga se aproximasse dela com a mesma ideia semiformada, ela aceitaria. Elogiaria a independência da amiga.

— Exatamente! — digo, empolgada pela forma como Gabe entende e articula tão bem o que estou sentindo, tanto que opto por ignorar sua escolha ligeiramente ofensiva de adjetivos. No final das contas, ele tem razão – a ideia não está completamente formada ainda. Mas já foi moldada.

— Meredith não tem nenhuma fé em mim — continuo. — Viu como ela agiu em relação à Harper? Como se ela achasse que eu fosse discutir orgias ou heroína diante de uma menina de quatro anos.

— Você bem que gosta de orgias regadas a heroína — diz Gabe, dando uma risadinha.

Não sorrio; estou cansada demais.

— E acredita que ela falou do Will daquele jeito? Como se fosse relevante a esta altura...

Volto à mesa para pegar mais louça e Gabe me segue.

— Você não teve vontade de esclarecer tudo? — pergunta ele. — Ela realmente acha que você o traiu...

— Não. Nem um pouco — digo, interrompendo-o. Porque sei o que ele está pensando e ele sabe o que estou pensando, e não vejo motivo para revolver tudo isso.

— Certo, certo. Só perguntando. — Ele ergue as mãos abertas, olhando para o nada. O gesto sugere que ele se sente ofendido, mas sei que é preciso muito mais do que algumas palavras para ofender Gabe.

Por vários minutos, ficamos em silêncio enquanto tiro a sujeira grossa dos pratos, copos e utensílios, entregando tudo para Gabe colocar na máquina.

— Não há motivo para discutir o que aconteceu há tanto tempo — digo, finalmente, tentando amenizar minha resposta. — Principalmente com Meredith.

— Já ouvi — resmunga Gabe, olhando para mim.

— Digo... o que está feito está feito — concluo, entregando-lhe as últimas facas de carne.

— Certo — diz Gabe. — O que está feito com certeza está feito.

Estamos falando em código, claro, como os melhores amigos fazem, falando de várias camadas de coisas ao mesmo tempo. Da noite em que Daniel morreu. E também da noite, anos mais tarde, em que descobrimos que havia muito mais nessa história do que imaginávamos.

Aconteceu sete anos depois da morte de Daniel. Gabe me pegou para jantar, sem destino em mente, e acabamos no Tin Lizzy's, um bar mexicano. Éramos só nós, o que tinha se tornado uma espécie de raridade, já que Will e eu estávamos perto de noivar e uma das exigências dele para o casamento parecia ser diminuir meu tempo com Gabe. Ele insistia em dizer que não tinha ciúme; só achava que minha amizade com Gabe era "estranha" (o que, claro, significava que ele tinha ciúme). Tentando agradar, eu quase sempre cedia.

Mas naquela sexta-feira à noite em particular, Gabe e eu tínhamos a autorização de Will, até porque ele ia a uma despedida de solteiro e achava que essa era uma forma de impedir que eu ficasse reclamando do que aconteceria na casa de striptease.

— Quer dizer que o velho Will lhe deu passe livre hoje? — perguntou Gabe enquanto comíamos tacos de peixe e guacamole, bebendo Coronas bem geladas.

— Haha. Muito engraçado — disse, na defensiva. — Não preciso da permissão dele para sair com você.

— Ah, mas precisa, sim. — Gabe arqueou as sobrancelhas. Até aquele momento, ele não tinha me dito o que achava de Will, assim como jamais diria que sentia minha falta, mas eu sabia a verdade sobre as duas coisas. — O que ele vai fazer hoje? Despedida de solteiro ou coisa assim?

Meneio a cabeça relutantemente, impressionada com a capacidade dele de compreender a situação.

— Onde? — perguntou, conversando à toa, apesar de, sem querer, ter entrado num terreno bem sensível.

— Eles começaram a festa no Five Paces — disse, sentindo-me tensa e desviando o olhar. Então contei que não tinha voltado lá desde a morte de Daniel.

— Pois é — murmurou Gabe. — Nem eu, pensando bem.

— O quê? — perguntei, olhando para ele surpresa, pensando que tinha ouvido errado – ou simplesmente entendera mal o que ele estava dizendo.

Mas então ele esclareceu:

— Também não vou lá desde a noite em que seu irmão morreu — disse, bebendo um gole de cerveja.

— Espere um pouco. Você estava lá naquela noite?

— Estava. Você não lembra? — Ele deu uma risada nervosa que eu analisaria à exaustão mais tarde, e acrescentou: — Muito obrigado.

Ao encará-lo novamente, meu coração disparou e lembrei-me vagamente de Gabe sentado no bar, usando um moletom cinza, com um caneco de cerveja diante de si. Fiquei me perguntando se era uma memória real ou só o poder da sugestão.

— Você estava usando um moletom? — perguntei, olhando para o nada.

— Como é que vou saber? — ele começou a perguntar, mas parou. — Na verdade, acho que sim. Talvez...

— Por que você nunca falou disso antes? — perguntei a ele, incrédula.

— Porque você estava lá, por isso — disse Gabe, amenizando o sarcasmo que eu geralmente receberia nesse tipo de resposta, levando em conta o território emotivo em que estávamos.

— Nós conversamos?

— Na verdade, não. — Gabe deu de ombros. — Só nos cumprimentamos... de passagem. Foi praticamente só isso. Mas eu estava meio que sentado perto de você – no canto do bar. Por algum motivo, me lembro disso. — Apontou para o canto do guardanapo e disse: — Você estava assim, olhando para a rua... eu estava aqui, olhando para os fundos do bar.

De repente, perdi o apetite. Afastei o prato e perguntei com quem ele estava. Queria, precisava saber todos os detalhes.

— Com ninguém — respondeu, o que era normal. — Conhecia várias pessoas ali. Mas não estava com ninguém.

Minhas mãos suavam como sempre acontece quando penso na sequência nauseante daquela noite.

— A que horas você chegou? A que horas você foi embora?

Gabe usou um salgadinho para limpar o restante do guacamole do potinho entre nós dois.

— Não sei direito — disse ele, a comida a meio caminho da boca antes de ele mudar de ideia e colocá-la no prato.

— Mais ou menos — insisti.

Ele insistiu que realmente não sabia – que não era capaz nem de arriscar um palpite.

— Meu chute seria tão bom quanto o seu.

— Não — respondi, com uma risadinha triste. — Isso não é verdade. Seu chute seria melhor do que o meu.

— Por que isso importa?

— Porque sim.

A resposta deve ter sido boa o suficiente para Gabe, porque ele disse:

— Certo... bom, se tivesse de chutar... Diria que cheguei por volta das dez... e saí por volta da meia-noite. Talvez meia-noite e meia.

Fechei os olhos, pensando se poderíamos ter dito "oi" um para o outro bem na hora em que Daniel foi morto. O que eu estava fazendo exatamente às dez e cinquenta e quatro daquela noite? Fiz essa pergunta a mim mesma várias vezes, sem jamais incluir Gabe na imagem. E, claro, isso foi muito antes de seu celular poder lhe dar uma resposta, criando um registro quase perfeito dos acontecimentos.

— Do que mais você se lembra? — perguntei. — Sobre mim naquela noite.

Gabe mordeu o lábio e disse:

— Bom... Você estava bem bêbada. Me lembro disso.

Fiz que sim com a cabeça, sentindo uma lufada de vergonha, não pela primeira nem pela última vez. Vergonha por estar num bar quando meu irmão morreu. Divertindo-me. Rindo. Flertando com meninos – provavelmente muitos deles. Bebendo até cair.

— Que mais?

— Sinceramente, Jo... é isso. Não me lembro de mais nada.

Dava para ver que ele mentia ou que estava escondendo algo porque Gabe quase sempre me dizia a verdade, o que dispensava o "sinceramente".

— Lembra, sim — insisti. — Me conte. O que eu estava fazendo? Com quem estava conversando?

— Não me lembro. Muita gente.

— "Muita gente" ou você "não lembra"? Qual das duas coisas?

Ele respirou fundo e soltou o ar demoradamente.

— Sinceramente não lembro... com exatidão. Muitas pessoas estavam lá naquela noite... Era quase Natal, então todo mundo voltou para a cidade...

— Disso eu sei — respondi, frustrada. Claro que sabia que estávamos perto do Natal. Era o dia vinte e dois de dezembro! Pedi para ele me dizer algo de que não soubesse.

— Como já deixamos claro — disse Gabe, parecendo cansado, mas paciente —, não sei do que você se lembra e do que não se lembra. Então, por favor, não fique com raiva de mim. Estou fazendo o que posso para responder às suas perguntas.

— Não estou ficando com raiva de você — declarei, ainda parecendo com raiva, mas sentindo algo mais parecido com o desespero. — Só, por favor, me conte tudo!

— Certo, certo. — Ele ergueu a mão. — Shawna estava lá. Você ficou conversando com ela por um tempo... e com várias outras meninas da sua turma em Lovett...

Ele me olhou nos olhos, esperando, e esperou mais um pouco.

— Acho que você também estava conversando com Nolan Brady em algum momento — disse ele finalmente.

— Você acha? — perguntei depressa. Era pelo nome de Nolan que eu esperava.

— Você estava mesmo... mas, sinceramente, eu não estava prestando muita atenção. Só sabia que você estava muito, muito bêbada... E Nolan parecia... preocupado. É isso. Juro.

Senti que estava prestes a desmaiar e percebi que estava prendendo a respiração. Tomei alguns goles de ar enquanto Gabe me fazia a pergunta lógica:

— O que Nolan diz sobre isso? Claro que ele lembra sobre o que vocês conversaram...

Balancei a cabeça, incapaz de falar.

— Ele também não se lembra? — perguntou Gabe.

— Nunca perguntei — disse finalmente.

— Ah. — Gabe meneou a cabeça.

— Nunca falei sobre isso com ninguém. Nem com ele, nem com Shawna, nem com Meredith, nem com a mamãe. Nem mesmo com a terapeuta com quem meus pais me obrigaram a me consultar. Com ninguém até agora.

— Mas nós conversamos sobre o acidente antes... — disse Gabe.

Fiz que não com a cabeça.

— Não estou falando do acidente. Nem da morte de Daniel. Nada disso. Estou falando do que eu fiz naquela noite...

Gabe me encarou e disse:

— E? O que você fez naquela noite, Josie? Do que você se lembra? — Sua expressão era tão típica, concentrada e inteligente e solidária (por mais que ele nunca quisesse que você soubesse o quanto ele se importava), que comecei a falar. Contei que bebi a primeira dose no meu quarto, ao me vestir, bebendo da garrafinha da minha irmandade. Disse que tinha brigado com Meredith porque ela não me deixava usar um pingente dela que combinava com minha roupa e que mamãe ficara do lado dela e eu saíra de casa irritada. — Como você chegou lá? — perguntou ele.

— Kendra me deu carona. Mas ela tinha um encontro... e foi embora mais cedo, então fiquei lá com outras pessoas. Shawna meio que me desprezou, então estava com raiva. E continuei bebendo. Muito. Misturando coisas. Vodca e cerveja... As coisas ficaram confusas, depois mais confusas, até eu não me lembrar mais de nada.

Gabe meneou afirmativamente a cabeça.

— Não me lembro de ir embora do bar. Não sei como cheguei em casa... Alguém deve ter me levado. Ou talvez tenham chamado um táxi para mim. Não sei... Só me lembro de acordar no meu quarto. O quarto rodava e havia uma lata de lixo ao lado da cama. Alguém a colocou ali... Ou talvez eu mesma. Realmente não lembro...

Contive as lágrimas ao máximo, mas, em algum momento, simplesmente não consegui impedir o choro. Não sabia direito por quê, exatamente, e sabia que Gabe tampouco entendia. Mas ele agiu rapidamente, pagando a conta e me acompanhando ao estacionamento cheio de gente. Ainda estava claro e escondi meu rosto com o braço, enquanto ele abria minha porta, algo inédito – não fazia o estilo cavalheiro.

Para meu alívio, ele não fez mais perguntas no caminho para casa. Na verdade, nem conversamos, ficando naquele silêncio possível somente com um amigo íntimo. Quando chegamos ao meu apartamento, ele entrou comigo. Fui diretamente para meu quarto, a fim de dormir, vestindo uma camiseta comprida que usava como camisola, escovando os dentes e lavando o rosto. Em algum momento, como eu não saía do quarto, ele bateu na porta e perguntou se eu estava bem.

— Estou — menti, rapidamente desligando as luzes para ele não ver meu rosto.

— Posso entrar?

— Pode. — Eu me escondi sob as cobertas.

Ele se sentou na beirada da cama, ficou me olhando e disse:

— O que está acontecendo, Josie? Por que você está tão abalada?

— Não sei. — E não sabia mesmo. Era mais uma sensação do que algo que eu pudesse expressar com palavras. Uma sensação de que eu tinha algo a ver com o acidente de Daniel.

— Sabe, sim — insistiu ele cuidadosamente. — Fale comigo.

— Só sinto que... talvez seja minha culpa... — disse.

— Como pode ser sua culpa? Isso é loucura.

— Não é loucura. Talvez Daniel estivesse indo me buscar.

Gabe fez que não, firme.

— Acho que não, Josie. Você está sendo paranoica. Ele estava indo comprar um hambúrguer. Não foi isso o que ele disse para sua mãe?

— Sim — respondi. — Mas...

— Mas nada, Josie. Você só está sofrendo... a culpa de quem sobrevive ou coisa assim. Seu irmão sofreu um acidente. Não teve nada a ver com você.

Respirei fundo, meu corpo todo tremendo. Então, disse a ele que não queria mais tocar no assunto. Nunca mais, na verdade.

— Certo — disse ele, me encarando, a expressão preocupada. — Quer que eu vá embora?

— Não. — Olhei para ele. — Por favor, fique comigo.

Ele fez que sim com a cabeça, tirou os sapatos, deu a volta na cama e se sentou ao meu lado, sobre a coberta. Encostou-se na cabeceira, as pernas esticadas, e então estendeu o braço para me dar um tapinha constrangido nas costas. Uma, duas vezes.

— Obrigada — disse, sentindo as pálpebras pesadas.

Em algum momento, depois de cochilar, eu o ouvi se levantar e sair. Virei-me e pedi para ele não ir embora.

— Shhhh — disse ele, esfregando minhas costas pelo edredom. — Volte a dormir.

— Não vá — repeti.

— Vou ficar — disse ele e, naquele momento, tirou a calça e a camisa e entrou sob as cobertas ao meu lado. Seria a única vez que dormiríamos na mesma cama, mas nada daquilo parecia estranho, nem mesmo quando ele se virou no meio da noite e me abraçou. Só pareceu caloroso, confortável, seguro.

Até pouco antes do amanhecer, quando a porta do meu quarto se abriu e Will entrou. Ele olhou para nós e anunciou, sem hesitar, que estava tudo acabado entre nós.

Capítulo dez

MEREDITH

Quatro dias depois do anúncio de Josie, me vejo tentando identificar por que estou com tanta raiva dela. Sim, acho que o plano dela é falho, mal avaliado e egoísta. E, sim, acho que o filho dela vai, em algum momento e de alguma forma, se tornar minha responsabilidade. Mas, no fundo, também acredito que Josie tenha razão – que é para isso que serve a família, para ajudar e apoiar. Realmente quero que minha irmã experimente a graça da maternidade. Então, por que não posso simplesmente entrar na onda, desejar boa sorte e ficar feliz por ela?

Uma noite, enquanto Nolan e eu nos preparamos para dormir, faço a pergunta a ele, segurando-me para aguentar uma resposta de que talvez não goste. Ele anda surpreendentemente quieto sobre o assunto, talvez porque não quer me dizer que está do lado de Josie.

— Por que você acha que estou tão irritada com ela? — pergunto.

— Não sei — diz ele, lavando a escova de dentes e batendo-a na beirada da pia. — Você sabe que não entendo sua relação com sua irmã...

Visto minha camisola mais velha, confortável e talvez menos atraente.

— Você acha que fui dura demais?

Nolan me lança um olhar de inocência, dá de ombros e responde:

— É. Talvez um pouco... Você entrou rapidamente no modo de ataque.

Sei que ele tem razão, mas ainda assim me ressinto pela resposta.

— Você não percebe que ela só quer o que você tem? — continua ele.

Suspiro, pensando que é assim que minha mãe sempre descreve as coisas. Que ambos insistem que Josie tem inveja de mim.

— Desculpe, mas simplesmente não acredito nisso — digo.

— Bom, assim mesmo. Será que você não consegue aceitar isso? — pergunta ele, tirando a roupa e ficando só de cueca.

— Aceitar que ela queira ter um bebê? — Pego as roupas do chão do closet, onde ele sempre as deixa, e as coloco num cesto.

— Não, aceitar o anúncio dela. Dar corda... Até porque as chances de que ela realmente faça isso são de meio a meio. No máximo.

— Acha mesmo? — pergunto, com esperança de ele ter razão, mas também sentindo um quê de decepção, talvez porque eu mesma perceba que ser tia é mais divertido do que ser mãe.

— Bom, vamos pensar melhor no assunto. Ela conseguiu o PhD ou o mestrado de que sempre falava?

Faço que não.

— E você se lembra do grande plano dela de se mudar para a Califórnia? — pergunta ele, entrando no quarto.

— Lembro — digo, seguindo-o.

— Nunca aconteceu... E quanto ao fato de ela pagar aluguel todo mês sendo que passou anos falando em comprar uma casa? Mais exemplos?

Sorrio e lhe digo que gostaria de mais um, por favor.

— Certo. E quanto a Will Carlisle? Ela com certeza não assinou o contrato com ele, não é? — pergunta enquanto ficamos de pé ao lado da cama, tirando a coberta.

— Não. Certamente não.

— Fico feliz que eu tenha assinado o contrato com você — diz ele, dando uma piscadinha antes de se deitar.

Sorrio e me deito ao lado dele, os dois desligando os abajures de cada lado. Ele me dá um beijinho rápido na boca, vira-se e põe a cabeça no travesseiro de penas, enquanto faço a mesma coisa no meu travesseiro hipoalergênico.

— Boa noite, Mere — diz ele, de costas para mim.

— Boa noite, Nolan — respondo, aliviada por ele não querer sexo hoje. Eu me pergunto se ele está cansado de ser rejeitado ou simplesmente cansado demais, e espero que seja a última opção. Tento me lembrar da última vez que tomei a iniciativa, mas não consigo. Faz muito tempo. Sinto uma pontada de culpa, assim como preocupação, mas digo para mim mesma que isso é normal, acontece com todo mundo. — Eu te amo — acrescento.

— Eu te amo também — diz ele, a voz abafada.

Alguns minutos mais tarde, ele respira profundamente e vejo que está dormindo. Fico pensando quando exatamente os roncos começarão e se ele roncará alto o bastante para eu ter de ir para o quarto de hóspedes, enquanto minha mente se volta para Josie e a afirmação de Nolan de que ela quer o que tenho. Por alguns segundos, tenho pena dela, mas daí me lembro de que Josie cavou a própria cova e trilhou o próprio caminho de autodestruição. Ela podia estar ouvindo Will roncando agora, ou vários outros homens, mas escolheu se divertir com Gabe em vez de ter um compromisso de verdade.

E então levo até um susto ao entender por que fiquei com tanta raiva na noite em que ela compartilhou as novidades. De repente vejo que na verdade tem muito menos a ver com a decisão ou com qualquer dos problemas de ser uma mãe solteira, e mais a ver com a própria Josie. O fato de ela sempre fazer o que quer, quando quer e como quer. Minha irmã se coloca como prioridade sempre, ponto. E talvez por isso eu é que sinta um pouco de inveja dela.

No dia seguinte, Nolan e eu levamos Harper à festa de aniversário de Isla Graham. Isla é a melhor amiga de Harper, o que é o mesmo que dizer que a mãe dela, Ellen, é minha melhor amiga (Nolan e o pai de Isla, Andy, são próximos também; por isso é que Nolan está presente a uma festa Pinkalicious, usando nada menos que uma camisa xadrez rosa). Chegamos à festa mais cedo, como Ellen sugeriu, e seguimos a pé pela calçada até a casa dos Grahams em Brookhaven. Nolan toca a campainha, que Ellen programou para, em suas próprias palavras, soar menos sinistra, enquanto eu simplesmente abro a porta e atravesso a casa até o quintal dos fundos.

— Uau — digo, baixinho, admirando o cenário todo rosa. Arranjos de balões rosa balançam ao vento. Uma mesa comprida está elaboradamente montada com cristais e talhes de prata, guardanapos de linho pontilhados de rosa e hortênsias também rosa. Toda a comida é em tons de rosa

— minibagels com cream cheese de morango, sanduichinhos com geleia cortados em forma de coração, iogurte de morango em potinhos de porcelana rosa, melancia em cubos com framboesa e até mesmo ovos cozidos pintados de rosa. Ellen está longe de ser Martha Stewart, por isso sei que a sogra dela está por trás disso antes mesmo de ela aparecer na varanda, trazendo uma jarra de limonada rosa, Ellen seguindo-a.

— Este lugar está incrível! — digo, abraçando as duas.

— Tudo culpa da Stella — responde Ellen, apontando para a sogra enquanto noto as lembrancinhas num cesto perto da porta, amarrado com um laço rosa e cheio de doces rosa e massa de modelar rosa.

— Foi divertido — diz Stella com modéstia, e me sinto um tanto envergonhada pela festa na fazenda de Harper, feita no nosso quintal, com um pônei, dois bodes e um bando de inúteis galinhas marrons.

Enquanto isso, Harper corre para abraçar Isla, as duas meninas usando tutus rosa. Andy dá uma cerveja Pabst Blue Ribbon a Nolan e os dois entram para assistir a um jogo entre Geórgia e Tennessee.

— Ela comprou seu vestido também? — pergunto depois que Stella se afasta.

Ellen ri.

— Quase. Emprestei da Margot — diz ela, se referindo à cunhada.

— Acho que nunca a vi usando nada rosa — digo, lembrando-me alegremente do dia em que conheci Ellen, pouco depois de voltar a Atlanta, vinda de Nova York. Estava atrás dela numa longa fila no correio, analisando o traje dela como as mulheres fazem umas com as outras, notando os detalhes da calça jeans desbotada, com um rasgo no joelho esquerdo e dobrada nos tornozelos, as sandálias de gladiador, a túnica verde-oliva de linho e os vários colares de contas e couro. Ela parecia na moda, de uma forma despretensiosa, e, apesar de não se destacar em Nova York, causava uma impressão e tanto no mar de roupas coloridas de Tory Burch, Lilly Pulitzer e Lululemon usadas em Buckhead. Então olhei para o pacote que ela carregava e vi o endereço do meu antigo prédio em Nova York em negrito: 22C, exatamente três andares abaixo do meu 25C. Não sou de falar com estranhas, mas a coincidência era grande demais. Bati no ombro dela e disse:

— Não quero ser intrometida, mas seu pacote... É meu antigo prédio! Eu morava no 25C.

Ela se alegrou e seu rosto imediatamente deixou de ser comum, passando a ser lindo.

— Não diga! Minhas amigas Hillary e Julian moram lá. Você as conheceu?

— Não — respondi, sorrindo. — Mas que mundo pequeno, não é?

Ela fez que sim e disse:

— Então você é nova-iorquina?

Disse que não, que era de Atlanta, mas que tinha morado lá alguns anos.

— Sinto falta — acrescentei.

Ela meneou a cabeça e disse:

— Eu também. Morei lá alguns anos. Por que você voltou? Trabalho?

— O trabalho do meu marido. — Tínhamos acabado de casar e as palavras meu marido ainda me pareciam estranhas.

— O mesmo que eu — disse ela, apresentando-se como Ellen Graham. Disse-lhe meu nome e continuamos a conversar na fila. Descobri que ela era fotógrafa profissional, originalmente de Pittsburgh, casada com um advogado, e lhe contei minha vida. Ela esperou até eu terminar de pagar. Depois, a caminho do estacionamento, abriu a bolsa e me entregou um cartão de visitas, sugerindo que saíssemos para tomar um café uma hora, ou talvez para jantar com nossos maridos.

— Adoraria — disse, sentindo aquela empolgação por ter encontrado uma nova amiga, algo cada vez mais raro com o passar do tempo.

Algumas semanas mais tarde, liguei para Ellen e nós quatro fomos ao Leon's Full Service, um restaurante em Decatur. Foi uma noite muito divertida – tranquila e relaxada – e a química entre os casais, perfeita. Nolan e Andy eram ex-alunos de Lovett (apesar de Andy ser vários anos mais velho); os dois agora trabalhavam com os pais; e, talvez a maior coisa que tinham em comum: ambos se casaram com mulheres que conheceram por meio dos irmãos. (A irmã de Andy, Margot, era a melhor amiga de Ellen).

Quando Nolan contou nossa história, ele mencionou Daniel e vi Andy juntar as peças, conectando os pontos do meu nome de solteira ao ex-aluno de Lovett que estudara medicina em Yale e que morrera num acidente na época do Natal.

Ele se virou para mim com uma expressão sombria.

— Daniel Garland era seu irmão? — perguntou baixinho.

— Era — respondi, depois disse para Ellen a fim de que Andy não precisasse lhe contar: — Meu irmão morreu. Num acidente de carro.

Andy disse que sentia muito, de cabeça baixa, exatamente como a maioria das pessoas fazia. Mas Ellen me olhou nos olhos, segurou minha mão e disse as mesmas palavras, só que de uma forma bem diferente.

— Obrigada — agradeci, sentindo uma conexão profunda com ela antes de me contar que também vivera uma grande perda quando mais jovem. A mãe morrera de câncer.

— Não que seja a mesma coisa — acrescentou ela rapidamente. — Irmãos e irmãs devem ser do berço ao túmulo...

— Sim, mas ainda assim... Sinto muito também — respondi. Apesar de a morte de uma mãe ser mais compreensível do que a perda um irmão, porque segue a ordem natural que esperamos, não conseguia imaginar minha vida sem minha mãe. Principalmente, não conseguia imaginar perdê-la quando era adolescente. Por mais que você analise, lembro-me de pensar, a vida é trágica.

— Sua família... se curou? — perguntou Ellen. — Isso os aproximou?

Foi uma pergunta tão compassiva que me peguei me abrindo para ela, enquanto os homens se lançaram numa conversa distinta sobre golfe e viagem e trabalho. Falei muito sobre Josie, sobre como ela criara muralhas para se proteger, como se recusava a falar sobre Daniel e parecia ver meu desejo de conversar sobre isso como algo muito doentio. Perguntei se Ellen tinha irmãos ou irmãs. Ela disse que sim, tinha uma irmã chamada Suzanne. Contou que eram muito diferentes, mas ainda assim muito próximas.

— Ela é mesmo minha melhor amiga.

Era algo que nunca dissera sobre Josie e senti uma pontada de tristeza e arrependimento. Queria ser íntima daquele jeito, mas não conseguia imaginar isso acontecendo.

— A perda da sua mãe as aproximou? — perguntei.

— Sim — disse ela, meneando a cabeça. — Mas sempre fomos próximas... Meu pai parece mais sua irmã. Ele raramente fala da mamãe. Engraçado como o luto é diferente para todo mundo...

Fiz que sim, pensando que aquela afirmação era muito verdadeira e me lembrando de uma citação de um grupo de apoio do qual participei brevemente com minha mãe. O luto é um mistério que precisa ser vivido, não um problema a ser resolvido, escreveu nossa conselheira – que perdera a filha de nove anos – no quadro. Talvez ela tivesse razão. Ainda assim, a mim parecia que conversar e tentar resolver era a única forma de realmente aceitar. A única esperança de cura. Disse isso para Ellen naquela noite e ela rapidamente concordou.

— Com certeza! Mas acho que meu pai e sua irmã só não veem as coisas assim. E é difícil – muito difícil – quando aqueles que mais amamos não conseguem lidar com as coisas do mesmo jeito. Aposto que é por isso que tantos casamentos acabam depois da morte de um filho. Aposto que os casais têm mais chance de ficarem juntos se lidarem com o luto da mesma forma...

Fiz que sim e dei detalhes do divórcio dos meus pais. Disse que tinha certeza de que a morte de Daniel causara a separação. Minha mãe culpava o problema do meu pai com a bebida – mas a bebida era uma reação ao luto. Em outras palavras, tudo ligava a Daniel.

A caminho de casa, naquela noite, disse a Nolan que tinha certeza de que Ellen se tornaria uma grande amiga. Claro que passamos mais e mais momentos juntas nos meses seguintes, saindo com frequência, trocando e-mails e conversando ao telefone quase diariamente, algo que nunca tinha feito com outras amigas. Josie se referia a Ellen como minha "namoradinha", o que me irritava por vários motivos, mas principalmente porque menosprezava nossa relação. Não me dei ao trabalho de contar a Josie todas as coisas que admirava em Ellen. Ela era apaixonada pelo trabalho – e uma profissional brilhante. Podia passar horas olhando seus retratos, fascinada ao notar como ela fazia as pessoas comuns parecem famosas e as pessoas famosas parecerem comuns. Era original, mas não fazia questão de ser diferente – o que resultava em combinações incomuns que pareciam contradições a quem não a conhecia. Era como ter um cão resgatado da rua e, ao mesmo tempo, o mais belo e nobre golden retriever que já vi. Como ser hippie na essência, mas casada com um aristocrata de uma família tradicional de Atlanta. Como dirigir um Toyota surrado com adesivos artísticos no para-choque e ao mesmo tempo decorar a casa com belas antiguidades e obras de arte. Adorava a honestidade bruta dela – o fato de rapidamente reconhecer os próprios defeitos e os problemas em seu casamento quando muitas outras não conseguiam admitir nem mesmo que estavam num mau dia.

Por fim, Ellen e eu engravidamos quase ao mesmo tempo e Isla e Harper nasceram com apenas cinco semanas de diferença. A maternidade intensa nos aproximou ainda mais, tanto individualmente quanto como casal, tanto que escolhemos uns aos outros para sermos padrinhos e madrinhas de nossas filhas. Josie, claro, ficou com raiva da nossa decisão.

— Então, se você e Nolan morrerem, você vai dar a Harper para eles? — perguntou ela, segurando nossa filha de dois meses com um olhar ligeiramente louco. — Alguém que você conhece há poucos anos? Em vez de seu próprio sangue?

— Ah, pelo amor de Deus, Josie, todos sabem que padrinhos não significam necessariamente guardiões — disse, fazendo o melhor para não pensar nas circunstâncias horríveis capazes de tirar a minha vida e a de Nolan. — É só... um cargo honorário.

— Então você não quer me honrar com sua filha?

— Você já é tia da Harper. E tia é mais importante do que madrinha. Ellen me escolheu no lugar da irmã dela. Ou da irmã de Andy. E elas não estão com raiva por isso — expliquei, se bem que não era completamente verdade. A irmã de Ellen ficara tranquila com a decisão, mas a irmã de Andy ficara um pouco irritada e enciumada também.

— Então eu fico com Harper se você morrer? — insistiu Josie morbidamente.

— Josie — disse, perplexa, gesticulando discretamente para a mamãe.

— O quê? É importante falar disso agora — declarou Josie, disposta a falar de vida e morte só quando lhe convinha.

— Nolan e eu ainda não fizemos nosso testamento — respondi, pensando que, por mais que tivéssemos muito sobre o que decidir, uma coisa era certa: Josie não seria a guardiã de Harper.

— Bom, eu a quero — disse Josie, como se a decisão fosse assim tão simples. É a mesma mentalidade que tem agora. Você quer um bebê, você consegue um bebê.

Depois que a festa começa, conto as novidades de Josie para Ellen.

— Interessante — diz ela, intrigada. Apesar de ser sempre diplomática e justa quando se trata da minha irmã, essa resposta me surpreende.

— Interessante? Não acha uma péssima ideia?

— Não é a pior ideia que já ouvi na vida.

— Josie como mãe solteira?

— Ela é boa com Harper.

— Sim. Durante turnos de cinco horas. Nós sabemos que não é assim que a maternidade funciona.

— Certo. Mas ela não estaria totalmente sozinha. Teria você e Nolan para ajudar — diz Ellen. — E os avós. E Gabe.

— Os amigos não ajudam quando se trata dos filhos. Não além de uma brincadeira aqui e ali.

— Talvez não — responde ela. — Mas a família com certeza ajuda.

Olho para Ellen, novamente me lembrando da diferença fundamental entre nós duas e nossas relações com nossas irmãs, isto é, ela ama e gosta da irmã, Suzanne.

— O bebê teria você — conclui Ellen, para o caso de eu não ter percebido o que ela queria dizer.

— Mas não quero outro bebê — digo, bem quando Nolan passa por nós a caminho da geladeira. Ele me lança um olhar ferido, pega outra cerveja e volta para dentro da casa. — Merda — digo, baixinho. — Nolan ouviu isso.

— Ele não sabe disso? — pergunta Ellen, surpresa. Ela e eu conversamos a respeito disso várias vezes antes.

— Não diretamente — respondo, pensando que é outra diferença em nossos mundos. Ellen e Andy se comunicam à exaustão e até fazem terapia de casal – não porque tenham grandes problemas (apesar de terem passado por um momento difícil antes de Isla), e sim para prevenir problemas. O casamento deles não é perfeito, mas é forte e tão invejável quanto a relação dela com a irmã, talvez até mais.

— Tem certeza de que não quer um segundo filho? O Teddy é tão tranquilo — diz Ellen, referindo-se ao filho de dois anos que Stella acabou de levar para dentro a fim de tirar uma soneca.

— Tenho certeza — digo, olhando para Nolan através da porta de vidro. — Além disso, e se eu tiver outra menina?

Ellen sabe o que estou querendo dizer.

— A maioria das irmãs se dá bem.

Balanço a cabeça e digo:

— Não. A maioria não se dá bem. Ao menos, não como você e sua irmã.

— Você pode ter um menino — diz ela, arrumando os cabelos num coque no alto da cabeça. — Os meninos adoram as mães. E se você e Josie tivessem meninos? Eles seriam como primos e irmãos. E a relação entre os irmãos parece bem mais simples.

— Mas realmente não quero outro bebê — digo, tomando cuidado para falar baixo. — Além do mais, nada é simples quando se trata de mim e Josie.

— Ela apagou — diz Nolan naquela noite na sala, enquanto arrumo o inevitável cenário de desastre do fim do dia. Ele acaba de voltar, depois de levar Harper para a cama. Ela dormiu assistindo a *Frozen*.

— Todas aquelas brincadeiras ao sol acabaram com ela — digo, guardando os brinquedos nos cestos certos. Legos num, bichos de pelúcia noutro, livros num terceiro, bonecas e acessórios num quarto e outras coisas num quinto.

— Todas aquelas cervejas ao sol acabaram comigo — diz Nolan, bocejando e pegando uma marionete rosa de elefante, enfiando a mão dentro dela. Os dois ficam me encarando. Desde que fizemos uma oficina com Harper no Centro de Marionetes, ele se transformou num Jim Henson.

— Você está na profissão errada — digo, rindo sem empolgação.

Nolan não expressa nada, a boca imóvel, mas mesmo assim consegue fazer a marionete parecer alerta.

— Nunca é tarde demais — diz o elefante.

— Você é um elefante muito sábio — respondo, pensando como aquela afirmação se aplica à minha vida. Jogo-me no sofá, apoiando os pés descalços sobre a mesinha de centro.

Nolan me olha por um tempo, tira a marionete do braço e o joga no cesto de livros. Resisto à vontade de corrigi-lo, mas ele percebe e diz:

— Eu sei, eu sei. Cesto errado. Já dou um jeito nisso.

— Deixe para lá — digo, pensando que o Zoloft deve estar fazendo efeito. Há seis meses eu seria incapaz de resistir à vontade de trocar a marionete de cesto – e provavelmente ficaria sentada, de pernas cruzadas, organizando meticulosamente os itens por tamanho e cor. Talvez até mesmo comprando mais cestos na loja de embalagens.

Nolan se senta ao meu lado, as mãos no colo. Lembrando-me do comentário recente dele de que eu "nunca inicio o contato físico", seguro a mão dele, entrelaçando nossos dedos. Seus nós dos dedos são retorcidos e o dedo médio é torto por causa de vários ferimentos esportivos, mas sempre gostei das mãos dele. São grandes e fortes e me lembram de como ele é competente. Habilidoso de uma forma muito máscula. Coloco isso numa lista mental que uso constantemente – coisas que amo no meu marido.

— E então? — diz ele, virando-se para me olhar. — Você estava falando sério hoje?

Lanço-lhe um olhar de dúvida, mesmo sabendo exatamente o que ele está me perguntando.

— Sobre não querer outro bebê. Eu a ouvi conversando com Ellen.

— Ah, não sei. — Sinto-me tensa, mas mantenho a voz tranquila, uma estratégia eficaz para evitar conversas sérias sobre planejamento familiar, ou nosso casamento, ou nossa vida sexual – temas que surgem com frequência depois que Nolan bebe algumas cervejas. Não sei se a bebida o torna mais filosófico ou simplesmente mais tagarela, mas conversas sinceras assim são quase inevitáveis depois que ele bebe.

— Você parecia bem... decidida — diz ele, franzindo a testa antes de me dar uma saída. — Era só o que você estava sentindo na hora?

— Sim. Só o que senti na hora — ecoo, dando de ombros.

— Bom, podemos falar sobre isso? Sobre outro bebê? — pergunta ele, hesitante.

— Claro — digo, encarando-o. — Você começa.

— Certo. — Nolan respira fundo, alongando o pescoço para a esquerda e a direita, estalando-o.

Faço cara de dor.

— Não faça isso. Não pode ser bom para você — digo, mas é simplesmente porque o som me deixa aflita.

Nolan suspira e diz:

— Então. Andei pensando... sobre onde estamos... Digo, temos Harper e ela é incrível... E, se ela fosse tudo o que podemos ter, eu aceitaria isso... Mas não sinto que nossa família esteja completa. Quero outro bebê. Na verdade, adoraria ter mais dois ou três...

— Três? — pergunto, interrompendo-o. — Você ficaria feliz com quatro filhos?

— Sim, ficaria — diz ele, tirando as sandálias de couro. O dedão do seu pé se vira para o meu e eles se encontram, nossos pés se tocando. — Acho família grande uma maravilha! Sempre odiei ser filho único. Ainda odeio. É muita responsabilidade, sabe, com a empresa da família... e agora meus pais estão envelhecendo... Além disso, é meio solitário. Triste.

— Harper não parece se importar — digo. — Ela nunca pediu um irmãozinho ou irmãzinha. Acho que ela gosta de ser o centro das atenções.

— Sim, mas isso é um problema também. Você mesma diz que nós a mimamos demais. Outro bebê daria um jeito nisso... Filho único tem problemas.

— Você não tem. Você é bem normal.

Percebo meu tom de voz ao mesmo tempo que ele.

— Por que você diz isso como se fosse algo ruim? — pergunta ele.

— Não disse isso — argumento, apesar de saber que disse, e que às vezes associo normal a entediante. Por que considero meu marido entediante se ele frequentemente é a alma da festa? As outras pessoas sempre riem de suas piadas, principalmente as mulheres.

— Bom, deixando de lado os prós e os contras... Só quero outro. Digo... Deus que me perdoe... E se... — A frase pende no ar e lhe lanço um olhar horrorizada.

— Não diga isso.

— Certo — concorda ele, confirmando que realmente ia sugerir que um segundo filho seria uma apólice de seguro contra a perda de Harper. — Mas você sabe o que quero dizer...

— Não — digo, horrorizada. — Não sei. Isso não é motivo para ter outro filho.

— Certo, qual o motivo, então? — pergunta ele, cuidadoso.

— Porque realmente se quer um — digo.

— Certo. E, como disse... quero mesmo.

Meneio a cabeça, já que ele deixou isso claro há dois anos, talvez três. Sei que da primeira vez que sugeriu isso eu ainda estava amamentando

Harper e tive de resistir à vontade de lhe jogar uma mamadeira de leite materno recém-tirado na cabeça.

— Já entendi.

— Então me diga. Qual a sua posição exata? Você estava falando sério com a Ellen hoje? Ou não?

Engulo em seco, jogo a cabeça para trás para encarar o teto e fecho os olhos.

— Não sei, Nolan... Neste momento acho que não quero outro...

— Mas Harper tem quatro anos...

— Sei a idade dela — digo, brusca. — Mas não estou preparada.

— Certo. Mas você acha que um dia estará preparada?

— Não sei. Talvez não. — Abro os olhos, encaro-o e me forço a lhe dizer a verdade. — Provavelmente não. Não.

Ele parece abalado, talvez até mesmo devastado, e de repente me odeio, não pelo que admiti ao meu querido marido e maravilhoso pai da nossa filha, e sim pelo que não estou lhe dizendo. A resposta completa.

— Bom — diz Nolan, soltando minha mão e batendo em suas pernas antes de se levantar de repente. — Obrigado.

— Pelo quê? — pergunto, olhando para ele.

— Por eu ser a segunda pessoa a saber. Depois de Ellen — responde ele, depois vai aos cestos arrumadinhos, pega o elefante rosa e o joga no cesto certo.

Capítulo onze

JOSIE

Na terça à noite seguinte, volto à escola para nossa anual Noite de Portas Abertas, quando os pais conhecem a professora dos filhos, visitam a sala de aula e ouvem um resumo do currículo. Depois, todos se reúnem no auditório, onde a diretora e outros administradores afirmam o quanto a escola é incrível a fim de inspirar os pais, sempre pagando milhares de dólares de anuidade, a abrirem seus talões de cheque e doarem uns dólares a mais.

Sempre temi a interação com os pais que a noite exige – sem dúvida, é minha parte menos preferida de lecionar. Este ano é pior do que o normal, por motivos óbvios, e ao estacionar na área dos docentes tenho a sensação clara de que posso realmente desmaiar de nervoso por rever Will. Não ajuda nada o fato de o tempo estar insuportavelmente quente e úmido – e de eu estar de jejum há quarenta e oito horas numa tentativa de entrar num ambicioso vestido tamanho 36 que comprei tendo esta noite em mente.

Estaciono o carro, destravo o cinto e coloco a cabeça no ar-condicionado antes de ligar para Gabe para uma última dose de apoio moral. Como ele não atende, luto contra a tentação de ligar para Meredith. Não nos falamos desde que ela saiu da minha casa pisando firme, e desta vez estou determinada a não ser a primeira a ceder.

Olhando no espelho retrovisor, aplico cuidadosamente uma camada nova de batom e rímel quando Sydney Swanson, minha colega, também professora da primeira série, estaciona na vaga ao lado, fazendo uma careta pela janela. Sydney é uma das mulheres mais animadas e ensolaradas que conheço, o que é impressionante, já que ela tem trinta e nove anos e está no mesmo barco que eu em termos de relacionamentos. Ela também tem um metro e oitenta e três de altura, sem salto, o que reduz seus namorados em potencial graças ao seu inegociável critério de que o homem tem de ser mais alto do que ela, mesmo usando salto alto.

Nós duas saímos de nossos Jettas (comprados na mesma concessionária, no mesmo dia, por um preço melhor), enquanto ela estuda minha roupa e assobia.

— Uau! Veja só o que você perdeu, Will! — diz ela um pouco alto demais, exagerando em seu sotaque texano. Tudo em Sydney é grande – os olhos e lábios, os cabelos encaracolados, os seios, a personalidade – e, apesar de eu normalmente aceitar bem suas características agigantadas, há momentos, como agora, em que gostaria que ela fosse um pouco mais discreta.

Peço para ela ficar quieta, olhando em volta, nervosa.

— Relaxe, mana — diz ela. — Você consegue.

Digo a ela que acho que vou desmaiar.

— Você parece mesmo um pouco... doente.

— Doente? — pergunto, sentindo-me mais e mais enjoada. — Ah, que maravilha!

Sydney segura minha mão, para e me obriga a olhar para ela quando o novo diretor do coral, de quem ainda não sabemos se gostamos, passa por nós com um oi austero.

— Certo. Olhe para mim — diz ela, finalmente falando baixinho. — Você está totalmente linda. E magra.

Agradeço, apesar de saber que ela não está querendo dizer exatamente magra – só magra no meu caso. Ainda assim, aceito o elogio.

Ela continua:

— Quantos quilos você perdeu desde sexta-feira?

— Três. Mas recuperarei tudo amanhã — digo, colocando meus óculos Ray-Ban apesar de estarmos a poucos passos da entrada e já à sombra do edifício. — Mais um ou dois, me conhecendo bem.

— Bom, vamos nos preocupar com o amanhã amanhã — diz ela, resumindo sua filosofia de vida ao entrarmos na escola e darmos oi a meia dúzia de colegas. — E, sério, Josie, esse vestido está de matar.

Imediatamente preocupada porque "de matar" não é exatamente a aparência que quero numa Noite de Portas Abertas, furtivamente lhe pergunto se o vestido é curto demais.

— Talvez curto demais para brincar de amarelinha — responde Sydney, rindo. — Mas com certeza vai deixar a esposa de Will com inveja.

— Hmmm. Na verdade, esse não é meu objetivo, Sydney — digo, sabendo que, de todo modo, isso seria impossível. Andrea não só tem Will e seus dois filhos como também é mais bonita, jovem e magra do que eu. As qualidades perfeitas. Digo para mim mesma que há uma chance de eu ser mais engraçada ou inteligente ou boazinha.

— Me esclareça — diz Sydney. — Qual o seu objetivo mesmo?

— Não sei... Acho que gostaria de deixá-lo um pouco... triste. Talvez lhe causar uma pontadinha de nostalgia — sussurro ao entrarmos no corredor e vermos um mar de pais bem vestidos conversando efusivamente uns com os outros, enquanto outros preenchem seus crachás com os nomes na recepção.

— Você o está vendo? — pergunta ela, procurando na multidão comigo.

Faço que não.

— Talvez ele tenha engordado e ficado careca — diz Sydney. — Procure por uma versão gorda e careca dele.

— Não. Vi uma foto recente dele no *Atlantan*. Não está nem gordo nem careca.

— Droga. Que pena.

— Meu Deus, Sydney. Realmente não sei se vou conseguir fazer isso — digo, minha voz tão fraca quanto minhas pernas.

Ela me olha com uma preocupação sincera, o que só aumenta meus temores.

— Vamos, querida. — Ela me segura pela mão. — Siga-me e tente não olhar nos olhos de ninguém.

Meneio afirmativamente a cabeça, deixando-a me guiar em meio aos pais e por uma escada até a ala da primeira série. Quando chegamos em segurança à minha sala, que fica diagonalmente do outro lado do corredor em relação à sua, ela fecha e tranca a porta.

— Sente-se — diz, aproximando-se de mim. — Aqui. No chão.

Obedeço às ordens dela, sentando-me num tapete e abaixando a cabeça até encostar nos meus joelhos.

— Estou vendo tudo — diz ela, sem conseguir resistir.

Respondo com um gemido baixo.

— O que você comeu hoje? — pergunta ela, sentando-se ao meu lado e esfregando minhas costas com movimentos circulares.

— Só tomei suco de couve e um pouco de café preto — confesso.

— Só isso? — Sydney fica perplexa. Pega uma barrinha de cereal da bolsa que parece não ter fundo. — Aqui está. Coma isso. Ao menos umas mordidas.

— Não consigo — digo, recusando. — Prefiro desmaiar a vomitar.

— Bem pensado. Vomitar seria vergonhoso. — Ela ri. — Imagina só!

— Sydney! Isso não está ajudando. — Sinto o gosto da couve na garganta.

— Desculpe, desculpe. Você tem razão... Só respire fundo, querida... Inspire pelo nariz... Expire pela boca.

Ela demonstra e sigo as instruções, o oxigênio expandindo meus pulmões e diminuindo minha frequência cardíaca.

— Que horas são? — pergunto, depois de uns minutos de silêncio.

— Quase seis e meia. Eles descerão daqui a pouco. — Ela está se referindo a todos os pais, mas só consigo imaginar Will e Andrea, que neste momento são tão majestosos quanto Will e Kate. — Você vai ficar bem?

Levanto a cabeça e faço que sim.

— Acho que vou.

— Só se lembre de que ela não sabe que você está solteira — diz Sydney. — Nem ele.

Faço que sim novamente, pensando nas muitas vezes em que me disseram que os homens conseguem, sim, sentir seu desespero. Mas talvez isso não se aplique aos casados que já lhe deram um fora. Além do mais, não estou mais desesperada, lembro. Tenho um plano, finalmente, plano que já confidenciei a Sydney também.

— E lembre-se de que você só precisa sobreviver à próxima hora — diz ela, me segurando pelas mãos e me fazendo levantar.

— Não. — Balanço a cabeça. — Tenho de sobreviver aos próximos nove meses.

Sydney arregala os olhos, os cílios postiços atentos.

— O quê? Espere aí! Você já está *grávida*? Por isso é que está enjoada?

— Não, sua boba. Estou dizendo que tenho de sobreviver ao ano escolar.

— Ah. Você vai. Sem problemas. Só levante, fique ereta e sorria. E limpe o batom do seu dente.

Esfrego os dentes com o dedo e agradeço, desejando que ela fosse minha irmã. Droga, se fosse assim, eu seria a responsável da família.

A caminho da porta, ela olha para trás, faz sinal de positivo e diz:

— Não importa o que aconteça, esse vestido foi uma ótima escolha.

Em dez minutos a sala está cheia de pais que entram aos pares. Enquanto isso, concentro-me em respirar e sorrir, lendo os nomes nos crachás e cumprimentando a todos. Depois disso, converso amenidades no piloto automático, passeando pela sala como se fosse uma festa sem a luz sugestiva, a música e as bebidas. *Oi! Bem-vindos! Prazer em conhecê-los! Você é a mãe da Lucy? Meu Deus, estou vendo a semelhança! O verão passou voando mesmo! Estou tão empolgada com este ano!*

Os retardatários entram e o relógio sobre o quadro anuncia seis e quarenta e cinco. Will e Andrea não chegaram ainda e começo a ter esperança de que não virão. É possível. Talvez eles tivessem um compromisso. Talvez um deles ou os dois estejam com uma doença nada grave, mas contagiosa e feia, como, digamos, uma doença nas mãos ou nos pés ou na boca ou ainda conjuntivite. Talvez, só talvez, eles tenham brigado feio por minha causa. É possível, pensei, tentando imaginar as acusações feitas enquanto tentavam sair de casa. *Você ainda sente algo por ela, não é?... Não, juro que não!... Então por que está usando esse perfume?*

Seja qual for a explicação, é hora de começar. Segurando a bainha do vestido, pigarreio e digo oi, meu sorriso parecendo congelado. A sala imediatamente fica em silêncio, todos se comportando bem, a reação pavloviana da volta à sala de aula, não importa sua idade.

— Bem-vindos! Bem-vindos, todos! — Minha voz soa artificialmente fina, como o de uma presidente de irmandade que acabou de beber Red Bull. Engulo em seco, esforçando-me conscientemente para falar num tom uma oitava mais grave, e também baixo as sobrancelhas, que estão insanamente erguidas. — Obrigada pela presença de todos nesta noite — continuo, parecendo um pouco mais normal. Olho para a porta, rezando para ela não se abrir, e sigo com meu roteiro. *As aulas começaram há poucas semanas, mas já posso dizer que essa turma é incrível. É um prazer conhecer seus filhos – e estou ansiosa para conhecer todos vocês. Esta noite, vou repassar brevemente o currículo escolar – algumas das coisas divertidas que vão fazer nas aulas de leitura e matemática e também em nossas matérias especiais, entre elas ciência e estudos sociais. Por favor, aproveitem esta oportunidade para explorar a sala de aula, visitar o espaço de seus filhos e talvez lhes deixar um bilhetinho para amanhã. E, claro, sintam-se livres para fazer quaisquer perguntas que possam ter. Lembrem-se de que, como ensino a seus filhos, não há perguntas estúpidas – e minha porta está sempre, sempre aberta!*

Então, enquanto minha voz de professora do Charlie Brown paira sobre a sala, tudo acontece. A porta se abre e entram Andrea e Will. Como todos se viram para olhar os atrasados, observo, surpresa, que o casal perfeito não só está atrasado como também está desarrumado e ligeiramente sem fôlego. Ao menos ela está – não me permito olhar diretamente para ele. Andrea ainda pode ser chamada de bela, mas, para meu alívio, não é tão perfeita quando lembro do que vi no Whole Foods. Ganhou alguns quilos e seus cabelos estão precisando de um retoque, uma área grisalha no alto da cabeleira que, de resto, é loira. O que me satisfaz mais ainda é perceber as manchas de suor nas axilas de sua blusa de seda amarela. É coisa de novato usar seda num dia quente como este, penso, enquanto ela faz contato visual rapidamente comigo e sussurra:

— Desculpe pelo atraso.

Faço um gesto como se dissesse que ela não precisa se desculpar com o mesmo sorriso magnânimo que abriria para uma criança que acabou de fazer xixi nas calças (o que às vezes acontece na primeira série).

— Não tem problema — digo, o coração pulando no peito, meu papel de ex-namorada desprezada de repente substituído por minha posição de educadora séria, pontual e complacente.

Uma hora mais tarde, a exaustiva apresentação finalmente termina e digo que todos podem ir ao auditório, a não ser que tenham perguntas. Depois de uma saída em massa, só dois casais permanecem: (1) os Eddelmans, que fizeram aproximadamente sessenta por cento das perguntas da noite, a maioria delas específicas sobre o filho, Jared, que, aprendemos todos, tem alergia a nozes e a látex, fobia de pássaros e tendência a sangrar pelo nariz; e (2) Will e Andrea.

Respiro fundo e respondo aos Eddelmans, que falam durante três minutos sobre a caneta injetora de epinefrina de Jared, enquanto, pelo canto dos olhos, observo Andrea e Will inspecionando o cantinho de Edie. Meneio a cabeça afirmativamente, assegurando aos Eddelmans que conheço muito bem alergias sérias e que também tenho certeza de que os pais respeitarão a restrição a alimentos com nozes.

— Somos muito, muito cuidadosos — digo, reconhecendo a preocupação deles. — Por favor, tenham certeza de que Jared estará em segurança na escola.

Finalmente tranquilizados, os Eddelmans me agradecem, deixando na sala apenas Will e Andrea. Meu coração está na boca ao me virar para eles.

— Oi — digo, meu sorriso falso de volta com toda a força. Concentro-me somente em Andrea, olhando para as raízes grisalhas, feliz por não ter encontrado nenhum cabelo branco na minha cabeça ainda. Uma pequena vitória.

— Oi, Josie. Queria só me apresentar. Sou Andrea — diz ela. Sorri com sinceridade e começa a me cumprimentar, depois para, talvez porque suas mãos estejam tão suadas quanto as minhas.

Respiro fundo e digo a Andrea que é um prazer conhecê-la também. Neste momento, decido que não posso mais evitar fazer contato visual com Will, então me obrigo a encará-lo. Sinto uma pontada de dor no peito. Ele é tão perfeito quanto lembro. Até mais.

— Oi, Will. Prazer em vê-lo.

— Oi, Josie.

Olho os dois botões abertos de sua camisa xadrez da Vineyard Vines e me lembro de como os pelos de seu peito eram macios quando eu os tocava ao fazermos amor.

— Quanto tempo! — digo, meus olhos se atendo à baleia do logo no bolso.

— É mesmo. Como está sua família?

— Eles estão bem. Meus pais... ainda estão... separados — balbucio. — Mas os dois estão felizes. Meredith se casou com Nolan e eles têm uma filha.

Will balança a cabeça e diz que sim, ouviu falar – e lhe dou crédito por não fingir que não pensou em mim nenhuma vez durante todos estes anos e que não sabe nada sobre minha vida. Ele olha para Andrea e rapidamente explica:

— Nolan era o melhor amigo do irmão da Josie.

Ela faz que sim, claramente sabendo bem quem são todos e, estranhamente, me sinto emocionada e irritada por isso. Por outro lado, como ele ousa falar do meu irmão para ela, ainda mais sendo que ele nunca o conheceu? Ainda assim, no fundo sei que me sentiria pior se Andrea não tivesse ideia de quem Daniel foi.

— Que legal que eles se casaram — diz Will, apoiando-se num pé e no outro, talvez pensando melhor no uso da palavra legal. É mesmo legal quando duas pessoas ligadas a uma tragédia horrível acabam juntas? Digo, seria legal se Daniel ainda estivesse vivo. Mas não está.

Ignoro essa parte e concordo rapidamente porque não quero mais falar do casamento da minha irmã ou da morte do meu irmão. Para o caso de ainda não estar claro, faço uma cara sem expressão alguma, algo difícil quando se está fervilhando de emoção, mas algo em que me tornei boa ao longo dos anos. Impassível, lembro-me de Will me dizer na nossa última briga – uma acusação que fez com que eu me fechasse completamente.

— De qualquer modo, só queríamos dar oi — diz Andrea. — De outro modo, seria meio esquisito... levando em conta sua história com Will. — Ela escolhe as palavras com cuidado. — Digo, acho que só queríamos reconhecer o elefante na sala.

— Sim. Obrigada — murmuro, surpresa por ela aparentemente não ter qualquer outro interesse que não ser agradável, cortês e até gentil.

Andrea sorri.

— Ficamos tão felizes quando soubemos da escolha dos professores. Ouvimos dizer que você é a melhor professora da primeira série.

— Todas as professoras da primeira série são maravilhosas — respondo. — Mas fiquei feliz por ver Edie na minha turma também. — A afirmação de repente não parece uma mentira, até porque ela foi o catalisador do meu plano para mudar de vida.

— Ela gosta muito de você — diz Andrea. — Fala de você o tempo todo.

Não sei se devo acreditar nisso, mas Will meneia a cabeça, numa concordância vaga.

— É mesmo. Ouvimos falar do seu namorado médico. Na África. — Ele me lança um olhar fugaz de ceticismo que só consigo interpretar porque já o conheci bem. Ele claramente duvida da minha história.

Chegando à conclusão de que não preciso mais de Jack na minha vida, faço um gesto desdenhoso com a mão e digo:

— Ah, sim. O Jack. Na verdade, nós terminamos. Na noite passada... bom, já era de manhã para ele.

— Ah — diz Andrea, realmente preocupada. — Sinto muito por isso.

— A distância... Era inevitável... Mas acho que continuaremos amigos — balbucio, tentando tornar minha história mais crível.

Andrea faz que sim com a cabeça.

— Sim. É sempre bom quando se continua amigo da pessoa — afirma ela, olhando constrangida para Will.

— Ou não — respondo, alegremente, salvando-a da situação.

— Ou não — ecoa Will com uma risada nervosa.

Depois de ver Will, sinto uma breve contrariedade, concedendo a mim mesma uns dias de autopiedade e arrependimento. Mas lembro que a maternidade é o que mais importa para mim e que, depois que tiver meu bebê, não vou querer mudar nada no meu passado, incluindo o fato de ter perdido Will, porque tudo o que aconteceu levou ao meu filho. Só tenho de aceitar as coisas.

Na sexta-feira à noite, volto à minha pesquisa, navegando num respeitável site de doadores de esperma. Ainda não forneci meu cartão de crédito para ter acesso completo ao banco de dados; só quero dar uma olhada. Ao ler, começo a pensar em outras mulheres na minha situação e também em casais que aqui estão porque o esperma do marido não é bom. De alguma forma, isso me ajuda a lembrar que não sou a única neste barco – e digo a mim mesma para dar um passo de cada vez.

— Eu me importo com a cor dos olhos? — pergunto a Gabe em determinado momento ao repassar o cardápio de opções genéticas, fazendo escolhas à toa.

— Não sei. Você se importa? — pergunta ele, bocejando. Está reclinado no sofá, os pés apoiados em dois travesseiros.

— Bom, prefiro homens de olhos castanhos. Mas não estou namorando o cara. E acho que prefiro que meu bebê tenha olhos da mesma cor que os meus.

— Narcisista.

— Não sou narcisista. É só que, levando tudo em conta, seria legal se ela se parecesse comigo.

— Ela?

— Ou ele. Por algum motivo, imagino uma menina — digo, levantando para encher minha caneca de café com o que sobrou da manhã, depois fazendo uma anotação mental para diminuir a cafeína, a começar amanhã. Sento-me na mesa da cozinha e clico em "olhos azuis", resumindo tudo em voz alta para Gabe. — Certo. Então é isso o que tenho até agora... Caucasiano, cabelos castanhos, olhos azuis, tom de pele médio ou médio-escuro...

— Por que não pele clara? — pergunta ele.

— Porque ela terá menos chance de se queimar e, portanto, menos chance de ter câncer de pele.

— Ah, claro — diz Gabe, sentando-se e se espreguiçando. — Acredito nisso.

— Certo. Próximo: origem étnica — continuo, estudando os continentes e opções, selecionando todas as opções europeias, da Áustria à Bélgica, da Finlândia à França, da Escócia à Eslováquia, comentando com Gabe ao mover o mouse e clicar.

— E quanto àquele brasileiro que você namorou por um tempo? Você pensou em acidentalmente engravidar dele, não é?

— Eu estava brincando. Mas ele era bem gostoso — digo, clicando na opção do Brasil. — E... vamos ver... também vou escolher as opções de nativos norte-americanos, libaneses e israelenses.

— Por quê? — pergunta Gabe, aparentemente se divertindo.

— Porque você tem um pouco de sangue libanês. E sempre gostei do seu rosto.

— Nossa, obrigado. — Ele se levanta, se espreguiça e se aproxima da mesa, olhando por trás de mim.

— E os israelenses são durões — continuo.

— Acho que isso tem mais a ver com o fato de morarem numa zona de guerra do que com genes... Buckhead talvez não tenha o mesmo efeito — diz Gabe, sentando-se de frente para mim.

— Talvez. Mas ainda assim vou manter essa opção selecionada... E acho que seria legal ter sangue de nativo norte-americano... Você não acha?

— Acho que sim — diz ele, agora lendo seus textos. — Mas, para sua informação, não há muitos nativos de olhos azuis por aí.

— Verdade. Mas pode acontecer. Genes recessivos e tudo... Uau. E quanto ao signo astrológico? Acha que é importante?

— Para idiotas, talvez. — Gabe sabe que leio meu horóscopo regularmente.

— Pare com isso, Gabe. Você prometeu ser meu conselheiro aqui.

— E o que você acha que estou fazendo? — Ele se aproxima de mim, os cotovelos sobre a mesa. — Eu a estou aconselhando a não ser idiota.

Faço que não com a cabeça e digo:

— Bom, sinto muito... Mas simplesmente não quero um aquariano. Eles são reconhecidamente frios. Desapegados — digo, pensando em Will.

— Você prefere um doador de esperma que seja apegado? Não é meio para isso que você prefere um doador anônimo em vez de alguém que você conheça?

— Sim, mas não quero um filho emocionalmente desapegado.

— Certo. Mas signos do zodíaco não são genéticos — argumenta ele. — Supondo que você acredite nessa bobagem, o signo do seu filho será determinado no nascimento dele, não é?

Rio e digo:

— Ah, claro! Bem pensado! Viu? Por isso é que preciso de você!... Religião...? Hmm... Acho que cristão, não é?

Gabe faz cara de surpresa e diz:

— E quanto aos israelenses durões?

— Bem pensado — digo, clicando na opção "judeu", depois decidindo que religião não é importante para mim e clicando na opção "todas". — E quanto a isso? Animal de estimação preferido.

— Animal de estimação preferido? Isso está aí mesmo?

— Está. — Leio as opções: cachorro, gato, pássaro, peixe, réptil.

— Isso é ridículo. Quem se importa?... Mas, se vai escolher alguma coisa, escolha cachorro.

Faço que sim e penso em Pete, o fisioterapeuta, e sua gata, Fudge, e seleciono "gato" também.

— E se ele for alérgico a gato e cachorro? E só puder ter um peixe? — diz Gabe.

— Mais um motivo para não escolher esse doador. Não quero que meus filhos tenham alergias.

Gabe meneia a cabeça e diz:

— Claro... mas já notou que as pessoas inteligentes parecem ter mais alergias?

Rio e digo:

— Você só diz isso porque é alérgico... Se bem que Adam Epstein tinha alergia a feno e provavelmente foi o homem mais inteligente que namorei.

— Bom, está vendo?

— Certo — digo, voltando ao computador. — A seguir, educação... Quero alguém com diploma universitário, não é?

— E não alguém que abandonou a escola?

— Sim.

— Mas Bill Gates e Ted Turner abandonaram os estudos — diz Gabe. — Você consegue o esperma deles? Ted mora na cidade...

— Pare, Gabe. Foco — digo, tentando não sorrir. — Isso é sério... E quais cursos?

— Se puder, exclua advogados.

— Certo — concordo, pensando em Meredith e em praticamente todos os colegas dela que conheci. — E quanto a passatempos? — Leio para ele as categorias: música, esportes, culinária, artesanato, arte/criatividade, tecnologia e atividades ao ar livre.

— Escolha artesanato.

Não sei se ele está brincando.

— Por quê?

— Por que não?

Sorrio, ignorando essa parte por ora, de repente pensando que tudo isso parece uma bizarrice, quase uma afronta.

— Vamos ver — digo, descendo até a última pergunta. — Esta aqui se chama "objetivos pessoais"... Eles perguntam aos doadores o que eles consideram mais importante. Temos "fama"...

— Nossa, não! — diz Gabe, me interrompendo.

Balanço a cabeça, concordando.

— Segurança financeira?

— Não. Muita aversão a risco... Você não quer um esperma covarde.

— Religiosidade barra espiritualidade?

— Talvez. Mas essa é uma opção?

Faço que sim.

— Gosto de espiritualidade, mas não de religiosidade. Você não quer um extremista rígido e crítico.

Lanço-lhe um olhar e digo:

— Nem todas as pessoas religiosas são rígidas, críticas ou extremistas.

— Verdade. Mas você evita tudo isso se não clicar nessa opção.

Faço que sim, feliz por ele finalmente estar falando sério.

— Certo. E quanto a "serviço comunitário"? Ou "preocupação com o meio-ambiente"? Ou só um genérico "ajudar os outros"?

— É. Gosto de tudo isso. Selecione tudo, claro.

— E quanto a "viagens"?

— Gosto disso também — diz Gabe. — Espírito aventureiro.

— Casamento e família?

— Hmm. Não.

— Por que não?

— Porque, se o casamento é o objetivo dele e ele está doando esperma... isso não significa que ele não é muito bom em alcançar seus objetivos?

Rio. Esse é Gabe em sua melhor forma – divertido e inteligente.

— E quanto a este: "ser feliz"?

Gabe para, pensando profundamente.

— Hmm. Um tanto quanto simplista... quase hedonista.

— É ser feliz. Não buscar o prazer.

— Sim, eu sei. Mas o sentido da vida é ser feliz – ou fazer os outros felizes?

— Fazer os outros felizes não o faz feliz?

— Eu é que não sei — responde Gabe, com um risinho malicioso.

Eu rio.

— Mas gosto disso — continua ele. — Se fosse você, selecionaria isso, a opção de viagem e todas aquelas sobre ajudar os outros.

— Certo. — Balanço a cabeça.

— Mas, Josie? — diz ele, colocando a mão de leve no meu braço. Não é novidade ele me tocar, mas é incomum, sempre me pegando ligeiramente desprevenida.

Tiro os olhos do computador.

— Sim?

— Tudo isso é uma bobagem, não é?

— Por que você diz isso? — pergunto. Apesar de sentir a mesma coisa, quero que ele me explique.

— Não sei. É só... o que quer que o doador seja não significa que a criança será igual, principalmente quando você tira a criação da equação.

Concordo e murmuro afirmativamente.

Ele continua:

— E você vai amar seu filho, seja ele menino ou menina. Ou um marceneiro branco adorador de répteis. Ou um esportista de olhos castanhos, perdido e... aquariano.

Sorrio e digo:

— Eu sei... Parece um tanto ridículo selecionar todas essas opções para um bebê. Talvez eu devesse pagar só para ter acesso aos textos e fotos. — Rolo o site, clicando nos preços.

— Claro. Vamos fazer isso — concorda Gabe, enquanto pego o cartão de crédito da carteira e começo a digitar os números. Parece apressado, ainda mais porque não tenho certeza se este é o banco de esperma que usarei, mas tenho medo de perder a empolgação e também a atenção de Gabe. Antes de clicar no último botão para concluir o pagamento, digo:

— Você realmente acha que devo apertar o gatilho? Não é barato.

— Sim, deve — diz Gabe, balançando a cabeça. — Acho que isso nos dará uma boa ideia.

Levanto a cabeça para ele e digo:

— Mas você está sempre dizendo que tenho má intuição quando se trata de homens...

— Tem mesmo. — Gabe sorri. — Por isso disse que vai nos dar uma boa ideia. Pronto. Siga em frente e vamos ler esses textos.

Capítulo doze

MEREDITH

Se você não quer fazer sexo comigo, talvez eu deva procurar alguém que queira.

Essas são as palavras exatas de Nolan quando rejeito seus avanços na segunda pela manhã e é a primeira coisa que conto a Amy depois que me sento em seu sofá branco do consultório no centro da cidade para minha consulta mensal. O comentário ficou ecoando na minha cabeça o dia todo enquanto escrevia uma resposta a um pronunciamento, me preparava para uma audiência e tentava negociar um acordo global em nome de um dos meus maiores (e menos agradáveis) clientes.

— Ele disse isso? — pergunta Amy, inclinando-se para a frente em sua poltrona reta diante de mim, parecendo só um pouco impressionada. Ela não costuma desaprovar Nolan no geral, mas gosto quando ela o desaprova. É minha validação, uma desculpa para eu sentir como me sinto.

— Sim... Ele disse isso brincando — confesso relutantemente. — Mas ainda assim disse.

Amy faz que sim, sua máscara calma e inescrutável voltando.

— E o que você respondeu?

— Eu disse: vá em frente — declaro, reclinando-me no sofá. — Ele que encontre alguém que queira sexo às seis e meia da manhã numa segunda-feira chuvosa, boa sorte para ele.

— Você disse mesmo isso?

— Mais ou menos, sim. — Fico admirando o visual elegante de Amy – calça social azul-marinho, uma blusa branca de botão e saltos pretos que parecem recém-tirados da caixa. Tudo nela é inteligente, alinhado, astuto – as roupas, os maneirismos e os conselhos.

— Hmm. Bom, tente evitar respostas como essa no futuro — diz Amy. — De brincadeira ou não.

— Foi ele quem começou.

— Sim. Mas você não precisa dar corda... Ele pode aceitar a sugestão.

Faço que não com a cabeça e digo:

— Ele nunca faria isso.

— Nunca?

— Nunca.

— Não seja ingênua, Meredith. Praticamente todos os homens – e todas as pessoas – são capazes de trair diante das circunstâncias certas.

É o tipo de insight concreto que a distingue de tantos outros terapeutas e o principal motivo para eu continuar me consultando com ela. Ela realmente acrescenta algo à conversa, em vez de só me ouvir falar de forma indulgente.

— Você tem ideia de como é fácil para um homem bonito e bem-sucedido como Nolan encontrar alguém para fazer sexo? — acrescenta. Bate com o lápis no bloco ao ritmo de uma pergunta retórica.

Dou de ombros.

— É fácil desdenhar quando se tem certeza de que nada está acontecendo — diz Amy. — Mas e se ele tivesse mesmo um caso? — Ela cruza as pernas. — Como você se sentiria?

Suspiro e lhe digo que não imagino Nolan me traindo.

— Ele está longe de ser perfeito, mas não é um mentiroso — explico, pensando que suas falhas têm mais a ver com não fazer as coisas. Não ouvir. Não ajudar com Harper. Não colocar a roupa suja no cesto.

— Gostaria que você tentasse imaginar — pressiona ela. — Imagine Nolan... passando algum tempo com uma das amigas mais atraentes dele. De modo inocente no começo... Depois simplesmente gozando de uma ligação forte – um afeto genuíno e platônico.

— Ele não tem amigas mulheres.

Ela me olha com ceticismo.

— O que foi? — pergunto. — Ele não tem mesmo.

— Certo. Então talvez uma colega. Alguém de quem ele goste e respeite no trabalho.

— Sinceramente, não imagino ninguém assim — digo, quando Diane West, nossa nova vizinha e mãe recém-divorciada com um filho adolescente surge em minha mente. Diane é dez anos mais velha do que eu, com mais de quarenta anos, mas tem um corpo incrível, um estilo elegante e uma carreira impressionante como veterinária de equinos. — Certo. Pensei em alguém — digo, decidida a participar do joguinho de Amy. — Nossa vizinha, Diane.

— Tudo bem. Fale-me sobre ela.

— Ela é veterinária de cavalos. Ela também cavalga. Linda e muito confiante.

— À vontade consigo mesma? — pergunta Amy, uma expressão que ela usa com frequência e um de seus testes para a felicidade.

— Sim. É uma descrição justa — digo, pensando que Diane também parece bem à vontade naquelas calças justas de equitação.

— Certo. — Amy balança afirmativamente a cabeça como se afinal estivéssemos chegando a algum lugar. Seus cabelos pretos caem para a frente e voltam ao lugar. — Então, certa noite, Diana...

— Diane — eu a corrijo. De alguma forma isso parece um detalhe relevante.

— Certo. Diane aparece para pedir emprestado uma xícara de açúcar... Eu rio.

— Alguém ainda faz isso? Isso é tão... anos cinquenta.

— Por favor, perdoe-me pelo estereótipo de gênero... Ainda mais levando em conta a incrível carreira de Diane... Sabia que é mais difícil ser veterinário do que médico?

Reviro os olhos diante da tentativa clara de me fazer sentir ciúme.

— Hmm, é, ouvi falar. Continue.

— Certo. Então Diane aparece para pegar emprestado uma... parafusadeira Philips. A máquina de lavar dela deixou de funcionar...

— Que pena.

— Sim. Então Nolan encontra uma na garagem e se oferece para dar uma olhada. Enquanto você fica em casa com Harper – no meio de uma birra –, Nolan e a dra. West saem juntos.

— E daí? — pergunto, rindo. — Espere! Deixe-me adivinhar... Eles fazem sexo sobre a máquina de lavar roupa dela?

Amy não reage.

— Não. Pelo menos, não até onde você sabe. Ele simplesmente volta uma hora mais tarde, missão cumprida. A máquina está consertada...

— A boa ação de Nolan — digo, arrumando as almofadas atrás de mim e colocando uma delas contra minha lombar. — Que bom para ele. Que bom para ela. Todos felizes.

— Sim... Ainda assim você nota que os dentes dele estão um pouco avermelhados... manchados por uma taça de pinot noir. Ela abriu uma garrafa...

— Nolan não bebe vinho tinto.

— Tudo bem. Então você nota um quê de uísque no hálito dele. Ela lhe serviu uma dose enquanto ele trabalhava. Uma para ela também. Ela adora uísque. Eles brindaram à máquina consertada e concluíram uma conversa animada sobre puros-sangues.

— Quão animada? — pergunto, ainda mais curiosa do que com ciúme.

— Muito animada. Ele acha que o trabalho dela, e a ligação dela com animais, tão grandes e fascinantes.

— Na verdade, ele acha mesmo — concedo. — Ele mencionou isso mais de uma vez.

— Certo. — Ela balança a cabeça. — Então você não se surpreende quando Diane começa a aparecer na sua casa regularmente. Só para dar oi. Sempre quando Nolan está. Geralmente quando você não está. Certa noite, ela aparece com um livro. O livro sobre o qual ela conversou com ele. O livro que ela garante que ele vai amar... Ela toca casualmente o braço dele, mas parece bem à vontade fazendo isso... — Amy empina o nariz e morde o lábio sugestivamente.

— Certo, certo. Entendi.

Amy meneia a cabeça animadamente, como se tivéssemos feito progresso, sendo que na verdade o que estou sentindo é a competição justa com outra mulher.

— Então não quero que meu marido me traia. E daí? Quem iria querer isso?

— Algumas mulheres querem.

— Por quê? — pergunto, apesar de ter certeza de que sei a resposta.

— Para terem uma saída. Para poderem fazer a mesma coisa, sem culpa. Para que a situação delas seja preto no branco e elas possam sair do casamento.

— Bom, eu não quero isso.

— Você não quer que Nolan se apaixone por Diane West? Ou não quer se divorciar?

— Nenhuma das duas coisas — digo com firmeza.

Ela faz que sim e escreve algo em seu bloco. Tento ver, mas só consigo enxergar um D maiúsculo.

— O que você escreveu? — pergunto. — Divórcio?

— Não. Diane.

— Ah, pelo amor de Deus. Nada está acontecendo com Diane! Nem com ninguém, para falar a verdade — digo, agora completamente perturbada, o que acontece praticamente em todas as sessões, para a satisfação de Amy. — Você está tentando me assustar?

— Você está assustada?

— Não. Não estou. Digo, ninguém quer ser enganada. Ninguém quer ser traída. E gosto de pensar que o pai da minha filha é íntegro. E não vai ter um casinho qualquer...

Amy me interrompe, o que raramente faz.

— Certo. Bom, vamos fazer disso uma profunda conexão emocional... Mas eles nunca ultrapassam os limites, os dois têm princípios de mais para trair.

— Ainda assim ficaria magoada — admito. — É isso o que você quer que eu diga?

— Não quero que você diga nada — responde Amy, e, em geral, acredito. — Só quero que você entenda seus sentimentos quanto ao assunto.

— Certo. Bom, eu ficaria muito triste se Nolan me traísse, fosse física ou emocionalmente — admito, pouco antes de deixar que a palavra “mas” escape da minha boca.

— Mas o quê? — A expressão de Amy é enganosamente plácida.

— Mas se ele simplesmente quisesse o divórcio... sem um caso... ou outra mulher envolvida... acho que poderia conviver com isso — digo, perguntando-me por que me sinto tão incomodada com essa admissão. Lembro que Amy está do meu lado ou que é no mínimo neutra. Além do mais, ela guarda segredos por profissão, e certamente não está nessa atividade para julgar.

— Então você poderia conviver com isso? — pergunta Amy. — Mas não é o que você quer?

Digo um enfático "não, não é o que quero".

— Você já pensou em divórcio? Como seria?

Digo que não. Conto que meus pensamentos consistem basicamente em como enfrentar o dia.

Ela me olha, perfeitamente imóvel, uma estátua de cera.

— Mas, se nos divorciássemos, acho que seria bem amigável. Não nos vejo brigando por dinheiro e coisas. Por nada — digo, falando rapidamente agora, as palavras saindo aos montes. — Exceto, talvez, pelo tempo com Harper... se bem que estaria disposta a compartilhar a guarda em igualdade. Acho que é justo. Para ele e Harper. Ele é um pai tão bom, e ela o ama tanto... Acho que ela seria resistente... Mas isso deixaria meus pais arrasados. E os pais dele. Principalmente os meus. Nossos amigos ficariam chocados também... Todos acham que temos um casamento perfeito. Isto é, depois que tivermos o segundo filho. — Paro de repente. Amy sabe da controvérsia do segundo filho.

— Vocês progrediram nisso? — pergunta ela.

— Não. Ainda não estou pronta. — A afirmação parece oca, a palavra "pronta" é uma farsa. Você está pronta para as férias ou uma entrevista de emprego ou uma mudança. Você está pronta até para dar à luz um bebê. Mas você se sente pronta para engravidar? Ainda mais uma segunda gestação? Ou você simplesmente arrisca e faz?

Como se lesse minha mente, Amy faz a mesma pergunta que Nolan me fez:

— Você acha que um dia estará preparada?

— Não sei. Acho que sim. Em algum momento. Talvez.

— Por isso é que você não quis fazer sexo de manhã?

Faço que não.

— Não. Estou tomando pílula... Não quis fazer sexo com ele de manhã porque não quis fazer sexo com ele de manhã.

— Justo.

— Seja como for... Acho que não há nada de errado em ter só uma filha.

— Claro que não.

— Na verdade há vantagens em se ter uma só filha.

— Claro — diz Amy, reconhecendo uma cortina de fumaça ao ver uma. Espero que ela me provoque, volte com o assunto real na mão, mas, como ela não faz isso, quase me decepciono.

— Me diga o que você está pensando — peço, sabendo que não tem nada a ver com os prós e contras de ser filha única.

— Certo. — Amy meneia a cabeça, os cabelos balançando novamente. — Estava pensando se você ama Nolan...

A questão, disfarçada de afirmação, é tão simples que me pega desprevenida. Ainda assim minha resposta é fácil e automática:

— Claro que sim. Ele é um bom homem. Um ótimo pai — respondo, pensando que já falei sobre isso à exaustão, assim como a nossa história, o fato de Nolan ter sido o melhor e mais leal amigo de Daniel. De ele estar presente para mim e minha família. De agora ele ser a minha família.

— Sim. Sei que você ama Nolan e se importa com ele como pessoa e parceiro e pai da sua filha. Mas você está apaixonada por ele?

Encaro Amy, sentindo-me frustrada pelo que, durante anos, disse a mim mesma que era algo adolescente. O fato de meu coração não disparar por Nolan e eu não me sentir tomada pelo desejo e não derreter quando nossos olhos se encontram numa sala cheia de outras pessoas (droga, raramente olho para ele numa sala cheia de gente) não significa que não o ame ou que não esteja comprometida com nosso casamento.

Mas, no fundo, sei o que ela está me perguntando, assim como sei a resposta, e a tenho desde aquele dia no banco de reservas do campo de beisebol. É um fato concreto, assim como a morte de Daniel, impossível de mudar simplesmente desejando que as coisas fossem diferentes. Então finalmente me obrigo a dizer a verdade. Estou falando para minha terapeuta, mas, como sempre acontece nessas ocasiões, na verdade estou falando para mim mesma.

— Não — digo em voz alta. Minha voz é calma e baixa e muito, muito assertiva. — Não estou apaixonada pelo meu marido.

Capítulo treze

JOSIE

Nunca entendi exatamente o que é a Lei de Murphy, mas tenho certeza de que ela se aplica quando finalmente cedo e saio com Pete, o fisioterapeuta, pela segunda vez, agora para ir ao Bistro Niko, um elegante restaurante francês, usando o mesmo vestido e os mesmos sapatos que usei na Noite de Portas Abertas, e vejo ninguém menos do que Will e Andrea Carlisle jantando um belo filé. Não ajuda nada o fato de Pete ter se submetido a um corte de cabelo péssimo (segundo ele mesmo) que parece militar e de estar usando uma camisa de mangas curtas, a combinação sugerindo um daqueles missionários religiosos que vão de porta em porta. Tampouco ajuda o fato de Will estar usando a roupa de que mais gosto — blazer, sem gravata, e calça jeans — e com a barba por fazer.

Enquanto a recepcionista nos guia passando pela mesa deles, olho para o outro lado, na esperança de passarmos despercebidos, mas ouço Andrea chamando meu nome em meio ao burburinho dos convivas. Com Pete me seguindo, paro de repente, finjo surpresa e digo:

— Ah, olá!

— Oi! — diz Andrea, e noto que ela pintou os cabelos, os fios grisalhos erradicados, as mechas douradas completamente restauradas. — Que bom vê-la de novo!

— O prazer é meu. Reconhece o vestido? — Solto uma risada nervosa, imediatamente me arrependendo do comentário.

Andrea faz cara de surpresa, bancando a perdida, o que acho gentil, mas também irritante, tanto que sou obrigada a dizer:

— Estava vestindo isso naquela outra noite.

— Ah, sim! Agora lembro. — Ela meneia a cabeça com vigor. — É um vestido lindo.

— Obrigada — respondo, permitindo-me uma olhada rápida para Will, que me olha também, os olhos escuros brilhando à luz das velas. Não consigo ler a expressão dele, mas seu meio sorriso me faz sofrer.

— Oi, Josie — diz ele, depois olhando para Pete, agora diretamente ao meu lado. Andrea faz o mesmo e me sinto obrigada a apresentá-los.

— Pete, estes são Andrea e Will. Sou a professora da filha deles — digo, tão sucinta quanto possível.

Pete faz que sim, sorri e diz:

— Ah. Legal.

— E então? — pergunta Andrea num tom amigável. — Vocês estão num encontro?

Digo que não e Pete diz que sim.

Andrea consegue fazer uma cara feia e sorrir ao mesmo tempo.

— Ops. Desculpe. Não é da minha conta!

— Não é mesmo — resmunga Will bebendo vinho. Seu tom de voz para a esposa não é exatamente grosseiro, mas é uma ligeira reprimenda, evocando seu sutil mas convincente senso de superioridade, algo que eu tinha esquecido ou, mais provavelmente, enterrado. Lembro-me de como me cutucava sob a mesa quando eu dizia algo que ele achava inadequado. Às vezes tinha razão; geralmente parecia desnecessário. A lembrança é um leve consolo, sobrepondo-se aos seus belos olhos castanhos.

— Sem problemas — digo, para o bem de Andrea. — É uma espécie de encontro, mas somos apenas amigos.

— É, tecnicamente é nosso segundo encontro. Como não tivemos química no primeiro, Josie já desistiu — comenta Pete, tentando ser engraçado, mas tornando tudo ainda mais constrangedor. — Mas ainda tenho esperança.

Andrea faz que sim e diz:

— Sim, essas coisas às vezes levam tempo.

— Foi assim com vocês dois? — pergunta Pete, enquanto fico ali, sem acreditar que essa conversa está mesmo acontecendo.

— Hmmm. Não exatamente — murmura ela, e Will calmamente corta seu bife, levando o garfo à boca.

O oposto do amor é a indiferença, lembro, mas sinto uma onda intensa de amargura.

— Não exatamente? — pergunto, com uma risada azeda. — De jeito nenhum. Andrea e Will noivaram bem rápido. Logo depois que ele e eu terminamos, na verdade. — Estalo os dedos para causar um efeito dramático.

Pete ri, depois percebe que não estou brincando, e sua expressão se iguala à de Andrea – algo entre a piedade e o desconforto. Enquanto isso, Will começa a tossir. Nós três olhamos para ele com alguma preocupação, enquanto a tosse rapidamente se transforma no som assustador de alguém que se engasga.

— Querido? Você está bem? — pergunta Andrea.

Will responde tentando puxar o ar, depois fica em silêncio, os olhos arregalados, cheios de água e em pânico.

— Will! — grita Andrea, levantando-se enquanto a recepcionista segue para nossa mesa e o casal ao lado começa a olhar. — Will? Está conseguindo respirar?

Ele não responde – porque claramente não consegue respirar –, e Andrea grita:

— Ele está engasgado! — Ela olha em volta e berra: — Algum médico? Alguém conhece a manobra Heimlich?

— Não. Isso não é recomendado ainda — diz Pete, erguendo a mão para acalmar Andrea, aproximando-se de Will e observando-o com atenção.

— Ele é um profissional da saúde — explico para Andrea, na esperança de que os fisioterapeutas sejam treinados em primeiros socorros contra asfixia.

— Tente tossir — instrui calmamente Pete. — Consegue tossir?

Will faz que não, soltando um barulhinho fino e baixo. Andrea continua a pedir ajuda. Assisto horrorizada, imaginando um cenário mórbido: Edie ao lado do caixão do pai.

— Certo. Levante-se, cara — diz Pete, ajudando Will a ficar de pé, passando um braço pela cintura dele e ao mesmo tempo golpeando as costas de Will com a outra mão três vezes seguidas. Ploft, ploft, ploft. Nada acontece e começo a notar os lábios de Will se arroxeando. Então, com o quarto golpe forte e alto nas costas dele, Will cospe um pedaço de carne. Este cai sobre a toalha de mesa branca, perto do prato dele. Olho para o pedaço de carne, fascinada por aquilo ser tão letal quanto uma bala na cabeça, enquanto os convivas ao nosso redor começam a bater palmas e dar vivas. Will respira fundo.

Observo Andrea colocar as mãos sobre o coração e correr para o lado do marido, abraçando-o. Ele permite um abraço rápido e depois diz algo para ela, baixinho, antes de se afastar e voltar a sentar.

— Ah, meu Deus, muito obrigada! — diz Andrea, virando-se para Pete, lágrimas nos olhos.

Pete modestamente desdenha da gratidão e pergunta a Will se ele está bem.

— Sim, sim, estou bem... Aquilo desceu pelo cano errado — diz, antes de beber um gole d´água. Ao colocar o copo na mesa, vejo sua expressão de alívio se transformar em constrangimento. — Pode se sentar agora — murmura para a esposa, e lembro que ele sempre odiou escândalos. Andrea se senta, ainda agradecendo empolgadamente Pete.

Observo enquanto Will tenta discretamente limpar o pedaço de carne com o guardanapo. São necessárias duas tentativas e, para minha alegria secreta, aquilo deixa uma mancha na toalha de mesa, quase tão vermelha quanto o pescoço e as orelhas de Will. Só então ele estende o braço para cumprimentar Pete e agradecê-lo pela primeira vez.

— Sem problema, cara — diz Pete. — Fico feliz por ajudar.

Mais tarde, naquela noite, depois que Will e Andrea mandam uma garrafa de vinho para nossa mesa, Pete começa a rir.

— O quê? — pergunto.

— Aquele cara terminou mesmo com você e se casou com ela?

— Sim. O que há de tão engraçado nisso?

— Uau, isso é que é vingança. Você quase o fez morrer engasgado.

Sorrio, dou de ombros e digo:

— Não. A felicidade é a melhor vingança.

— Cruel, mas verdadeiro. — Pete meneia a cabeça. — E você está feliz?

— Estou tentando ser. — Então, para que ele não me entenda errado, atualizo-o na minha pesquisa a fim de virar mãe solteira, falando de finanças, opções de creche, plano de saúde e licença-maternidade. Então falo sobre os textos dos doadores de esperma que Gabe e eu passamos horas lendo juntos. — Claro que nos restringimos à saúde... só cogitando doadores com um histórico médico maravilhoso.

Pete ouve atentamente e diz:

— Você já tem um candidato preferido?

— Talvez. — Abro a bolsa e lhe entrego o texto de um doador chamado Glenn S. que imprimi na noite passada.

Eu o vejo desdobrar o papel, franzir a testa e começar a ler.

Sou um homem heterossexual de 27 anos, documentarista. Estudei na Cal Berkeley e me formei em comunicação e corrida – em geral distâncias médias. Estou em forma, sou magro, saudável e como uma dieta à base de vegetais. Meus hábitos alimentares são resultado de três fatores: antes de mais nada, compaixão pelos animais e um desejo de contribuir para evitar o sofrimento deles; depois, um antigo interesse por saúde e nutrição; por fim, por razões ambientais, já que carne e produtos animais são a principal causa da destruição do nosso planeta. Quem for receber meu esperma não precisa compartilhar minhas crenças, mas deveria ficar feliz por saber que o doador é compassivo e saudável. Atualmente, estou trabalhando num documentário sobre as reações viscerais dos humanos diante do sofrimento animal, e a desconexão e a racionalização a que se submetem quando continuam a comer carne e usar produtos de origem animal. Decidi ser doador porque não acredito nas normas sociais que exigem que eu tenha uma família e também porque não quero contribuir para a destruição dos nossos recursos tendo filho. Mas sou muito solidário às mulheres que querem ser mães e não podem, seja lá qual for o motivo. Se alguém está determinada a trazer uma nova vida ao nosso mundo, prefiro que essa vida venha de genes inteligentes e compassivos.

Pete termina de ler, as sobrancelhas arqueadas.

— Isso é de um doador de esperma?

— É. — Pego o papel e o guardo na bolsa. — Meu amigo Gabe me ajudou a escolhê-lo.

Pete faz que sim e pergunta se sei qual é a aparência desse homem.

— A foto de bebê dele é bonitinha. É a única foto que posso ver. Mas a descrição dele parece boa... Olhos azuis, cabelos loiros, atlético, um metro e oitenta.

Pete sorri.

— Parece ótimo. — Algo em seu tom de voz soa falso, ou pelo menos hesitante.

— Você acha estranho, não é? — pergunto, imaginando por que quero a aprovação dele.

— Não. — Ele balança a cabeça. — De jeito nenhum.

— Você gosta do tom do texto dele? — pergunto, um tanto quanto ansiosa.

— Bom, claro. Ele parece legal... muito compassivo e cheio de princípios... — Ele toma um gole de vinho e acrescenta: — Mas talvez um pouco extremista, não acha?

— É. Sei o que você quer dizer — admito, porque Gabe e eu pensamos o mesmo. — Mas ele era o melhor disponível... E gosto do fato de ele não doar esperma por causa do dinheiro. Muitos parecem fazer isso, por mais que se esforcem para disfarçar...

— Dinheiro? Ou uma necessidade narcisista de disseminar seus genes pelo planeta? — pergunta Pete, sorrindo.

— Gabe disse a mesma coisa. É assim que vocês, homens, se sentem?

— Acho que sim. Mais ou menos. Mas não o bastante para doar meu esperma.

Ficamos nos olhando por um segundo de constrangimento antes de ele começar a rir.

— O que foi?

— Nada... Só estava pensando que o seu ex engasgado com a carne pode ser um sinal para você escolher o vegetariano radical.

— Talvez — digo, sorrindo.

Mais tarde naquela noite, Pete e eu saímos do restaurante num carro do Uber. Ao estacionarmos diante da minha casa primeiro, ele se aproxima para me beijar no rosto.

— Foi divertido. Obrigado.

— Foi mesmo. — Sorrio para ele. — Que bom que você foi persistente.

— Fico feliz também — diz ele, rindo para mim.

Viro-me para abrir a porta do carro e ele me detém com a mão no meu braço.

— Espere.

Rio e lembro que ele está pagando pelo tempo do carro parado.

Ele concorda com a cabeça e pigarreia.

— Alguma chance de você me convidar para uma bebidinha antes de dormir?

— Uma bebidinha antes de dormir? — pergunto, rindo. — Parece meu pai falando.

— Seu pai deve ser um cara legal.

— Ele tem sessenta e quatro anos. Você parece ter sessenta e quatro anos.

— Vamos. Só me convide para entrar. Só quero conversar mais. É isso.

Hesito e sorrio, me perguntando o que nosso motorista está pensando. Claro que ele já ouviu isso antes, apesar de fingir educadamente que não está ouvindo nada.

— Tudo bem — respondo, notando que o carro de Gabe não está na garagem. — Quer entrar e tomar uma bebidinha?

— Uau, que bom que você perguntou! Mas prefiro uma xícara de chá de ervas.

Sorrio e reviro os olhos, dizendo:

— E agora você parece minha avó.

Dez minutos mais tarde, depois de pedir desculpas pela bagunça e de preparar chá, vamos para o quintal dos fundos com Revis. A noite está agradavelmente fresca e nós dois comentamos isso.

— Os mosquitos desapareceram também — diz Pete.

Olho para ele, sorrio e digo:

— Estamos mesmo conversando sobre o tempo e mosquitos?

— Estamos.

— Somos melhores do que isso — digo. — Vamos lá. Do que você quer falar?

Pete me olha seriamente e diz:

— Certo. Na verdade estava pensando no texto daquele doador de esperma.

— Ah, é mesmo? E...?

Ele meneia a cabeça antes de falar.

— Sim. Tenho que dizer... é bem nobre.

— Eu sei. Acho que não conseguiria doar meus óvulos assim... E você? Doaria esperma?

— Talvez. Para uma amiga. Se acreditasse que ela seria uma boa mãe. Para você eu provavelmente doaria. — Ele arqueia as sobrancelhas e me lança um olhar enviesado.

Rio, mas ele não.

— Está falando sério? — pergunto, sentindo um frio na barriga. — Ou isso é algum tipo de plano para dormir comigo?

Pete faz sinal de escoteiro e diz:

— Juro que não é um plano. Aliás, já até imagino aquela bombinha de regar o peru no forno, sabe? É assim que se faz?

Faço que sim com a cabeça.

— Mais ou menos... Mas acho que é um pouco mais sofisticado do que isso.

Nós dois bebemos o chá enquanto me pergunto se ele está começando a se sentir constrangido. Surpreendentemente, eu não estou.

— Você me cobraria pelo seu esperma? — pergunto, brincando. — Ou me daria de graça?

— Eu cobraria como cobro dos amigos e da família.

Sorrio, olhando-o nos olhos. Está escuro demais para vê-los e de repente não me lembro do tom exato.

— De que cor são seus olhos?

— Avelã — diz ele.

— Nunca sei o que isso quer dizer... Que cor exatamente é "avelã"?

— Um jeito bonitinho de dizer "castanho"... — Entendendo meus questionamentos, ele acrescenta: — Algo mais que você queira saber e que não viu no meu perfil do Match ou nos nossos dois encontros?

— Isso não é um encontro, lembra? E acho que tenho todos os dados relevantes. Sei sua altura, a cor dos olhos, a profissão. E você parece um cara legal...

— Eu sou um cara legal.

— E você acabou de salvar a vida de um homem. Então você meio que é um herói.

— Verdade. — Pete dá um adorável sorrisinho.

— Como está a sua saúde?

— Boa. Acabei de fazer um exame completo... Minha frequência cardíaca em repouso é cinquenta e oito. Pressão sete por dez.

Meneio a cabeça, apesar de não saber o que esses números significam.

— E quanto ao seu histórico familiar?

— Meu avô morreu de ataque cardíaco aos cinquenta e nove, mas ele fumava um maço de cigarro por dia... Meus outros avós ainda estão vivos, assim como um bisavô. Gente saudável do Meio-Oeste.

— Você tem TOC? TDAH? Depressão?

Ele faz que não com a cabeça.

— Tendências maldosas?

Ele sorri.

— Não. Sou bem simples.

— Quão simples?

— Não simples demais.

— Qual seu QI?

— Não tenho ideia — diz ele. — Mas fiz todos os testes de aptidão no ensino médio.

— E onde você fez faculdade mesmo?

— Universidade de Wisconsin. Tive média 9,5 num curso difícil. Biologia.

— Você é atlético?

— Tenho boa coordenação... Sou bom no golfe. Joguei beisebol e tênis na escola.

— Fez parte de algum time?

— Você acha mesmo que mencionaria o time da escola?

Sorrio.

— Você é artístico ou gosta de música?

— Não muito. Isso é importante?

— Não é essencial — digo, pensando, estudando o rosto dele, meus olhos finalmente se ajustando à escuridão. Ele realmente tem um belo corpo e traços simétricos que quase se sobrepõem ao corte de cabelo de militar. Gosto da feição dele, assim como da cor e da textura dos cabelos. E ele ainda tem aquela covinha.

— Deixe-me ver suas mãos — peço, deixando minha caneca de lado.

Ele coloca a caneca ao lado da minha e me mostra as mãos, as palmas para cima e para baixo. São mãos grandes, mas não grandes demais a ponto de minha filha acabar tendo mãos imensas. Faço que sim com a cabeça e murmuro:

— Bonitas.

— Obrigado.

Pigarreio e digo:

— Então... se fosse mesmo para fazer algo assim... você gostaria de se envolver?

A pergunta parece monumental, mas não tenho certeza de qual será a resposta dele. Lembro-me de que tudo isso é teórico. Ele não está mesmo oferecendo seu esperma.

— Você quer dizer com o bebê?

Faço que sim.

— Você diz... tipo... pagar pensão? — pergunta ele.

— Não — respondo, com o máximo de determinação possível, pensando que com o dinheiro vêm amarras e complicações. — Não haveria pensão. Você seria o doador, não o pai. Não teria nenhum direito. Estou falando emocionalmente.

— Não sei... Poderia ser legal se eu pudesse levar a criança a um jogo de beisebol de vez em quando. Você permitiria isso?

— Talvez. Isso seria legal... Mas, se eu me casasse, o que espero que aconteça um dia, iria querer que meu marido adotasse meu filho. Então...

— Talvez você não me quisesse por perto?

— Talvez não. Isso faria você se sentir mal?

— Talvez — diz Pete. — Mas o filho seria seu, a decisão também. Eu respeitaria sua vontade. — Ele começa a dizer algo, mas muda de ideia.

— O quê? — pergunto. — Diga.

— Bom... e se você quisesse que eu levasse seu filho a um jogo de beisebol... e eu não quisesse? Você ficaria magoada?

— Talvez — digo, fascinada por nossa honestidade e objetividade. Mais do que se tivéssemos interesse amoroso um pelo outro. — Mas acho que não. Acho que seria um acordo. Você seria o doador. Ponto final.

— Ponto final — ecoa ele.

Ficamos nos olhando, os dois quase sorrindo. Mas não sorrimos.

— Você cogitaria mesmo isso? — pergunto, parte de mim começando a acreditar que ele está falando sério, ou ao menos que não está apenas me dando corda para me levar para a cama. — Digo... você mal me conhece.

— Conheço melhor do que o corredor vegetariano.

— Verdade.

Pete me olha nos olhos.

— Sei. É loucura. Mas acho que posso estar falando um pouco sério aqui.

— Por quê? — pergunto, meu coração batendo rápido demais, em essência pedindo-lhe que responda a uma pergunta feita aos doadores. — Por que você iria querer fazer isso?

Ele balança a cabeça e diz:

— Não sei... Para ajudá-la... para fazer algo de útil da minha vida... além de salvar vidas em restaurantes de Buckhead, claro.

Adoro a resposta dele e não consigo deixar de sorrir.

Ele retribui o sorriso.

— Mais alguma pergunta?

Penso por um instante e respondo:

— Há mil e duzentos elefantes numa manada. Alguns têm listras rosa e verdes, outros são completamente rosa e outros, todos azuis. Um terço dos elefantes são totalmente rosa. É verdade que quatrocentos elefantes são definitivamente azuis?

— Espere aí — diz Pete. — Pode repetir?

Repito a pergunta, mais devagar.

— Ah, não, isso não é definitivamente verdadeiro. Mas pode ser verdade.

— Resposta certa — digo, rindo.

— Ah, deixa disso, é uma pegadinha. Sou um cara da matemática e da ciência, lembra?

— É — concordo, pensando que sou mais verbal – uma boa combinação.

— E então? O que você acha? — pergunta ele, aproximando-se e me olhando nos olhos.

Retribuo o olhar, sorrio e digo:

— Acho que... você com certeza tem potencial.

Capítulo catorze

MEREDITH

Numa noite quente e úmida de setembro, Ellen e eu nos encontramos para um passeio no Chastain Park. Depois de alguns minutos de caminhada, ela me diz que ouviu dizer de Andy, que ouviu dizer de sua irmã, Margot, que ouviu dizer de uma menina da equipe de tênis de Margot, que ouviu dizer da esposa de Will, Andrea, que um cara qualquer que estava com Josie salvou a vida de Will no sábado passado no Bistro Niko.

Olho incrédula para ela, parando na trilha asfaltada tão de repente que um corredor quase bate na gente.

— O quê? Como é possível? — pergunto.

Enquanto o corredor desvia e nós recomeçamos a andar, Ellen explica que, de acordo com o relato, Josie estava passando pela mesa de Will e Andrea bem quando Will começou a engasgar com um pedaço de carne. A companhia de Josie, que faz alguma coisa no ramo da medicina, realizou a manobra Heimlich ou algo parecido, tirando o pedaço de carne e salvando Will da morte.

— Inacreditável — digo. — Ainda assim, de alguma forma é crível.

Ellen ri e diz:

— É. Você está praticamente pensando que Josie planejou isso. Mas como seria possível?

— Se fosse possível, ela o faria. E aposto que não foi coincidência eles estarem no mesmo restaurante... No mínimo ela usou isso como desculpa para conversar com Will. Para saber como ele anda... — Reviro os olhos, enojada. — É melhor a Andrea tomar cuidado.

— Você não acha mesmo que ela faria isso, não é? — pergunta Ellen.

Dou de ombros.

— Provavelmente não. Mas minha terapeuta diz que quase todo mundo é capaz de ter um caso, nas circunstâncias certas.

Ellen murmura em concordância, pensativa, e me vejo também pensando nos problemas conjugais dela de anos antes. Não sei os detalhes ou se havia alguém mais envolvido, mas de alguma forma tenho a impressão de que ela teve mais culpa do que Andy.

— Você já se sentiu tentada? — pergunto.

Como ela não responde de pronto, murmuro:

— Desculpe. Não é da minha conta.

— Tudo bem — diz Ellen, parando para amarrar o tênis. — Pode me perguntar qualquer coisa. Você sabe.

Paro e espero que ela faça o nó e depois amarre o outro pé. Ela só fala depois que recomeçamos a caminhar.

— Você se lembra do Leo? — pergunta ela, aumentando a velocidade.

— Claro! — Lembro-me de uma das nossas conversas sobre nossos ex-namorados mais importantes, Lewis e Leo, especificamente sobre como eles eram parecidos. Ambos faziam o tipo artístico (Leo era jornalista, Lewis ainda atuava, em geral na Broadway, mas às vezes aparecendo em filmes independentes). Ambos eram nova-iorquinos. Como Lewis, Leo era muito intenso e partira o coração de Ellen.

— Bom, há alguns anos — continua ela —, comecei a ter... contato com ele novamente.

— Que tipo de contato? — pergunto, esforçando-me para acompanhar o passo de Ellen, as pernas dela muito mais longas do que as minhas.

— Só troca de e-mails e mensagens de texto... mas eu o vi algumas vezes também. Uma vez numa sessão de fotos em LA. Outra em Nova York...

— Vocês...? — Deixo a pergunta no ar.

— Não — diz ela com firmeza. — Não fizemos sexo nem nada perto disso. Era mesmo mais uma coisa emocional. Mas ainda assim foi bem ruim...

— Sinto muito. — Estou vagamente decepcionada por ter minhas suspeitas confirmadas, mas sem julgá-la. No mais, fico mais tranquila ao saber que as pessoas podem se recuperar de graves problemas conjugais. — O Andy sabe?

— Sim, sabe — diz ela, a voz cheia de arrependimento. Então, confessa que, apesar de ter sido algo essencialmente emocional, ela beijou Leo uma vez.

— Um beijo não é tão ruim assim — comento, sem saber direito se acredito nisso.

— É. Talvez não. Mas pensei em fazer muito mais que isso... incluindo até mesmo deixar Andy. — Ela termina a frase de repente e levo alguns segundos para reagir.

— O que a fez continuar com o casamento? — pergunto.

Ela me olha com olhos arregalados e sinceros, respondendo:

— Amor.

— Oh, Ell — digo, tocada pela sinceridade e pela pureza da palavra, principalmente porque eu antecipava uma resposta mais cínica: medo ou culpa ou dever ou o fato de ela estar grávida de Isla. — Que bom que vocês resolveram as coisas. Vocês são mesmo perfeitos juntos.

— Ah, nada é perfeito. Mas acho mesmo que meu lugar é ao lado de Andy. E as coisas estão indo muito bem agora.

— Você amou Leo? — pergunto, a voz baixa, como se o nome dele ainda tivesse algum poder sobre ela.

— Talvez. Mas não foi um amor verdadeiro e profundo como o que sinto por Andy... Sempre foi mais uma obsessão... um vício... E, até certo ponto, talvez eu estivesse sentindo aquela coisa do "e se?"... E se tivesse me casado com Leo? Como seria minha vida?

Faço sinal de que entendo, pensando que toda a coisa do caminho não trilhado é, em parte, o que sempre me incomodou. Não tanto no que se refere a Lewis, apesar de pensar nele de vez em quando. E sim no que se refere a toda uma vida diferente, a vida que talvez estivesse vivendo se Daniel não tivesse morrido e eu não tivesse me casado com Nolan, os dois eventos sempre parecendo interligados.

— Então Andy simplesmente... a perdoou? — pergunto.

— Não imediatamente... Passamos por meses difíceis. Um ano de merda... Na época em que a conheci, porém, as coisas estavam bem melhores. E, quando Isla nasceu... uau! — A voz de Ellen ganha leveza e ao mesmo tempo emoção. — Ela realmente nos pôs no lugar certo. Consertou as coisas...

— Mesmo? — Acho difícil acreditar que um bebê seja capaz de causar esse efeito, sendo que Harper dificultou as coisas para mim e Nolan. Se bem que Isla sempre foi mais fácil do que Harper em praticamente todos os aspectos.

— Bom, acho que não deveria dizer que ela consertou as coisas. Fizemos isso sozinhos, com muito esforço. Mas ela com certeza renovou nosso compromisso. Foi quase como se o nascimento dela tivesse nos dado uma nova oportunidade de recomeçar. Pôs tudo em perspectiva.

Faço que sim, pensando que essa parte eu entendo. A maternidade realmente dá uma perspectiva mais ampla sobre várias coisas.

Ellen continua:

— Acho que a situação toda, por pior que tenha sido, nos fortaleceu em vários aspectos. Talvez seja só eu tentando justificar as coisas, mas realmente acho que é verdade.

— Então você nunca mais ouviu falar dele? — pergunto. — Do Leo?

— Não. Por muito tempo... Um ano depois de tudo o que aconteceu, ele me ligou. Mas nunca respondi à ligação. Mandei uma cartinha, dizendo que era uma despedida oficial e pedindo para ele nunca mais fazer contato... Sinceramente, até onde sei ele pode até ter morrido.

— É. Ele pode ter morrido engasgado — digo, abrindo um sorriso forçado.

Ela sorri de volta, sem entusiasmo, e de repente muda de assunto.

— E você e o Nolan estão bem?

— Acho que sim. — Enxugo a testa suada com as costas do braço. — Não sei. Ele está bem frustrado comigo.

— Por causa da coisa do segundo filho?

— É. Isso e... sabe, as reclamações de sempre: pouco sexo... — Paro, nunca me sentindo à vontade para discutir minha vida sexual, nem mesmo com as amigas. — Foi assim que o tema da infidelidade surgiu com Amy na última sessão. Ela disse, mais ou menos, que, se uma pessoa não está satisfeita nesse aspecto, ela pode começar a procurar por aí... Acho que não é exatamente um conceito revolucionário...

Ellen concorda.

— Pois é. Acho que não. Mas é bem cínico.

— Sim. Amy é uma cínica. Ou pelo menos realista... Mas não imagino Nolan me traindo.

— É. Nem eu — diz ela. — Ele é um cara tão legal.

— Assim como Andy. Somos duas sortudas.

— É mesmo. Hashtag abençoadas.

Sorrio.

Ellen ri, enquanto nós duas rimos daqueles nauseantes posts do Facebook que usam conceitos religiosos para justificar o orgulho velado. Caminhamos em silêncio por um minuto, as duas ficando sem fôlego, antes de ela fazer a pergunta seguinte:

— E quanto a você? E se Lewis voltasse como Leo? Você se sentiria... tentada?

— Realmente acho que não — digo, quase desejando que meu dilema fosse tão simples assim. Se fosse cogitar ter um caso ou se cedesse a um impulso de desejo, então simplesmente pararia, me confessaria e renovaria meu compromisso, como Ellen fez. Ou talvez escolhesse o outro caminho e seguisse em frente e tivesse o caso, o que seria um catalisador de uma mudança completa. — Não que eu esteja julgando você — acrescento rapidamente.

— Ah, sei que não.

— Só acho que finalmente superei Lewis quando estava trabalhando como advogada em Nova York e fui vê-lo numa peça fora da Broadway. — Sorrio. Nunca admiti isso para ninguém.

Ela ri.

— Ele era tão ruim assim?

— Não. Ele era brilhante! Mas parecia um pouco... Sei lá...

— Cheio de si? Pomposo? — tenta ela.

— Não. Só passando do ponto... meio exagerado.

Nós duas rimos e ela diz:

— Será que ele é gay?

— Não. — Penso em como o sexo com ele era incrível. — Duvido. Mas tentei me convencer de que ele poderia ser. E ajudou.

Ela ri novamente e eu continuo:

— A questão é que o que mais sinto falta em Lewis não é Lewis... e sim como me sentia perto dele.

— Você acha que pode estar sentindo falta simplesmente de ser jovem? De ter vinte e poucos anos? — pergunta ela.

Dou de ombros.

— Um pouco, talvez. Mas acho que não é bem isso. Principalmente porque meus vinte anos foram bem complicados.

Ela meneia a cabeça, sabendo que estou me referindo a meu irmão.

— Tem mais a ver com como a paixão me fazia sentir quanto à vida... Nosso amor até aplacou meu luto por Daniel, ao menos por um tempo, e era como se eu pudesse fazer qualquer coisa... Ir a qualquer lugar, fazer qualquer coisa, ser qualquer pessoa... As possibilidades pareciam infinitas — digo, prendendo a respiração por uns segundos, lembrando-me das loucuras e manias que vieram antes da depressão. — E então ele partiu meu coração. O que pareceu um pouco a morte.

— É. Um coração partido parece mesmo a morte — diz ela ao nos aproximarmos do alto da colina, com vista para os campos de beisebol. — Mas tudo deu certo. Porque você ficou com Nolan.

Ela diz o nome de Nolan como as pessoas dizem "Fim". Em outras palavras, que bom que tudo acabou bem.

— Certo. — Mordo o lábio.

Ao longe, vejo o Wilkins Field – e o lugar exato no banco de reservas onde Nolan me pediu em casamento – e fico triste ao perceber que é mais uma lembrança constrangida do que uma lembrança mágica.

— E Harper — acrescenta ela.

— E, claro, Harper — concordo, pensando que às vezes minha filha é a única coisa que me impede de querer voltar atrás.

Continuamos andando em silêncio e minha mente se afasta de Harper para o segundo filho que não quero ter, a última pergunta de Amy na sessão de terapia, a explicação de Ellen para o que a manteve com Andy – um amor verdadeiro e profundo –, e de repente sou tomada por uma intensa onda de culpa. Pelo que não tenho. Pelo que não posso dar ao meu marido.

— Meredith? — ouço Ellen me chamar ao perceber que parei de andar. — O que houve?

— Só preciso de um segundo — respondo, afastando-me para me sentar num murinho de pedra que separa a calçada de uma ladeira íngreme. Ela se senta ao meu lado, de costas para os campos de beisebol, nossos ombros se tocando.

— Você está bem?

— Não sei. Só não estou feliz. Com Nolan e nosso casamento. Às vezes acho que a coisa toda foi um erro... — Minha voz falha, a visão nubla e tenho de parar de falar para não irromper em lágrimas.

Ellen segura minha mão e faz o melhor para me acalmar, dizendo que todos os casamentos são complicados e confusos e misteriosos e falhos. Que talvez eu só esteja confundindo os problemas cotidianos com algo que falta na minha relação. Que pode soar simplista, mas às vezes você só tem de amar a pessoa com quem está. Sei que o conselho dela é sólido, mas, no fundo, também sei que nossas situações são bem diferentes. Ela passou por um obstáculo na estrada, enquanto eu estou numa estrada que jamais deveria ter pegado. Ela mentiu para Andy no casamento, enquanto todo o meu casamento parece uma mentira às vezes.

Mais tarde, naquela mesma noite, depois de ficar presa no quarto de Harper por mais de duas horas, durmo na poltrona ao lado da cama dela, acordando ao som do meu celular vibrando. Encontro-o entre as almofadas e vejo o nome de Ellen.

— Oi — sussurro, saindo do quarto de Harper na ponta dos pés.

— Você está sozinha? — pergunta ela.

— Sim. Acabei de pôr a Harper para dormir. — Desço as escadas e começo a limpar a cozinha.

— Onde está Nolan?

— Num jantar de negócios.

— Então, andei pensando sobre o que conversamos — diz ela.

— Eu também. Olhe, desculpe, não sei o que me aconteceu. Acho que são os hormônios... estou prestes a ficar menstruada... — Estou mentindo para minha amiga, mas só porque não quero incomodá-la.

— Não, eu é que peço desculpas — intervém Ellen. — Eu não deveria lhe dizer como você deve se sentir. E espero não ter dado a impressão de que meu casamento é perfeito. Porque não é. Longe disso.

— Eu sei. Não achei que você estava dando essa impressão.

— Ótimo. Porque às vezes tenho a sensação de que todos acham que a vida dos outros é um conto de fadas. Principalmente no sul. As pessoas fingem. Elas se fazem de felizes e exibem uma vida perfeita.

Murmuro algo concordando e ela continua:

— E só queria dizer... que espero que você fique com Nolan, mas, o que quer que aconteça, sempre estarei ao seu lado.

— Isso é muito gentil. Obrigada.

— De nada — diz ela, para depois, hesitante, perguntar se já pensei em procurar aconselhamento matrimonial. — Digo, sei que você se consulta com Amy... mas que tal terapia de casal?

— É, talvez devamos tentar isso — respondo, mas sou bem cética quanto a isso como uma solução para nós. Para mim, parece que terapia pode ajudar muito em questões de relacionamento, mas não pode fazê-la amar alguém que não ama. Também estou começando a perceber, infelizmente, que a única solução real é dizer a verdade a Nolan.

— Vai dar tudo certo — afirma Ellen. — Você só precisa de um tempo.

— Certo — digo, pensando que a ideia do tempo como cura talvez seja uma mentira ainda maior do que a base sobre a qual meu casamento se alicerça. A morte de Daniel me ensinou isso; algumas coisas nunca ficam bem.

Capítulo quinze

JOSIE

Na semana seguinte ao incidente no restaurante, estou na escola, aproveitando um agradável período de folga enquanto as crianças estão na aula de música, quando um e-mail de "William Carlisle" aparece na minha caixa de entrada, o campo do assunto assustadoramente em branco. Meu coração dispara de modo vergonhoso ao clicar para abrir, mas daí sinto um quê de decepção ao ver umas poucas palavras na minha tela. *Josie, por favor, pode me ligar quando for melhor para você?* Ele, então, deixa o celular (que ainda sei de cor, mas não voltei a programar no meu celular por medo de uma ligação acidental infeliz, ou pior, uma ligação acidental pelo FaceTime), com um *Obrigado* formal e as iniciais dele: W.C.

Releio o e-mail algumas vezes mais, pensando se consulto Gabe ou Sydney primeiro. Em vez disso, simplesmente ligo para Will, convencendo-me de que não estou sendo apressada demais – de que só quero "acabar logo com isso" – e de que ele não merece que eu gaste muito do meu tempo pensando.

— Aqui é Will. — Ele atende no segundo toque.

— Oi, Will. — Meu estômago se revira. — É a Josie. Recebi seu e-mail.

— Oi, Josie. — A voz dele está notavelmente nervosa, o que de alguma forma me deixa mais tranquila. — Obrigado por ligar.

— Claro. Como está? — digo, tentando parecer leve e casual.

Eu o ouço respirar fundo.

— Primeiro, só queria... agradecer por aquela noite. Digo, agradeça a seu amigo por... você sabe... intervir...

— Claro. Vou dizer a ele novamente... mas não é nada de mais. Tenho certeza de que você ficaria bem de qualquer forma — respondo, apesar de conseguir imaginar outra situação, sentindo-me um pouco decepcionada por um dia ter desejado que um desastre lhe acontecesse, nunca morte, mas talvez ruína financeira, paralisia parcial ou um leve desfiguramento.

— Ah. Bom... aquilo foi bem constrangedor.

Já sabia que ele estava constrangido, mas fico surpresa e desarmada por ele admitir isso para mim com tanta sinceridade dias mais tarde.

— Não foi, não — digo com uma sensação estranha de *déjà-vu* que deve vir de uma lembrança semelhante e distante, de um tempo em que me sentia protetora em relação a seu orgulho e sentimentos. — Acontece muito. Lembra quando George Bush engasgou com um pretzel?

— George W?

— É. Lembra que ele estava assistindo a um jogo de futebol na Casa Branca e engasgou e depois desmaiou?

— Sim, vagamente — diz ele, a voz mais suave.

— Dá para imaginar? Todo o Serviço Secreto o cercando e protegendo e ele quase morreu sozinho, assistindo a um jogo de futebol.

Will ri eu e sinto uma pontada forte de nostalgia. Sempre amei a risada dele – uma gargalhada baixa e rouca – e amava principalmente quando eu era a fonte dela. Ele não ria facilmente, às vezes só sorrindo durante filmes *muito* engraçados, então sempre me parecia um sucesso quando conseguia fazê-lo rir.

— E o que mais? — pergunto. — Tudo bem com Edie?

— Ah, sim. Ela está ótima. — Ele parece tenso novamente, mas não mais incomodado. — Ao menos em casa. Como ela está se saindo na escola?

— Muito bem. Eles estão na aula de música agora. É minha hora de folga. Por isso é que liguei no meio do dia.

— Ah, sim. Faz sentido.

— Ahã — digo, só para quebrar o silêncio, perguntando-me se é tudo o que ele tem a dizer. — Então? Mais alguma coisa? — pergunto casualmente, determinada a não deixar que minha voz denuncie como me sinto esperançosa e carente – apesar de não ter ideia do que quero que ele diga. Durante anos, minha fantasia foi ele me ligar dizendo que estava se divorciando, que cometera um erro, que queria ficar comigo e só comigo. Mas agora não gostaria que isso acontecesse a Edie.

— Hmmm, sim. Mais ou menos — diz ele. — Eu só... queria... sei lá... esclarecer as coisas. Sobre nós...

— Nós? — Meu coração dispara novamente.

— Não *nós*. Mas, você sabe, o passado... o que *aconteceu* entre nós. Só me sinto ruim por como as coisas terminaram...

— *Mal* — digo, tomando a decisão consciente de corrigir a gramática dele.

— O quê?

— *Mal*. Não *ruim*. — Sorrio um pouco, lembrando quantas vezes tentei explicar a ele que *ruim* significa que você tem sentimentos ruins, talvez seja até perverso. *Sentir-se ruim* é sentir que você está fazendo maldade com os outros, e talvez se arrependa disso. *Sentir-se mal*, por outro lado, significa que você está incomodado por causa de alguma coisa. — Você sabe, um é adjetivo e o outro, advérbio.

— Ah, sim, claro, moça da gramática. *Mal*. Eu me sinto *mal* por como nós terminamos.

Resisto à vontade de dizer que *nós* não terminamos nada; *ele* terminou. Decisão dele.

— Tudo bem — digo, sentindo-me curada por sua pseudodesculpa tantos anos depois. — Mas, Will... eu *não* o traí... — Minha voz vai sumindo.

— Bom, traindo ou não, fui um pouco duro demais... Todos cometem erros...

— Sim, mas realmente não o traí — insisto, lembrando-me daquela noite horrível. Talvez a segunda pior da minha vida.

— Tudo bem.

— Acredita em mim?

Ele hesita e diz:

— Josie... você estava na cama com ele... Eu a peguei na cama com ele.

— Mas não foi nada disso. Juro... Nunca lhe contei toda a verdade sobre aquela noite. Mas só porque não consegui...

— Não conseguiu? — pergunta ele.

— Achava que não podia. Era... tão complicado e não tinha nada a ver conosco. Tinha a ver com Daniel... mas me arrependo. Ao menos, me arrependi disso por anos. Queria ter sido clara com você... Desculpe.

— Não se desculpe. Tudo deu certo. Não é?

Engulo em seco e mordo o lábio.

— É. Você tem uma bela família — digo, orgulhosa por minha postura digna.

— Obrigado.

— Gosto muito da Andrea — acrescento.

— Sim. Ela gosta de você também — afirma ele, e me ocorre que ela pode tê-lo incentivado a fazer essa ligação. De repente, não tenho dúvida de que, no mínimo, ela fez dele um homem mais gentil e compassivo.

— Então. É. As coisas deram certo — digo, talvez um pouco alegre demais para soar convincente.

Ele hesita e diz com uma preocupação na voz:

— E quanto a você?

— Quanto a mim?

— Você está feliz agora? As coisas estão boas para você também?

— Ah, sim. Está tudo ótimo. — Meu rosto começa a esquentar. Então exagero na compensação e conto meu plano. — Estou planejando ter um bebê... com um doador de esperma...

— Sério? — Ele parece mais do que surpreso.

— É — digo, sentindo uma lufada de paz e segurança, confirmando que estou tomando a decisão certa. — É algo que quero há algum tempo... A maternidade, quero dizer... Estou muito empolgada.

— Que ótimo, Josie. Acho que você será uma mãe incrível — diz ele num tom de voz sincero, mas também cheio de culpa e piedade, e talvez um quê de condescendência. — Fico muito feliz por saber que as coisas estão dando certo para você... no final das contas.

— Obrigada, Will. — Eu me pergunto como posso me sentir tocada e ofendida ao mesmo tempo. Estranhamente, preferia o silêncio moralmente superior dele a essa solidariedade, e tento pensar em algo mais a dizer, algo parecido com *sei que vou ter o bebê que estou destinada a ter, a criança que não teria se nós ficássemos juntos*. Mas então ouço barulho no corredor e sei que meu tempo acabou. Logo em seguida as portas se abrem e o rostinho de Edie é o primeiro a aparecer.

— Certo. Tenho que ir. Minhas crianças voltaram. Bom, as crianças *de vocês... minha* turma...

— Ah, tudo bem. Obrigado por ligar, Josie. Agradeço mesmo.

— Eu é que agradeço, Will. E lembre-se de que não há motivo para você se sentir mal... ou ruim, que seja.

Depois do trabalho, entro em casa e vejo Gabe na varanda dos fundos com uma garota. Ela é daquele tipo pequeno, quase magrela, de que ele gosta, mas loira em vez de morena. Eles estão jogando Uno, bebendo cerveja em canecas congeladas e rindo. Eu os observo por um tempo, tentando decifrá-la, mas não consigo.

— Oi! — grito pela porta de tela.

— Ah, oi — diz Gabe, olhando para trás, a voz estranhamente feliz. — Venha jogar com a gente.

Abro a porta e saio para a varanda, enquanto ele diz:

— Esta é a Leslie.

— Oi, Leslie — digo, sorrindo. Olhando melhor, concluo que ela é muito bonita – e muito jovem.

— Oi. Você deve ser a Josie — diz ela, tirando os óculos escuros e abrindo um sorriso maior. Seus dentes são grandes demais para o rosto, mas de uma forma admirável, não equina. — Ouvi falar muito de você.

— E eu de você — minto, admirando a roupa dela: camisa branca de renda e calça jeans larga, desbotada.

Ela ri uma risada fina de Tinker Bell e Gabe lhe lança um olhar impressionado antes de se voltar para mim.

— O que é tão engraçado? — pergunto.

— Nós nos conhecemos na noite passada — diz Gabe.

— Ah. — Dou de ombros. — Que seja. Me pegaram.

— É — diz ela, rindo novamente. — Mas você é uma boa companheira por protegê-lo assim.

— É. — Ergo as sobrancelhas para Gabe, a palavra *companheira*, e não *amiga*, chamando minha atenção. — Tento ser.

Neste momento, ela abaixa um coringa e grita:

— Uno! Verde!

— Filha da mãe — diz ele, abaixando as cartas. — Desisto.

— Essa é a quinta vez seguida. — Ela parece triunfante.

— Pois é. Bom, não jogue gamão com ele — recomendo. — Acho que há vinte anos não o venço.

— Vocês se conhecem há vinte anos? — pergunta ela.

— Mais do que isso. Eu o conheço desde que éramos crianças. Mas só nos aproximamos na faculdade.

— Ah, entendo — diz ela, meneando a cabeça e estendendo o braço para colocar uma das mãos sobre a dele. Espero que ele deixe a mão ali um pouco antes de tirá-la. Em vez disso, Gabe vira a mão e entrelaça os dedos aos dela. Para Gabe, isso é uma exibição pública de afeto.

— E então? Onde vocês se conheceram? — pergunto, tentando me lembrar onde Gabe esteve na noite passada, sem sucesso.

— No Iberian Pig — responde ele. — Lembra? Estava lá para o aniversário de Dale.

— É mesmo — concordo, perguntando-me como ela e Gabe saíram do aniversário de Dale para um jogo de Uno no nosso jardim em menos de vinte e quatro horas. Como Gabe continua de mãos dadas com ela e com um sorriso tolo, tenho uma boa ideia do que aconteceu entre eles. — E então, Leslie? — Finjo ignorar a sensação de estar sobrando ao dar a volta nas cadeiras deles e me sentar no degrau mais alto. — O que você faz?

— Estou na faculdade. Na SCAD.

— Moda? — pergunto, olhando para suas alpargatas metálicas. Elas deixam os dedos à mostra, as unhas pintadas de azul-escuro.

Ela faz que não e responde:

— Não. Arte sequencial. Mas adoro moda.

— Ah — digo, meneando a cabeça e sorrindo.

— Você tem alguma ideia do que seja isso? — pergunta Gabe, repreendendo-me pela segunda vez.

Olho para ele, enquanto ela ri e diz:

— Não se preocupe. Ele também não sabia.

— Desculpe — digo. — Na verdade, não sei. O que é arte sequencial?

— Em termos gerais, é uma forma de arte que usa imagens para compor uma narrativa.

— Tipo histórias em quadrinhos?

— É. Se bem que essa não é a minha praia. Eu faço animação.

— Ah — digo, meneando a cabeça.

— Leslie acabou de ser contratada pela Pixar.

— Uau. Que legal.

— É. Acho que nós duas somos apaixonadas por crianças — diz ela. — Gabe me disse que você é professora.

— Sim. Sou professora da primeira série. — Eu me pergunto por que de repente sinto que meu trabalho é tão simplório. Lembro-me de que não há nada mais importante do que bons professores – exceto, talvez, por médicos. Mas até mesmo os médicos precisam de bons professores.

— Que incrível — comenta ela, um pouco empolgada demais, o que só aumenta minha insegurança.

— Obrigada. Amo meu trabalho... E onde fica a Pixar?

— Em Emeryville, Califórnia. Entre Oakland e Berkeley.

— Então você vai se mudar para lá? — pergunto, imaginando por que já quero que ela vá embora.

— Só no próximo verão. Depois de me formar.

Sorrio e faço que sim, esgotando rapidamente as perguntas.

— Certo. Bom. Vou deixá-los jogar a sexta partida — digo, apontando para as cartas, levantando-me e indo para a porta. — Boa sorte, Leslie. Estou torcendo por você.

Só revejo Gabe dois dias depois, quando nos encontramos na entrada da garagem. Estou a caminho da academia e ele está todo bem arrumado, ao menos para ele.

— Onde você esteve nos últimos dias?

— Na casa de Leslie — diz ele, colocando os óculos escuros.

— O que está acontecendo? Você já está apaixonado?

— Por favor. Eu a conheço há menos de uma semana.

— Certo. Mas você não acabou de passar três noites seguidas com ela? — pergunto, sem saber por que isso me irrita tanto, já que Gabe teve várias namoradas e casos nos últimos anos.

Ele ri e dá de ombros.

— *Meu Deus!* — digo, revirando os olhos. — Então você já fez sexo com ela?

— Não é da sua conta. — É uma resposta sem precedentes que significa não apenas "sim" mas também que ele realmente gosta dela. Em geral, ele me conta essas coisas.

— Qual a idade dela? Ou é uma informação ultrassecreta também?

— Vinte e seis.

— Vinte e *seis*?! — pergunto, se bem que tenho certeza de que a última namorada dele era ainda mais nova. — Deixe-me adivinhar: ela é muito madura para a idade?

— Bom, é mesmo. Ela é inteligente e talentosa e determinada também. Tem ideia do quanto é difícil conseguir um emprego na Pixar?

— Muito difícil?

— Muito — afirma ele.

Cruzo os braços.

— Que seja... Você percebe que ignorou minhas últimas três mensagens de texto?

— Não ignorei. Eu respondi.

— Não muito — digo, pensando que escrever apenas quatro palavras – *Ele é um perdedor* – em resposta à minha mensagem *Conversei com Will ao telefone* não só é insatisfatório como também um sinal claro de negligência. — Não quer saber o que Will tinha a dizer? — pergunto.

— O que ele tinha a dizer? — pergunta Gabe, agora olhando para o celular e escrevendo algo a alguém. Pela expressão dele, acho que é para Leslie.

— Deixe para lá — digo, bufando.

Gabe levanta a cabeça.

— Por que você está agindo assim?

— Só sinto que você não se importa — digo, a voz chorosa. — Não se importa com os problemas pelos quais estou passando.

— Será que perdi alguma coisa? Pelo que exatamente você está passando?

— Ah, nada de mais. Só estou lecionando para a filha do meu ex-namorado, não estou falando com minha família e estou planejando ter um bebê sozinha. Nada de mais.

— Josie. — Ele tira os óculos escuros para me encarar. — Você é um pé no saco, sabia?

— Sabia. Mas sou o *seu* pé no saco. E não se esqueça disso.

Capítulo dezesseis

MEREDITH

Preciso de uma sessão de emergência com Amy, na qual ela me diga que isso já se anunciava, e outras conversas com Ellen, antes de eu ter coragem para *planejar* conversar com Nolan. Não sei exatamente o que vou dizer ou onde vou dizer, só sei que tenho de dizer *alguma coisa*. Estabeleço um prazo para mim mesma, jurando que a conversa precisa acontecer no dia ou um pouco antes do nosso aniversário de sete anos de casamento.

Claro que depois de vários anos ignorando nosso aniversário ou no máximo saindo para jantar e trocando cartões, este é o ano em que Nolan decide que precisamos de um evento romântico.

— Não saímos sozinhos há anos — diz ele certa noite ao voltar de uma corrida, tirando os fones de ouvido e enxugando o suor na cozinha. Na minha lista de implicâncias esse gesto é algo menor, mas já disse a ele que gostaria que se limpasse do lado de fora – ou ao menos em outro lugar que não na cozinha.

— E quanto a Napa? — pergunto, tentando resistir ao macarrão com queijo que Harper não comeu inteiro, lembrando que as sobras não são isentas de calorias.

— É. Isso foi *há três anos* — diz ele, apoiando-se no balcão e alongando os braços. — E isso não conta... fomos lá para um casamento.

— Conta, *sim*. Harper não estava conosco. E ficamos alguns dias a mais — respondo, lembrando-me da viagem e de como foi bom estar lá com ele. Durante alguns segundos, fico em dúvida. Talvez a teoria de Ellen esteja certa – só estamos passando por um período conturbado e precisamos de tempo e de esforço para arrumarmos nosso casamento. Pergunto o que ele está pensando, tentando manter a mente aberta.

— Ah, sei lá. Algo na praia... mas talvez seja tarde demais para conseguir voos. — Ele franze a testa. — Desculpe por não ter pensado nisso antes.

— Tudo bem — digo, rapidamente o absolvendo. Eu me pergunto se ele se sente tão inquieto em relação ao nosso aniversário quanto eu, mas não quero perturbá-lo. — Sei que você anda muito ocupado no trabalho.

Nolan faz que sim e diz que vai tomar um banho rápido – depois podemos conversar.

Pensando que ele nunca tomou um banho rápido na vida, digo:

— Certo. Até daqui a uma hora.

Como previsto, cerca de uma hora mais tarde Nolan me encontra na lavanderia, dobrando toalhas.

— Que tal a Blackberry Farm? — pergunta ele, referindo-se ao caríssimo resort ao pé das Montanhas Fumegantes, no Tennessee.

— Caro demais.

— Ah, pare com isso. Não seja mão de vaca — diz Nolan. — Você não vai levar o dinheiro para o caixão.

— Sei que não vou levar o dinheiro para o caixão. Mas não seria bom deixar um pouco para Harper? — digo, lembrando que nossa primeira e única viagem a Blackberry, também para o casamento de um amigo, foi quando concebemos Harper. Tinha deixado de tomar pílula um mês antes, então não estávamos exatamente tentando – um fato que Josie às vezes menciona quando está listando todos os porquês de eu ser "a sortuda".

— Duas noites na Blackberry não vão nos falir. E ainda temos catorze anos para economizar para a faculdade de Harper.

Catorze *longos anos*, penso, mas só digo:

— Claro. Ligue para lá. Mas aposto como estão sem vagas.

Nolan balança a cabeça e, ao sair da lavanderia, ouço-o dizer:

— Mão de vaca. Pessimista.

No fim, a Blackberry tem um quarto disponível e é "nosso por apenas novecentos dólares a diária".

— Novecentos dólares? — pergunto. — Ou ienes?

— Rá. Os chalés são quase o dobro.

— Ah. Então é na verdade *uma pechincha*.

— Exatamente. Posso reservar?

— Não sei. — Hesito, com medo de ele se sentir ainda mais traído pelo que acho que vou lhe dizer se a conversa acontecer num quarto de novecentos dólares a diária na Blackberry Farm. Se bem que talvez isso amenize o golpe e nos lembre que, aconteça o que acontecer em nossa relação, vamos continuar cultivando a beleza em nossa vida – e sempre teremos uma história especial.

— Preciso de um sim ou não — diz ele. — O cara só vai segurar o quarto por dez minutos.

Suspiro e digo sim porque, como já aprendi, sim é geralmente a resposta mais fácil.

Uma semana depois, deixo Harper na casa da mamãe com só uma mochila de itens básicos e duas outras sacolas com brinquedos que Harper insiste que são necessários.

— Você vai passar um fim de semana ou um mês? — pergunta a mamãe, abaixando-se para beijar Harper.

Harper me olha à procura de uma resposta e eu digo:

— Só duas noites. Voltaremos na tarde de domingo.

— Bom, sem pressa. — A mamãe sorri. — Fico feliz por você e Nolan estarem fazendo uma coisa legal para o aniversário de casamento de vocês. É um lugar especial. — Ela pisca para mim.

— Afe. Mãe, pare — digo, revirando os olhos. Não me lembro de contar onde e como Harper foi concebida, mas é óbvio que em algum momento contei.

— O que foi? — Ela banca a desentendida. — Só quis dizer... Sei que vocês dois gostam de lá. Estou feliz por vocês saírem um pouco.

— Arrã — digo, depois dou instruções para o fim de semana, apesar de Harper dormir regularmente na casa da avó.

— Ela ainda é alérgica a canela? — pergunta a mamãe.

— Não é exatamente uma alergia. Só uma ligeira intolerância.

— Fico com coceira aqui — diz Harper, apontando para o lábio superior.

— Nolan a está transformando numa hipocondríaca — digo, baixinho.

— Certo, querida. Vamos evitar canela. Mais alguma coisa?

— Acho que não. *Você* tem mais alguma coisa a dizer?

— Teve notícias da Josie? — pergunta ela, mudando de assunto.

— Não. — Estou determinada a não entrar numa conversa sobre minha irmã. — Bom, é melhor eu ir. Nolan quer pegar a estrada antes do horário de pico.

— Claro. Claro. Pode ir — diz ela, ajeitando um catálogo imobiliário sobre a mesa da cozinha, uma casa de três milhões e meio no alto.

— Está consultando esse catálogo?

Ela faz que não com a cabeça.

— Não. Só estou mostrando. Cliente novo.

— Tem certeza de que posso deixá-la aqui neste fim de semana? — pergunto, sabendo que os fins de semana são os dias mais ocupados dela. — Porque a Ellen disse que podia ficar com ela...

— Não tem o *menor* problema. Pronto. Vá se divertir com seu marido.

— Certo. — Dou um beijo de adeus na minha filha, lutando contra uma onda de tristeza e ansiedade pela separação e tentando não imaginar uma vida de despedidas a cada duas semanas.

Depois que Nolan e eu deixamos o tráfego de Atlanta para trás, o caminho até o Tennessee é agradável e tranquilo. Poucos carros na estrada, o céu azul. Nem parece outono, as árvores ainda verdes e exuberantes, mas o calor passou e estou usando uma blusa leve pela primeira vez nesta temporada. Nolan está sempre de bom humor – mas está realmente animado hoje, e assobia, conversa e aumenta o volume de sua enérgica playlist de viagem.

Ele canta *Walking on Sunshine*, da Katrina and the Waves, e depois *Wake Me Up Before You Go-Go*, da Wham!, e é difícil não me sentir feliz.

Nosso plano é dirigir sem parar e chegar com fome, pois a culinária de Blackberry rivaliza com a vista das montanhas, mas depois de duas horas cedemos e paramos no Cracker Barrel – que Nolan adora tanto pela comida quanto pelo jogo de resta um e a lojinha de presentes.

Começo a pedir salada com frango grelhado, mas no último minuto copio o pedido de Nolan de misturas – essencialmente um pratão de amido e calorias vazias. Jogamos resta um, nos revezando até Nolan roubar um segundo tabuleiro de uma mesa próxima e começarmos a jogar paralelamente. Meu melhor resultado são quatro pinos restantes – enquanto ele consegue três, depois dois, com ar de vitória.

— Deveríamos fazer isso com mais frequência — diz ele depois que nossa comida chega.

Passo manteiga num biscoito já amanteigado e murmuro algo em concordância.

— Você precisa se afastar daquele escritório — diz ele.

— Pedir demissão? — pergunto, sentindo-me esperançosa.

Ele ri.

— Não, estou falando de tirar mais férias... fins de semana de folga... mas você *poderia* pedir demissão. Se quisesse.

Faço que não com a cabeça.

— Não. Precisamos do dinheiro. — Mordo o biscoito.

— Na verdade, não. Que parte de "empresa familiar bem-sucedida" você não entende?

— A parte que parece errada — digo, com um sorriso, apesar de não estar só brincando.

Ele sorri, mas parece um pouco ofendido.

— *Errada?* O que você quer dizer com isso? Parece que é dinheiro da máfia ou coisa assim.

— Certo. Esqueça "errada". É só que às vezes... queria que fôssemos mais independentes, Nolan. Seu dinheiro vem com amarras.

— *Nosso* dinheiro — diz ele. Ele adoça o chá e me pergunta, como sempre, por que não pediu o chá já adoçado. — E não há amarras. Gosto de trabalhar com meu pai.

Penso nas discussões que ele tem com o pai e começo a contradizê-lo, mas então concluo que, em geral, estou sendo injusta. Tenho muita sorte nessa coisa de sogros.

— Digo, olhe só para Ellen e Andy — diz Nolan. — Acha que eles poderiam ter aquela casa e o apartamento em Nova York com o salário dele e o trabalho dela como fotógrafa em meio período?

— Provavelmente não — respondo, sabendo, pela minha mãe, o quanto eles pagaram pela casa. E mais meio milhão, ao menos, pela reforma. E Nolan tem razão, Ellen não parece ter problemas com isso. A sogra às vezes a irrita, mas no geral ela adora os Grahams, feliz em fazer parte do clã. Talvez essa seja a diferença, acho. A comida de repente parece marinada em cola escolar.

— E nós moramos em *sua* antiga casa, que compramos sozinhos — continua Nolan. — E não há nada de errado com ela, mas está longe de ser... *luxuosa*.

Faço que sim, pensando que ele é quem sempre insiste que nunca podemos nos mudar, nunca podemos cortar aquele laço com Daniel. Depois de vários anos concordando com a mamãe e tratando o quarto dele como um museu, finalmente embalamos as coisas pessoais dele e compramos uma nova cama king size para substituir a cama de solteiro de Daniel. Agora o quarto é reservado aos hóspedes, mas raramente o usamos assim e geralmente nos referimos a ele como "o quarto de Daniel".

— De qualquer forma... a questão é... você não *precisa* trabalhar como advogada.

— Eu sei — digo, cedendo um pouco.

— Você parece tão triste lá... Qual o sentido disso?

Balanço a cabeça em concordância, pensando que é o começo perfeito de uma discussão séria, mas também me perguntando se o que *faço* não é um problema maior do que a pessoa *com a qual estou*. Afinal, se você não está feliz com sua vida, não pode estar feliz compartilhando-a com outra pessoa, não é? Parece algo que Amy diria. Na verdade, acho que ela *disse* mesmo isso.

— Tem razão — digo. — *Não estou* feliz.

Parece um grande passo, um progresso de alguma forma.

— Então peça demissão. Na segunda, a primeira coisa do dia. Eu a desafio.

A ideia é tão libertadora que não consigo deixar de sorrir.

— Talvez eu faça isso — respondo, sentindo que tiraram um peso dos meus ombros. Digo a mim mesma que não há homem mais solidário no mundo. Será que estava louca ao pensar que ele era o problema, quando era o trabalho vil e toda a pressão de cobrar, cobrar, *cobrar*? Penso no teatro e no quanto sinto falta disso – e penso em todas as outras possibilidades criativas, formas de passar o tempo e viver a vida.

Então, como um disco arranhado, o que Nolan diz em seguida é:

— Pense no assunto. Você pode ser uma dona de casa com toda a liberdade do mundo.

Olho para ele, séria, pensando que não há nenhuma *liberdade* em ficar em casa com Harper o dia inteiro, todos os dias. E que, por mais que eu odeie admitir, até para mim mesma, prefiro trabalhar como advogada do que ficar presa em casa em tempo integral.

— E então... — diz ele, abrindo um sorriso lento. Ouço um bater de tambor dramático na minha mente antes de ele concluir a frase exatamente como previa: — ... podemos ter outro bebê.

Meu coração se afunda, uma confirmação de que há algo de muito errado em nosso casamento e que preciso dizer a Nolan como me sinto. Quase aperto o gatilho aqui mesmo no Cracker Barrel, mas digo a mim mesma que precisamos voltar para a estrada. Também digo a mim mesma que Nolan precisa se concentrar na direção. Então, chegamos à Blackberry e nos ocupamos com as malas. Então Nolan quer correr e nós dois temos de tomar banho e nos aprontar para a noite. Então estamos no pátio interno, sentados em cadeiras de balanço, bebendo martínis orgânicos e vendo o sol se pôr por trás de montanhas tingidas de azul – um momento sereno demais para ser perturbado. Idem para nosso elegante jantar com cinco pratos no Barn, um restaurante premiado e romântico no resort. Então, de volta ao quarto, com as barrigas cheias de comida e vinho, estamos os dois empanturrados demais para continuarmos acordados, quanto mais para conversar seriamente.

Mas, na manhã seguinte, depois de acordar numa cama antiquada com dossel e demorar alguns segundos para entender onde estou e que dia é hoje, sei que chegou finalmente a hora, que não tenho mais desculpas. Viro-me e olho para Nolan, que abre os olhos.

— Bom dia — diz ele, a voz rouca por causa do sono.

— Bom dia. Feliz aniversário — respondo, apesar de ter a sensação de que não será um dia nem bom nem feliz.

— Feliz aniversário. — Ele boceja e se espreguiça. — Que horas são?

— Não sei. — Olho pela janela. A luz do sol entra pelas persianas fechadas, mas não está muito claro ainda.

Nolan se vira e pega o telefone no criado-mudo.

— Uau. São quase oito e meia — diz ele. — Dormi feito uma pedra.

— Eu também. Dormimos com as luzes acesas?

— Sim. Acordei por volta das duas e as desliguei. — Ele sorri. — Uau. Nada de despertador. Nada de Harper. Nenhum lugar para ir.

— Pois é — murmuro, sentindo-me tensa quando ele se aproxima de mim, uma das pernas sobre as cobertas e a outra ainda entrelaçada aos lençóis. Olho e vejo sua ereção matinal aparecendo pela abertura da cueca verde. Apesar de passar pela minha mente algo como *vá em frente*, por assim dizer, pigarreio e faço uma afirmação direta e ousada: — Precisamos conversar.

Nolan faz que sim, puxando-me para perto, olhando-me nos olhos. Se chegássemos mais perto um do outro, ficaríamos vesgos.

— Sobre o que você quer conversar? — pergunta ele.

Respiro fundo e digo:

— Lembra ontem, no Cracker Barrel? Quando você estava falando sobre eu pedir demissão e ter outro bebê?

— Sim — responde ele, parecendo tão esperançoso que considero rapidamente mudar o discurso. Dizer *qualquer coisa* para evitar magoá-lo. — Acha que é uma boa ideia?

Lentamente faço que não, a fronha lisa sob meu rosto.

— Não. Não acho.

— Ah — diz ele. Então, depois de uma pausa: — E não é o trabalho, não é?

— Não — digo mais uma vez, agora num sussurro.

— Somos nós, não é?

— Não sei. — Meu coração começa a bater mais forte.

— Sabe, sim — diz ele, calmamente. — Você *sempre* sabe.

Ele tem razão, ao menos desta vez, então respiro fundo e confesso:

— Sim. Acho que somos nós.

Como ele não responde, continuo, começando pelo começo.

— Lembra quando você me pediu em casamento? No banco de reservas do campo de beisebol?

— Claro. — Ele franze a testa.

Encolho-me, mas continuo:

— Não tinha ideia de que você me pediria em casamento — digo. Já disse isso antes, vária vezes, mas sempre querendo dizer que foi uma surpresa maravilhosa, e não um choque, no limite do medo. — Não estava preparada para aquilo... Quase disse não...

Ele faz uma careta e diz:

— Então por que não disse?

Respiro fundo novamente e me apoio no cotovelo, ainda o encarando.

— Por causa de Daniel — respondo, finalmente.

— O *quê?* — Ele se senta de repente e se encosta na cabeceira. — O que você quer dizer com isso?

Sento-me e o encaro, procurando pelas palavras certas, querendo ser honesta, mas também gentil.

— Só quero dizer... estávamos naquele campo, nós dois, sozinhos... Mas era como se Daniel estivesse lá com a gente... e só senti que... — Balanço a cabeça, a voz desaparecendo porque não há uma forma simples de dizer isso.

— Sentiu *o quê?*

— Senti que *deveria* dizer sim. Por causa de Daniel — repito, sabendo que estamos andando em círculos. — Em memória a ele.

— Opa, opa, opa — diz Nolan, levando as mãos à cabeça como se sua mente fosse explodir. — Está me dizendo que você se *casou* comigo porque seu irmão morreu num acidente de carro?

— Não foi isso que disse — balbucio, mas então percebo que ele parafraseou com perfeição minha resposta, reduzindo tudo à sua essência. Se Nolan tivesse me pedido em casamento enquanto meu irmão estava vivo, fazendo residência em algum lugar, ele provavelmente não teria me convencido. E eu não teria pensado em meus pais, que também influenciaram a decisão.

— Então, por favor, explique — diz ele, balançando a cabeça, incrédulo.

— Ah, Nolan — digo, na defensiva. — Você vai mesmo ficar aí sentado e me dizer que teria namorado comigo se Daniel não tivesse morrido?

Ele me olha com incredulidade.

— O que é que você quer dizer com isso? Acha que namorei você por *pena?*

— Não por pena. Mas... — Olho para o teto, tentando articular algo que sempre achei verdadeiro.

— Mas o *quê*, Meredith?

— Só acho que ficamos juntos por causa de Daniel.

— O que *significa* isso? "Por causa de Daniel, por causa de Daniel" — diz ele, imitando-me, a voz mais alta. — Você continua dizendo isso, mas não tenho ideia do que significa!

— *Tem*, sim! — digo, aumentando o tom de voz também.

— Não! Não tenho *mesmo*.

Engulo em seco, respiro e tento me acalmar antes de explicar.

— Bom. Para começo de conversa, você não teria jogado golfe com meu pai no dia em que me pegou no aeroporto... nem teria me convidado para sair... nem teria dormido comigo na noite seguinte... nem teria ido me visitar uma semana depois... Nada disso teria acontecido se Daniel estivesse vivo.

— Mas, Meredith, isso são apenas... *circunstâncias*. É como dizer que um casal que se conheceu num bar não teria ficado junto se um deles não tivesse entrado no bar.

Faço que não com a cabeça.

— Não. Não é a mesma coisa. — Escondo o rosto nas mãos e recupero o fôlego antes de voltar a encará-lo. — Acho que nós dois estávamos procurando por um sentido.

— Ah, meu Deus, Meredith. É a Amy falando? Ou você?

— As duas. Disse isso primeiro, mas ela concorda comigo... Você me pediu em casamento e eu disse sim porque nós dois queríamos tirar algo de bom de uma tragédia horrível. O melhor amigo de Daniel se casa com a irmã dele. Um final feliz jamais acontecerá, não com a morte dele... Mas isso é o mais perto que podemos chegar...

— Isso é *bobagem* — diz ele, interrompendo-me, jogando as cobertas para o lado, saindo da cama e entrando no banheiro.

Ele bate a porta, mas ainda o ouço fazendo xixi, soltando a descarga e lavando as mãos. Um longo minuto mais tarde, ele surge, usando roupas de corrida. A gola da camiseta está molhada, assim como os cabelos, e sei que ele jogou água no rosto avermelhado.

Ele me olha por vários segundos, segurando-se no dossel, e diz:

— Eu a pedi em casamento porque a amava. — Fala numa voz grave e calma, mas trêmula. — Não porque Daniel morreu.

— Tudo bem — respondo, meneando a cabeça. — Sinto muito. Não queria magoá-lo.

— Bom, essa estratégia não está funcionando — diz ele, com as mãos ao lado do corpo. A princípio, acho que se refere ao estado atual, mas então Nolan esclarece. — Ninguém aceita se casar porque acha que dizer não vai magoar a outra pessoa.

Tento interrompê-lo, mas ele continua:

— E ninguém aceita porque tem uma história trágica em comum com a outra pessoa. Na verdade, a maioria das pessoas que compartilham uma história trágica se separam. Olhe só para seus pais.

— Eu sei, Nolan. Sinto muito. Só achei que deveria lhe dizer... Achei que você deveria saber...

— Certo, Meredith. Bom, agora eu sei — diz ele. — E o que devo fazer com essa informação? Mais de sete anos depois? O que *você* quer?

— Quero... Daniel de volta — termino, de repente me odiando mais do que Nolan jamais poderia me odiar.

Ele joga as mãos para o alto, enojado.

— Bom, não podemos ter isso, Meredith. Então, além de uma ressurreição ou... voltar a 2001 numa máquina do tempo, o que você quer?

— Quero resolver isso — digo, a mais dócil possível.

— Como?! — grita ele.

— Não sei. — Eu me encolho. — Por favor, pare de gritar comigo.

Ele sopra nas mãos como se as estivesse aquecendo num dia frio, antes de se virar, ir até uma otomana e se sentar para calçar as meias e os tênis de corrida.

— Aonde você vai?

— Correr.

— Posso ir junto?

Ele me olha.

— Porque você *quer*? Ou porque acha que *deveria*? — Ele estreita os olhos. — Ou porque acha que eu *quero* que você venha?

— Porque *quero* — digo, mas percebo minha voz entoando uma dúvida.

Nolan percebe também, pois se levanta, balança a cabeça e diz:

— Na verdade, Meredith, acho que *eu* quero ficar sozinho por um tempo.

Capítulo dezessete

JOSIE

Depois do nosso segundo encontro/não encontro, Pete e eu trocamos mensagens e conversamos diariamente, às vezes mais de uma vez. Durante um diálogo cheio de insinuações de madrugada (durante o qual ele, brincando, se ofereceu para me engravidar "à moda antiga"), passa pela minha cabeça que talvez haja potencial romântico entre nós. Mas, em geral, a interação permanece platônica – e continuo concentrada no meu objetivo, determinada a não perder mais tempo com indecisões e procrastinações, procurando desculpas para não seguir com meu plano, seja usando o esperma de Pete ou de um doador anônimo.

Em certos momentos, o processo todo me lembra da adoção de Revis. Primeiro, tive de decidir que realmente queria um cachorro – *qualquer* cachorro – e que os prós eram maiores do que os contras. Depois tive de escolher meu cachorro *mesmo*. Durante meses, pesquisei incansavelmente raças e reprodutores, também sempre encontrando imagens de filhotes abandonados em vários websites. Viajei por toda a Geórgia, visitando abrigos, e frequentei a Sociedade Protetora dos Animais na Howell Mill Road a tal ponto que me tornei uma voluntária de fato. Por fim, desisti de uma raça pura, sentindo-me levada a resgatar um bichinho, e depois eliminei todos os filhotinhos ao descobrir que era muito mais fácil para eles encontrarem lares do que os cães adultos. Mas ainda assim fiquei paralisada pela indecisão, pela relutância e por dúvidas intermináveis, sempre me atendo aos defeitos específicos de alguns cachorros. Alguns latiam demais, outros soltavam pelo demais; muitos simplesmente tinham uma raça agressiva no sangue – como pitbull ou Rottweiler. (Odiava ter preconceito contra uma raça, mas minha irmã estava inflexível quanto aos riscos a Harper, e acabei concordando com ela.)

Então, um dia depois do trabalho, decidi que era hora de agir. Fui até a Sociedade Protetora dos Animais, entrei na ala dos cachorros adultos e de grande porte (sempre menos cheia do que as alas dos cachorros menores e filhotes) e vi Revis, recém-chegado, olhando adoravelmente para mim do canto do canil. Uma mistura de labrador e collie de três anos, ele era maior do que originalmente queria, com pelos pretos fofos que sabia que seriam espalhados por todos os lugares, principalmente no meu quarto todo branco. Dois problemas. Daí li a história dele, numa placa presa ao canil, sobre como o antigo dono o abandonara, incapaz de lidar com a "ansiedade da separação" de Revis – que, eu sabia, era uma bela forma de dizer que ele destruía tudo quando sozinho. Terceiro problema.

Quase segui em frente, rumo a uma beagle-retriever toda torta, mas boazinha, chamada Betty, também recém-chegada. Mas algo me fez parar e me ajoelhar diante de Revis.

— Venha cá, garoto — chamei, baixinho. — Venha cá, Revis.

Revis me olhou, desconfiado, antes de se levantar balançando o rabo peludo e vir em minha direção. Ele apertou o focinho rosado e preto contra o vidro, olhando-me nos olhos.

Pouco depois, peguei a chave do canil e o deixei me guiar pelo pátio do lado de fora do abrigo. Ele era atento, alerta e bom na coleira, e, ao nos sentarmos à sombra, conhecendo um ao outro em silêncio, sussurrei na orelha tombada dele:

— Ei, cara. Você é meu cachorro? — Revis olhou para mim, bem nos meus olhos, e juro que ele sorriu e fez que sim. Fui conquistada.

Claro que, mesmo depois disso, quando me convenci de que ele era o cachorro certo para mim, ainda levei dez dias, duas visitas e um encontro entre Revis e Gabe (depois do qual Gabe vetou o cachorro, preocupado com a descrição da "ansiedade da separação") até finalmente pagar a taxa, assinar os papeis, ignorar o veto de Gabe e oficializar a adoção. Isso foi há três anos e, apesar de Revis às vezes ser bem chato, nunca, nem por alto, questionei minha decisão de adotá-lo, resgatá-lo, torná-lo meu.

Quando levo essa comparação a Gabe, certa noite, ele tira os olhos do livro que está lendo.

— Está comparando ter um bebê a adotar um cachorro?

— Não, estou comparando Pete e Revis. — Sento-me na cadeira diante dele.

Gabe fecha o livro, marcando a página com o dedo.

— Olhe, Josie. Não me faça dar uma de Meredith.

Ajeito-me na cadeira e lhe lanço um olhar melancólico.

— Só quis dizer que... *tenho* de fazer uma escolha. Tenho de *fazer* isso de uma vez. E, quanto mais olho as ofertas, mais confusa a situação fica. E talvez eu simplesmente deva aceitar Pete...

— *Ofertas?* — pergunta ele, jogando o livro na mesinha de centro. — Sabe o que isso parece?

— Que estou fazendo compras. Pesquisa. É a mesma coisa. É como o Petfinder ou Match, por mais que você tente disfarçar, estou *comprando* esperma. Escolhendo, assim como as pessoas escolhem cachorros ou parceiros.

Gabe faz que sim, rendendo-se ao argumento de uma forma que me faz sentir vitoriosa. Mas depois diz:

— Certo. Talvez... mas ainda acho que esse Pete é uma ideia horrível, na melhor das hipóteses.

— E na pior?

— Uma ideia muito, *muito* horrível.

— Está vendo? — Eu rio. — Você achava que Revis era uma ideia muito, muito horrível também.

Deitado no chão entre nós dois, Revis ouve o nome e me olha sem erguer a cabeça.

— Ele *foi* uma ideia horrível — diz Gabe, apontando para a perna da mesinha de centro que Revis recentemente mordeu durante uma tempestade. Gabe tentou lixá-la e esconder as marcas com uma canetinha marrom, mas os tons não combinam.

— Mas você o ama — digo.

Gabe arqueia as sobrancelhas para Revis e balança a cabeça, tendo aprendido a não se deixar levar pelo meu estilo sinuoso de argumentação.

— Certo. Mas você está mesmo comparando o pai do seu filho com um vira-lata que você adotou na Sociedade Protetora dos Animais?

Eu o encaro, percebendo o concurso para ver quem cede primeiro. Vários segundos mais tarde, Gabe pisca antes e digo:

— Você ao menos pode conhecê-lo? Amanhã à noite? Vou convidá-lo para jantar.

— Está tentando me fazer cozinhar? — Ele estreita os olhos.

— Talvez. Mas também podemos pedir pizza.

— Tenho planos com Leslie.

— Ela pode conhecê-lo também.

— Então agora você vai fazer uma pesquisa de opinião?

— Não, não vou fazer uma *pesquisa de opinião*. Não me importo com o que Leslie pensa — digo, já cansada de ouvir o nome dela, ao menos da forma que ele menciona, com tanta reverência. — Quero *sua* opinião como meu melhor amigo.

Ele cruza os braços e respira fundo, mas sei que o convenci com essa última frase.

— Pete sabe que vai ser entrevistado?

— Entrevistado? Não. Porque ele não será entrevistado. Se ele sabe que quero que ele conheça meu melhor amigo? Sabe e quer conhecê-lo também.

— Por quê? Porque ele gosta de você? Ou porque está cogitando a sério lhe doar esperma?

— As opções são mutuamente excludentes?

— Deveriam ser.

— Certo. A última opção, então. Na verdade, tudo isso foi ideia dele.

— Isso se chama "quero dormir com ela", querida.

— Não. Não é isso. Não faríamos sexo... Usaríamos os canais apropriados...

Fazemos outra disputa de olhares e desta vez Gabe vence.

— Então, se ele aleatoriamente doasse a um banco de esperma... está me dizendo que o suquinho dele seria sua primeira escolha?

— Por favor, não chame de "suquinho" — digo, toda arrepiada.

— Certo. A *semente* dele. A *semente sagrada* dele.

— Sim. Na verdade, acho que sim. É por isso que quero que você o conheça... Você leu os textos, então, qual a diferença?

— Há uma enorme diferença. Mas tudo bem. Vou interrogar o cara para você.

Na noite seguinte, Leslie e Pete chegam na mesma hora e estão se apresentando mutuamente quando abro a porta. Ambos estão vestidos com simplicidade, com calça jeans e camiseta, mas Leslie está usando sandálias de salto alto e seus cabelos parecem estranhamente lisos.

— Oi! Entrem! — digo, realmente feliz por ver Pete e só um pouco irritada com a presença de Leslie.

Pete dá um sorrisinho, seguido por um amigável abraço com apenas um dos braços.

— Obrigado pelo convite.

— É, obrigada — diz Leslie, entregando-me uma garrafa de vinho tinto com um rótulo estiloso à la Andy Warhol. — Este vai combinar com a pizza, não é? Gabe disse que vamos comer pizza.

— Sim, vamos mesmo. E, sim, qualquer coisa vai bem com pizza.

Sorrio e ela retribui o sorriso, mas há algo na expressão dela que parece falso. É quase como se ela achasse que está me fazendo um favor participando da noite – o que acho que, de certo modo, *está*. Mas acho que não tem o direito de se sentir assim, porque ainda está no período de teste.

— Seus cabelos estão lindos, Leslie — comento, e Gabe chega à porta atrás de mim.

— Obrigada — responde ela numa voz tão desinteressada que decido constrangê-la diante do novo namorado.

— Você fez alisamento? — pergunto casualmente.

A pergunta a pega desprevenida e ela hesita antes de murmurar que sim, simplesmente não quis fazer chapinha em casa, por isso passou no salão Drybar.

Sentindo-me um pouquinho culpada por violar ao menos uma nota de rodapé no código de lealdade das mulheres, sorrio e digo:

— Ah, sim. É horrível fazer isso com essa umidade.

Ela concorda com um murmúrio e olha por sobre meu ombro, o rosto se enchendo de alegria quando Gabe se aproxima para beijá-la na boca, fazendo aquele nojento som *hmmm*, como Aidan costumava fazer em *Sex and the City* sempre que beijava Carrie. Seus rostos se separam e ele a abraça pela cintura, enquanto faço uma anotação mental de lhe dizer para nunca mais fazer aquele barulho novamente, a não ser que esteja comendo um bolo de chocolate absurdamente bom, e talvez nem assim.

— Pete. Este é o Gabe. Meu melhor amigo *no mundo* — digo, tanto para Leslie quanto para Pete. Eles se cumprimentam enquanto continuo a apresentação. — E, Gabe, este é o Pete. — Paro e acrescento: — Meu amigo mais novo, e potencial doador de esperma.

Todos me olham com a mesma expressão idêntica de surpresa, o que me causa um prazer secreto.

— Ela gosta de chocar todo mundo — diz Gabe para Pete.

— Estou vendo — responde Pete, rindo, enquanto Gabe se vira, agora de mãos dadas com Leslie, e nos leva à cozinha, onde está preparando uma entrada simples de tortilla e guacamole feito em casa.

— Alguém quer margaritas? — pergunta ele.

Todos dizemos que sim.

— Sal?

Pete e eu aceitamos, e Leslie diz que não, o que considero um tanto quanto previsível e irritante. Vemos Gabe passar um limão na borda de três copos. Então, passa os copos de cabeça para baixo numa camada de sal marinho e serve a bebida de uma jarra com precisão de bartender.

— Sirvam-se — diz ele com um floreio.

Cada um de nós pega um copo, murmurando um agradecimento, e alerto Pete e Leslie do perigo da receita de Gabe.

— Isso é praticamente tequila pura. Com um pouco de limonada.

Gabe me lança uma piscadela (o que só o vi fazer duas vezes antes), então ergue o copo à altura dos olhos, a expressão séria ao propor um brinde inesperado (Gabe faz brindes com a mesma frequência com que pisca para os outros).

— Aos novos relacionamentos — diz ele. — E a tudo o que pode estar esperando por nós.

Brindamos e reviro os olhos. Gabe dá de ombros para mim.

— Então — ele se vira para Pete —, Josie disse que você é de Wisconsin?

Pete faz que sim e tem início uma conversa leve sobre o Meio-Oeste, especificamente sobre camping e esqui, duas paixões que eles têm em comum. Isso, por sua vez, leva a uma conversa sobre faculdade, trabalho e até política (Gabe e Pete são autoproclamados libertários). Leslie e eu nos intrometemos às vezes, enquanto tento lhe fazer perguntas paralelas, e tento deixar Pete e Gabe se conhecerem ao máximo. Quando terminamos nossas margaritas, dá para ver que eles realmente gostam um do outro. Ao menos, dá para ver que Gabe gosta de Pete, que é o que me importa.

— Vocês dois são muito parecidos — noto sem tanta sutileza durante uma pausa. — Sabia que vocês se entenderiam.

Os dois meneiam a cabeça e sorriem, e Gabe fala:

— Estranho.

— Não é estranho. Só estou feliz por vocês gostarem um do outro. Só isso.

— Se você está feliz, *nós* estamos felizes, certo, Pete? — diz Gabe.

— Ah, ela é uma dessas? — pergunta Pete, as sobrancelhas arqueadas. — Se ela não está feliz, ninguém pode estar feliz?

— Ah, é. — Gabe meneia a cabeça, concordando. — Ela é *exatamente* assim.

— Não sou, não — protesto, mas sei que sou.

Nesse momento, percebo Leslie me olhando criticamente de cima a baixo. Talvez seja coisa da minha cabeça, mas tenho a sensação de que é difícil para ela eu ser o centro das atenções – ao menos da atenção de Gabe – e de repente me sinto um tanto quanto tímida. Então mudo de assunto, abro nossa gaveta de tralhas, pego um baralho e embaralho.

— Querem jogar buraco? — pergunto, olhando primeiro para Pete.

— Claro — diz ele. — Mas tenho que alertá-los: sou *muito* bom.

— Bom do tipo que sabe contar as cartas? — pergunto.

— Sim. — Ele me encara. — Bom assim. — Então, vira-se para Gabe e diz: — Ela só quer testar minha inteligência. Na outra noite ela chegou a fazer um questionário no jantar. De *fritar o cérebro*.

— Que é que tem? Quero uma criança inteligente.

— Pois é — diz Gabe. — Ela quer melhorar a genética da família.

— Sou parecida com alguém — comento, uma piada interna.

Gabe ri e diz:

— É, eu sei. Esse é o problema. Você é *mesmo* parecida com alguém.

Dou-lhe um soquinho e me viro para Leslie, perguntando se ela joga baralho.

— Além de Uno?

Ela hesita, cruzando os braços sobre o peito liso, e diz:

— Um pouco. Mas nunca joguei buraco.

— Podemos ensinar.

— Se quiserem... — Leslie olha para Gabe, como se transmitindo uma mensagem telepática.

— Não. Não estou a fim de baralho. Vamos só conversar — diz ele, habilmente interpretando o olhar dela, o que quer dizer que *ela* não está a fim de baralho.

— Certo. — Dou de ombros. — Foi só uma sugestão.

Gabe limpa a garganta e diz:

— Talvez devêssemos pedir a pizza agora?

— Claro. — Pego o telefone. — Vou pedir na Blue Moon. Do que é que todo mundo gosta? Calabresa com cogumelo? — Olho para Pete, lembrando-me carinhosamente da focaccia do nosso primeiro encontro.

— Para mim está bom — responde ele.

— Leslie é vegetariana — diz Gabe.

— É mesmo? — pergunto, sorrindo-lhe sem mostrar os dentes.

— Sim — responde ela, empinando um pouco o nariz.

Aqui vamos nós, penso, jogando-lhe uma pergunta maliciosa que ela pode rebater do alto de sua plataforma.

— Por causa da saúde ou dos direitos dos animais?

— As duas coisas.

— Hmm. Então tenho um doador de esperma para você — digo, pensando em Glenn S, o ativista dos direitos dos animais. — Se um dia você acabar precisando de algum.

Ela dá seu sorriso arrogante de vinte e poucos anos e diz:

— Obrigada. Mas acho que isso não será necessário.

Mais tarde naquela noite, depois que as duas pizzas chegam (uma de calabresa com cogumelos e a outra vegetariana sem glúten) e Gabe, Pete e eu comemos três fatias e Leslie, uma, menos a crosta, me vejo pensando qual é meu problema com ela. Tenho inveja de seu rosto novinho e sem rugas e da fertilidade exuberante? Ou estou defendendo meu território em torno de Gabe, apegando-me, egoísta, ao status quo, querendo manter meu melhor amigo só para mim mesma, pincipalmente levando em conta que estou embarcando numa aventura assustadora?

À medida que a noite avança, tenho a sensação de que minha irritação tem mais a ver com a própria Leslie – algo que não sei identificar direito, mas que simplesmente não gosto nela. Não é nada do que ela diz ou faz; é mais o que *não* diz ou faz. Ela responde todas as minhas perguntas, seja sobre quantos irmãos tem (uma irmã) ou onde fez o curso preparatório (Tufts) ou onde foi criada (Alexandria, Virgínia), mas nunca me pergunta nada. Em vez disso, fica ali sentada, com seu ar de artista arrogante. Para ser justa, talvez Gabe já tenha contado a ela tudo sobre mim. Mas acho que isso não a inocenta completamente.

— Então — diz Gabe depois que faço outra referência a doadores de esperma. — Vocês estão falando sério sobre isso?

Olho para Pete, que olha para mim e sorri. Sorrio também e digo:

— Estou.

— Eu também — diz Pete. — Mas a decisão é da Josie. Tenho certeza de que ela pode encontrar algo melhor.

Sorrio mais, pensando que essa resposta é generosa e humilde.

— Então, como isso funciona? — pergunta Gabe. — Digo, não mecanicamente falando... mas, você entendeu, como a *coisa toda* funciona?

— Ainda não fomos tão longe assim — responde Pete. — Mas isso seria decisão de Josie também.

— *Tudo* é decisão da Josie? — pergunta Gabe com um quê de ceticismo, de repente parecendo um pai a entrevistar um novo namorado.

Prendo a respiração, esperando a resposta de Pete e percebendo o quanto quero que ele passe no teste.

— Não estou dizendo que *tudo* é decisão dela.

Gabe arqueia a sobrancelha e meio que espero que ele grite *arrá!* Mas em vez disso ele espera que Pete cruze as pernas contemplativamente e continue:

— Acho que o que estou dizendo é... não estou oferecendo *tudo*. Só... meu esperma. — Ele solta uma gargalhada nervosa.

Gabe não sorri, e não sei se ele está desaprovando ou só está preocupado.

— Então não... apoio financeiro, por exemplo?

— Correto — diz Pete. — Mas posso ajudar aqui e ali. Realmente não sei... Não resolvemos todas as coisas ainda... mas não seria tradicional. Eu não seria o *pai* do bebê...

— Não? — pergunta Gabe.

— Digo, eu seria o pai biológico... mas não o pai-pai.

— E se ela engravidar e nunca mais quiser vê-lo?

— Discutimos isso...

— E?

— E eu entenderia.

Gabe o encara por uns segundos e diz:

— Então, o que você ganha com isso?

— Preciso ganhar alguma coisa?

— Acho que não. — Gabe dá de ombros. — Mas as pessoas geralmente agem levando em conta o próprio interesse.

— Sim, mas nem sempre... Você não doa sangue?

— Sangue e esperma são bem diferentes, não acha? — pergunta Gabe.

Intervenho, sentindo que devo defender Pete.

— Gabe. Você disse justamente o contrário há algumas semanas. Você comparou isso à doação de órgãos. Lembra?

— Lembro. E *você* disse que não era a mesma coisa. Lembra?

Começo a responder, mas ele segue adiante:

— Além do mais, isso não tem a ver com o que eu penso. Tem a ver com o que Pete pensa. Estou tentando entender como *ele* se sente. — Gabe engole em seco, parecendo ainda tenso ao se voltar para Pete. — Então. Descreva sua situação ideal.

— Minha situação ideal... — começa Pete, mas para. — Vamos ver... minha situação ideal...

— Você o está deixando constrangido — digo, esperando que Pete se levante e vá embora. Por que ele enfrentaria um interrogatório?

Pete faz que não com a cabeça.

— Não, tudo bem. Só estou pensando. — Ele tenta mais uma vez. — Minha situação ideal é doar meu esperma... e Josie engravidar... e dar à luz um bebê lindo e saudável... Filho *dela*... Mas...

— Mas o quê? — pergunta Gabe, insistente.

— Mas talvez ela me permita participar de alguma forma limitada.

— Defina "limitada".

— Não sei. Um passeio por ano. Talvez um jogo dos Braves por ano...

— Você torce para os Braves? — pergunta Gabe, como se isso fosse relevante.

— Não. Brewers. Mas, como acho que viagens estão fora de questão, aceitaria um jogo dos Braves. — Pete sorri.

— E se você levar seu filho ao jogo dos Braves... e se apegar? — retorque Gabe.

— Provavelmente vai acontecer.

— E? Não vê isso como problema?

— Gabe — digo, finalmente ficando um pouco irritada. — Por que você está tentando convencê-lo a não me ajudar?

— Não estou.

— Tudo bem — diz Pete, calmamente. — Isso na verdade é útil. Continue.

— Certo. — Gabe meneia a cabeça e respira fundo. — Bom, dei uma pesquisada.

Eu lhe lanço um olhar de reprovação, perguntando-me por que ele não me contou sobre essa pesquisa antes.

— E, mesmo que vocês tenham um documento, o tribunal pode anulá-lo. O que significa — pausa dramática — que há a possibilidade de Josie processá-lo e pedir pensão. — Gabe aponta para mim, mas continua olhando para Pete. — E há a chance de *você* a processar para ter a paternidade reconhecida. E até mesmo pedir guarda compartilhada. — Ele me lança um olhar severo agora.

— Eu não faria isso — digo, quase furiosa agora.

— Nem eu — diz Pete.

— Mas vocês dois *poderiam*. Acontece. É um risco.

— Não se usarmos um médico licenciado — argumenta Pete. — Nesses casos, os acordos são quase sempre mantidos.

Olho para ele, surpresa, e ele me abre um sorrisinho contido, mas adorável.

— Dei uma pesquisada também.

Sorrio para ele, emocionada.

— Deu?

— Dei. — Ele meneia a cabeça.

Por um segundo, esqueço que Gabe e Leslie estão na cozinha até Gabe limpar a garganta e começar seus argumentos finais:

— Olhe, pessoal. Tenho que ser honesto, não acho que seja uma boa ideia. De jeito nenhum.

— Bom, eu acho — Leslie de repente se intromete, algo totalmente inesperado.

Todos olham para ela, que continua:

— Josie quer um bebê. E Pete quer ajudá-la. Então, por que não?

As palavras parecem gentis, mas a linguagem corporal, a voz e toda a conduta estão carregadas. Ela se ajeita no sofá, apoia a cabeça no ombro de Gabe e boceja, cansada e claramente preparada para ver a conversa encerrada.

Pete a ignora, dirigindo sua resposta a Gabe.

— Obviamente temos de pensar melhor nisso. Há muito o que discutir. E teríamos de conversar com profissionais desse ramo. Um médico *e* provavelmente um advogado. — Sua voz é firme, forte e sensata. — O mais adequado, acho, é doar o esperma e desaparecer. Isso provavelmente seria o melhor para todos os envolvidos.

Sinto uma onda de decepção antes de ele acrescentar o *mas*. Espero, ansiosa, sem saber direito pelo quê.

— Mas Josie e eu podemos estabelecer nossas próprias regras. — Ele me olha nos olhos com uma ternura que me faz perder o ar. — Certo, Josie?

— Certo, Pete — respondo com um grande sorriso, sentindo-me quase tão sortuda quanto uma menina apaixonada.

Na manhã seguinte, enquanto estou ainda na cama navegando no Instagram, Gabe volta depois de passar a noite na casa de Leslie e bate na minha porta.

— Entre. — Deixo o celular de lado e me sento.

Ele abre a porta, todo desgrenhado e cansado, mas muito animado.

— É uma ideia péssima, horrível, nada boa, muito ruim mesmo — diz ele, fazendo referência ao meu livro infantil preferido, que mantenho no meu criado-mudo, com um *Harold and the Purple Crayon* e *The Five Chinese Brothers*.

Banco a desentendida e digo calmamente:

— O quê?

— Essa coisa com Pete. É um desastre completamente esperando para acontecer. — Ele olha em volta, desconfiado, e diz: — Ele passou a noite aqui?

— Não! — digo, perplexa. — Claro que não.

— Arrã. — Ele cruza os braços.

— Não passou! Meu Deus. Qual é o seu problema?

— É um desastre — repete ele.

— Você não gosta dele?

— *Gosto* dele. — Gabe senta-se ao pé da cama. — Mas essa é uma das suas piores ideias de todos os tempos.

— Por que você diz isso?

— Porque é — diz ele, e então começa a enumerar todas as coisas que podem dar errado, várias delas já mencionadas na noite passada. Ele pode se apegar demais e pedir custódia parcial. Meu marido pode se ressentir dele. A esposa dele pode me odiar. Posso acabar com os meios-irmãos do meu filho morando na cidade. Finalmente o interrompo, durante a descrição de uma hipótese exagerada da minha filha sofrendo por não saber quem deve levá-la ao altar. — Ela não consegue se decidir entre o pai doador do esperma e o homem com quem você se casou...

— Mas *eu* nem sou casada e você já está casando *minha filha?* — digo. Então, antes que ele continue, acrescento: — Há sempre riscos nos relacionamentos. Olhe só para você e Leslie. Você pode tê-la engravidado na noite passada. E daí?

— Antes de mais nada, não *poderia* tê-la engravidado na noite passada. Porque não fizemos sexo.

— Ah, claro. — Penso no som nojento que ele fez ao beijá-la. — Vocês não pararam de se tocar a noite toda.

— Bom. Se você quer saber, brigamos pela primeira vez na noite passada.

— Sinto muito por isso — respondo, resistindo à vontade de perguntar por quê. Então digo: — Mas, em algum momento, você *poderia* engravidá-la, ou acabar se casando com ela, e só depois perceber que ela é *muito chata*. — Pronuncio a última palavra com todo o veneno do mundo.

— Isso é completamente diferente — diz ele. Noto suas olheiras e uma enorme espinha nascendo na testa. — E você sabe.

— Bom, *toda* situação é diferente.

— Pois é. E essa é uma situação muito, *muuuuito* confusa e complicada e cheia de perigos e obstáculos. Se tivesse direito a vetar uma coisa em sua vida, seria isso.

Imagino o narizinho empinado de Leslie e pergunto se teria um veto na vida dele também.

— E sabe qual é o maior problema disso? — pergunta ele, ignorando minha pergunta. — No oceano dos problemas muito grandes?

— Qual? — pergunto, correndo o risco.

— O cara *gosta* de você.

Olho para ele, confusa, e ele esclarece.

— Pete.

— Sei quem é o cara. Mas não estou entendendo. Claro que ele gosta de mim. Ele não faria isso por mim se não gostasse.

Gabe balança a cabeça.

— Não. Ele *gosta* de você. Não só como amigo. Mais do que alguém que diz "oi, me deixe dar meu esperma para você". Ele quer dormir com você. Namorar você. Talvez se casar com você.

— Você está louco! — Rio e jogo um travesseiro nele. — Ele não quer, *não*.

Ele bate no travesseiro no ar e ficamos vendo-o pousar no chão.

— Sou um homem — diz ele, com uma certeza calma. — Eu percebo. Eu sei. E juro: isso seria um desastre completo. Tipo... o maior desastre que você jamais causou. O que não é pouco.

Ele abaixa a cabeça assim que diz isso.

— Você sabe o que estou querendo dizer — diz Gabe, parecendo culpado.

— Sei — respondo, arrasada, reconhecendo que nós dois sabemos muito bem que sempre haverá um desastre muito pior e mais sombrio no meu passado.

Capítulo dezoito

MEREDITH

Bem ao estilo Nolan de ignorar o assunto, ele volta da corrida várias horas mais tarde (depois que chorei e tomei banho e me vesti e chorei mais um pouco) e me diz que acha que deveríamos simplesmente aproveitar o fim de semana. A covarde em mim se sente aliviada, mas ao mesmo tempo estou incrédula, frustrada e com medo de que nada mude – no meu coração, no nosso casamento e na vida.

E essa sensação aumenta quando, naquela noite, trocamos cartões de aniversário, temos outro jantar demorado e romântico e voltamos para nosso quarto, onde relutantemente dou início a um sexo culpado e cheio de ressentimento.

Durante o sexo, tento não pensar em nada, o que me faz perceber o quanto sexo é algo mental. Em outras palavras, é praticamente impossível fazer dele um ato puramente físico. Sempre é mais do que isso.

Depois Nolan me envolve com seu corpo e diz:

— Você...?

— Não percebeu? — murmuro.

— Só confirmando — sussurra ele.

— Pois é. Sim.

— Que bom. — Ele me abraça com mais força. Seus braços são fortes, quentes e confortáveis, e a sensação que toma conta de mim é uma contradição em relação a tudo que lhe disse pela manhã.

Beijo-o no braço, a única coisa que alcanço, e digo:

— Desculpe, Nolan. Por mais cedo.

Então, justamente quando estou prestes a recuar, ele me pede silêncio e diz:

— Só vamos dormir, Mere.

Fecho os olhos, decidindo que, por enquanto, prefiro duvidar de mim mesma a duvidar do meu casamento.

Na manhã seguinte, pouco depois do café da manhã, voltamos a Atlanta, indo diretamente para a casa da minha mãe, a fim de pegarmos Harper. Passaram-se menos de quarenta e oito horas desde que a deixamos ali, mas sinto que foi muito mais, e vejo que Nolan sente tanta saudade dela quanto eu, os dois praticamente correndo para dentro da casa. Ele a pega primeiro, tirando-a da cadeira para lhe dar um abraço. Fico ao lado deles, esperando pela minha vez ao sentir o cheiro de morango de seu brilho labial. Mas, antes de poder abraçá-la, ela volta para a mesa, para seu elaborado projeto de arte usando giz de cera, adesivos, fitas *e* cola (porque coisas grudentas nunca são demais); e montanhas de purpurina.

— Quero abraço e beijo também — digo, abaixando-me para ficar no nível dela.

Ela vira a cabeça e me dá um beijo protocolar no rosto.

— E o abraço?

Ela faz que não e diz:

— Mais tarde, mamãe. Estou muito ocupada agora.

Estas são palavras que ela claramente ouviu muitas vezes antes, e sinto uma pontada de culpa sabendo que ela está me citando.

— O que você está fazendo? — pergunto, sentando-me na mesa ao lado dela e me perguntando por que minha mãe não pôs uma proteção ou um jornal sobre a mesa, a purpurina entrando nas ranhuras da madeira rústica. Resisto à vontade de limpar, esperando pela resposta dela.

— Um castelo. E esta é você — diz ela, apontando para uma morena de rosto oval olhando por uma janela no terceiro andar. Não estou exatamente fazendo uma cara feia, mas tampouco estou sorrindo, minha boca uma linha reta e borrada de giz de cera vermelho.

— O que a mamãe está fazendo aqui? — pergunta Nolan, sentando-se ao lado de Harper.

— Só olhando — diz Harper. — Para esta árvore. E este pássaro azul. — Ela aponta e noto que seus dedos estão começando a se tornar mais magros, tornando-se dedos finos de mocinha.

Nolan e eu trocamos um olhar, e eu me pergunto se ele está tentando psicoanalisar o projeto de arte dela tanto quanto eu.

— E onde está você? — pergunto, apesar de vê-la claramente de pé no jardim, usando um vestido rosa. Ao lado dela há um homem sorridente que deve ser Nolan.

— Bem aqui. — Ela aponta para si mesma. — Com o papai.

— Que par feliz — comento, baixinho, mas Harper me ouve e repete o que disse.

— Um par feliz — diz ela, sorrindo e meneando a cabeça.

— Então você e a vovó se divertiram? — Mudo de assunto.

— É.

— Você quer dizer "sim"? — Corrijo-a gentilmente.

— Sim — confirma ela, derramando mais purpurina roxa nas flores diante do castelo.

— Nosso sábado foi maravilhoso — diz a mamãe, olhando para Harper amorosamente. — E como foi o fim de semana de aniversário de vocês?

— Foi ótimo. — Forço um tom de voz alegre. — Muito relaxante... É um lugar tão lindo.

Nolan rapidamente ecoa meu comentário.

Mamãe parece feliz.

— Que bom que vocês se divertiram.

— O que mais vocês duas fizeram? — pergunto, olhando da mamãe para Harper.

— Vamos ver. Assistimos a uns filmes... Certo, Harper?

Harper faz que sim e diz:

— A *Dama e o Vagabundo*... e *101 Dálmatas*. E *Lassie Volta Para Casa*.

— Ah, filmes de cachorrinho, entendo — diz Nolan com perspicácia, olhando na minha direção.

Além de um segundo filho, ele tenta arranjar um cachorrinho para Harper há meses, mas tenho dito não, sabendo que terei de levá-lo para passear todas as manhãs, alimentá-lo e limpar o cocô do jardim.

— E, por falar em cachorros — diz a mamãe —, a tia Josie veio nos visitar com Revis para tomar café da manhã. Ela acabou de sair.

— Droga — digo, minha voz sem emoção alguma.

Mamãe diz meu nome como uma reprimenda.

— O que foi? — pergunto, fingindo inocência.

— Seja boazinha. Você ainda não está falando com ela?

— Não. — Sei que isso já foi discutido e que Josie gosta de me pintar como a malvada.

— Você precisa conversar com ela.

— E por quê?

Sei a resposta antes mesmo de ela dizer: *porque ela é sua irmã*. Ela pigarreia e acrescenta:

— *E* porque ela vai ter este bebê e precisamos apoiar a decisão dela.

— Você acha mesmo que ela vai adiante com isso? — pergunta Nolan.

Mamãe faz que sim:

— Sim. Na verdade, ela escolheu um doador.

Armo uma cara feia, mas fico em silêncio, determinada a não fazer perguntas e não validar indiretamente o que Josie está fazendo. Claro que Nolan não percebe e imediatamente pede detalhes.

Mamãe respira fundo e começa a dar a biografia completa do estranho.

— O nome dele é Peter. Ele é do Meio-Oeste – Wisconsin, acho que ela disse... mas vive em Atlanta agora. Tem quarenta e um. Acho que ela disse que ele tem um metro e setenta e oito ou um metro e oitenta... Tem cabelos e olhos castanhos.

Ele respira fundo, Nolan parecendo encantado enquanto eu me finjo de desinteressada.

— E, vamos ver... Ele é descendente de irlandeses e alemães... Foi criado como católico, só que não é muito religioso. Mas é espiritualizado. Acredita em Deus. Gosta de coisas ao ar livre – acampar e andar de bicicleta e esquiar. Ele está em forma. Fez faculdade e mestrado em fisioterapia, com o que trabalha agora. Ele é muito inteligente, principalmente em matemática e ciência...

— Se é o que ele diz... — digo.

Mamãe ignora meu comentário cínico.

— Ah... E ela diz que ele tem uma covinha no queixo. Algo de que Josie sempre gostou.

— Ah, *nossa*!

— Meredith — diz ela, séria. — Você realmente precisa mudar sua atitude.

— Por quê? Ela nunca muda a atitude *dela* — respondo, sabendo que pareço imatura. — Ela nunca é capaz de resistir aos impulsos.

— Na verdade — diz a mamãe, com cuidado —, não é bem assim. Ela tem se esforçado ultimamente.

Cruzo os braços e arqueio as sobrancelhas.

— Hein? Como assim?

— Antes de mais nada, ela concordou em ir a Nova York com a gente. Em dezembro.

— Vamos ver. Aposto cem dólares como ela vai mudar de ideia — comento, pensando que esta é uma das táticas clássicas de Josie, ceder à pressão e inventar uma desculpa mais tarde.

Mamãe faz que não.

— Não. Ela realmente gostou da ideia — diz ela com tanta ingenuidade que parte meu coração. — E acho que vai ser bom para ela. Para todos nós, mas talvez principalmente para ela.

— Por quê?

— Ela precisa enfrentar seu luto. Ela nunca fez isso. Acho que ver Sophie pode ajudar... De qualquer forma, deveríamos reservar nosso voo e hotel... Nova York fica tão cheia perto das festas de fim de ano... — Ela deixa a frase no ar e seus olhos se tornam vítreos; obviamente está pensando em Daniel. Essa época do ano, com árvores e decorações e corais de Natal, tudo é sinônimo de morte na nossa família.

Desvio o olhar, vendo Harper desenhar outra árvore no terreno do castelo, agora um pinheiro. Todos ficamos em silêncio por um tempo, o único som é o do giz de cera contra o papel e Nolan tamborilando na mesa. Irritada com o ritmo monótono, estendo a mão e seguro a dele, silenciando-o.

Ele me olha e limpa a garganta.

— Por falar em Nova York — diz ele —, Meredith talvez viaje para lá antes de dezembro...

Olho para ele, confusa. Ellen e eu recentemente conversamos sobre passar um fim de semana na cidade, mas não me lembro de dizer isso para ele, talvez porque soubesse que a probabilidade era pequena, levando em conta meu trabalho no escritório.

— É mesmo? — diz a mamãe, olhando-me. — A trabalho?

— Não — responde Nolan depressa. — Ela precisa de férias. Uma escapada rápida.

— Não foi por isso que vocês viajaram nesse fim de semana? — pergunta a mamãe, tão confusa quanto eu.

— Ah, ela precisa de uma folga maior. Uma folga *de verdade*. Do trabalho. E de Harper. E de mim. — Ele abre um sorriso falso e força uma risadinha. — Não acha que seria bom para ela?

A mamãe faz que sim, mas continua pensativa.

— Bom, acho que esse tempo longe pode ser bom para todos nós... De quanto tempo você precisa, querida?

— *Não preciso* de férias — digo, ao mesmo tempo agitada e na defensiva.

Nolan mexe em meus cabelos, fingindo leveza, e diz:

— Ah, sim, precisa, sim. Umas duas semanas lhe farão bem.

— Umas duas *semanas?* — perguntamos eu e a mamãe em uníssono.

— E quanto a Harper? — pergunta ela, enquanto olho para meu marido.

— Ah, isso é comigo. Droga. Josie será mãe solteira. Claro que posso cuidar de Harper por duas semanas sozinho.

Eu o encaro, perguntando-me quando ele pensou nisso tudo. Na corrida de ontem? Na noite passada, depois do sexo? Ou na viagem em silêncio de volta para casa hoje pela manhã?

Ele assobia uma música irreconhecível qualquer e diz:

— Talvez eu tire férias também. Me aproxime um pouco da minha filha. Isso não seria divertido, Harper?

— Arrã — diz ela, sem levantar a cabeça.

— E tenho certeza de que a vovó poderá ajudar um pouco... e a outra vovó e o vovô. — Ele se refere a seus pais. — E Josie, claro. A boa titia Josie.

Mamãe franze a testa, parecendo confusa diante da contradição entre seu comportamento maníaco e sua mensagem cheia de subterfúgios. Rugas fundas aparecem em sua testa quando ela faz sua pergunta padrão:

— Devo ficar preocupada?

— Não — respondo.

— Não, de jeito nenhum — diz Nolan. — Nem um pouco. Meredith só precisa pensar um pouco. Não é, Mere?

Mordo o lábio e murmuro um *é* sem me comprometer, enquanto mamãe pergunta no que preciso pensar.

— Refletir muito — diz ele. — Investigar a própria alma.

— Sobre o quê? — pergunta mamãe.

Neste momento, entro no modo "controle de danos" e simplesmente digo:

— Sobre meu trabalho.

— Então você está pensando mesmo em pedir demissão? — pergunta ela, relaxando um pouco.

Começo a responder com um comentário simples a respeito de estar esgotada, mas Nolan novamente responde por mim:

— Sim — diz ele, decisivo, uma palavra que quase nunca usa, e é até por isso que Harper continua a dizer *é* e *arrã*. Então ele se vira e me olha nos olhos: — Ela está pensando *seriamente* em pedir demissão.

— Que *diabo* foi isso? — pergunto a Nolan assim que voltamos para casa e ficamos sozinhos, tão sozinhos quanto possível tendo Harper no quarto ao lado. Minha voz é comedida e baixa, mas por dentro estou furiosa.

— O quê? — pergunta ele com um dar de ombros passivo-agressivo. — Acho uma ótima ideia. Você precisa de tempo para pensar.

— Algum motivo para você não ter mencionado esta ideia *para mim* antes? — Uso a unha para tirar um pedaço de cereal da tigela que Nolan deixou na pia há dois dias. Agora ele está duro como cola. Finalmente desisto e coloco a tigela na máquina.

— Algum motivo para você não ter mencionado que acha que nosso casamento é uma piada? — pergunta ele.

— Nunca disse isso. E não acho isso.

— Certo. Algum motivo para você não ter mencionado que acha que nosso casamento foi um grande erro?

— Também não disse isso, Nolan. — Dou meia-volta e o encaro.

Ele me encara também, desafiador e desdenhoso.

— O que você disse, então?

— Não sei, Nolan... Só estou... confusa.

— Como disse, acho que você precisa se afastar e pensar.

— Não posso simplesmente *me afastar*, Nolan. — Ponho as mãos na cintura. — E quanto à Harper?

— Já disse. Posso cuidar de tudo aqui.

Olho para ele, pensando que não tem a menor ideia de como funciona a máquina de lavar louça, quanto mais como lidar com todos os detalhes da rotina de Harper. Penso na última vez que tive de viajar a trabalho e que ele nem mesmo pegou a correspondência por três dias.

— E quanto ao meu trabalho? Você vai cuidar do meu trabalho também? — pergunto.

Ele dá de ombros.

— Peça uma licença. As pessoas fazem isso o tempo todo. Ou peça demissão. Você odeia mesmo. Qual o sentido de fazer algo que se odeia?

— Não *odeio* — digo, pensando que as simplificações dele são parte do problema.

— Odeia, sim. Você *despreza*. Você queria ter ficado em Nova York para virar uma atriz famosa.

Abro a boca para corrigi-lo, já que nunca pensei em fama. Só queria ser uma atriz de palco. No máximo, sonhava com um prêmio Tony – e quantas atrizes vencedoras do Tony são famosas? Mas isso me parece além da questão.

— Em vez disso, você é advogada em Atlanta. Casada comigo. Um erro *enorme* — diz ele.

— Nolan. — Aumento o tom de voz. — Pode parar com essa merda? Eu *não* disse isso.

— Ah, mas você *pensa* isso. Não pensa?

Minha mente gira em busca de uma resposta, mas percebo que ele tem razão – em parte. E, talvez, exceto no que diz respeito a Harper, tenha *toda* a razão.

— E sabe de uma coisa? — continua ele. — Não há nada que a impeça de recomeçar.

Finjo que estamos falando do meu trabalho, e não de divórcio, perguntando-me quanto tempo levará para dizermos a palavra em voz alta.

— Sou velha demais para mudar de carreira.

— Não é, não. Atuar não é como andar de bicicleta? Claro que ainda há chance... Só... participe de alguns testes...

Engulo em seco, um nó na garganta.

— Não é assim tão fácil. Além do mais, não podemos deixar Atlanta.

— *Você* pode, sim. Você pode fazer o que quiser, Meredith.

Viro-me, olhando pela janela sobre a pia da cozinha, exatamente como o desenho de Harper, e sinto que estou tremendo com o pensamento assustador de que ele talvez tenha razão.

Capítulo dezenove

JOSIE

Segunda-feira pela manhã, dou um grande passo e ligo para o consultório da dra. Susan Lazarus. De acordo com a minha pesquisa, a dra. Lazarus é a principal especialista em fertilidade de Atlanta, conhecida tanto pela fertilização in vitro quanto pela intrauterina. Sinto um aperto no peito quando a recepcionista me informa com rispidez que o primeiro horário disponível dela é daqui a quase dois meses. Digo que quero assim mesmo, depois pergunto se ela pode me colocar numa lista de espera.

— Se houver cancelamento... deixo tudo de lado e chego rapidinho. Estou com quase quarenta anos e um pouco desesperada aqui...

— Sei como é — diz ela, com uma risadinha, deixando de lado o personagem todo profissional. — Faço quarenta daqui a uma semana. Argh.

— Você tem filhos?

— Sim. Gêmeos de dez meses, graças à dra. Lazarus.

— Uau. Parabéns. — Fico animada com a história, se bem que a simples ideia de ter gêmeos me apavora. — Meninos ou meninas?

— Um casal.

Eu a parabenizo novamente quando ela de repente me diz que estou com sorte, pois acaba de notar um cancelamento na agenda para a sexta-feira às onze, confirmando minha crença de que às vezes uma conversinha pode valer a pena.

— Aceito — digo.

Conto tudo a Sydney durante o intervalo, nós duas em nossos lugares de supervisoras num banco com vista para o parquinho. Ao ver Edie de cabeça para baixo num brinquedo, os braços pendendo, o tronco pequenino balançando e o rosto ficando vermelho, conto sobre Pete e também minha consulta com a dra. Lazarus.

— Tenho tanto orgulho de você, Josie — diz ela, virando-se para me dar um abraço. — E um pouco de inveja.

— Ei, por que você não me acompanha nisso? — pergunto, empolgada.

Ela ri.

— Carros e crianças iguais?

— Estou falando sério! Nunca pensou nisso? — Ouço Meredith me ridicularizando mentalmente, usando minha sugestão como mais uma prova de que não estou levando a maternidade a sério.

Sydney faz que não com a cabeça e me dá um firme e animado *de jeito nenhum.*

— Estou mesmo impressionada com você por fazer isso... mas, para mim? Se tivesse de escolher só uma coisa, preferiria um marido a um bebê. E com certeza nessa ordem.

Concordo balançando a cabeça e pensando que, apesar de também querer as duas coisas, a parte do bebê na equação é mais importante para mim – ao menos, desde que Will e eu terminamos. E, para ser honesta, acho que já me sentia assim. Eu o amava, sim, mas ele também parecia um pré-requisito para a maternidade. Os meios para um fim.

Ela me lança um olhar pensativo e diz:

— Está com medo?

— Um pouco. Principalmente pela logística de tudo.

Ela concorda em silêncio e pergunta se vou continuar morando com Gabe ou vou morar sozinha.

Franzo a testa e respondo que ainda não resolvi isso. Ouço novamente a voz de Meredith resmungando que isso é típico.

— Gabe conhece o seu plano? Ele sabe que você quer um bebê?

Faço que sim e digo que claro, Gabe sabe de tudo.

— E? — pergunta ela. — O que ele acha?

— Ele está me apoiando... Ao contrário da minha irmã, que critica tudo. — Paro e digo: — Mas ele não gosta da minha ideia de usar Pete como doador.

Sydney faz cara de surpresa.

— Porque ele tem ciúme.

— Pode parar! — digo, sabendo exatamente aonde ela quer chegar. — Quantas vezes tenho que lhe dizer que os homens e as mulheres podem ser amigos?

Ela ri, zombeteira.

— Sim. Foi o que Harry e Sally disseram.

— Não sou a Sally.

— Talvez não. Mas ele com certeza é o Harry.

— *Não* é, Syd... Já não lhe contei sobre a nova namorada dele?

— Sim, sim. Que seja. — Ela revira os olhos.

— Estou falando sério... Ele gosta mesmo dela.

— É. Mas só porque ele não pode ficar com você.

Faço que não com a cabeça.

— Não. A objeção dele a Pete é puramente prática. Ele acha que eu deveria usar um doador anônimo em vez de alguém que conheço. Ele está preocupado de que isso fique... confuso demais. Complicado.

— E você diz que...?

— Digo que vou correr o risco. Pete é inteligente, atraente e muito gentil. Simplesmente parece... a coisa certa.

— Ah, *sério?* — pergunta ela, uma insinuação sexual na voz.

— O *doador* certo. Não tenho interesse em ficar com ele.

— Bom, então nos apresente — pede ela, sentando reta.

Rio e digo que sem chance.

— Por que não? Ele pode ser minha alma gêmea. Você me tiraria isso?

— Sim. Porque *isso* seria estranho demais — digo, sentindo-me curiosamente possessiva, se não em relação em Pete, quanto a seu esperma.

Naquela noite, encontro Gabe nos fundos, preparando três cachorros-quentes e ouvindo Bob Marley.

— Oi — digo, apoiando-me na varanda.

— E daí? — responde ele, sem olhar para mim.

— Leslie vem jantar?

Ele faz que não.

— Não. Ela é vegetariana, lembra?

— Ah, é mesmo. Como pude me esquecer? — digo, com um pouco de veneno.

Ele não percebe ou ignora meu tom de voz e pergunta se estou com fome.

— Preparei um cachorro-quente a mais, se precisar.

— Claro. Obrigada — digo, depois pergunto como foi o dia dele. Gabe trabalha para a mesma empresa há quase uma década, mas ainda não sei direito como ele ganha a vida – só sei que envolve design gráfico, computadores e um monte de clientes exigentes.

— Tudo e todos me irritaram.

Rio e digo:

— Então, o de sempre?

— Praticamente. E quanto ao seu dia?

— Tudo bem. Contei a Sydney meu plano. E falei da minha consulta com a dra. Lazarus na sexta.

Ele faz que sim sem olhar para mim.

— E o que exatamente acontecerá na sexta?

Dou de ombros e digo que não sei direito.

— Provavelmente será só uma apresentação e uma discussão sobre minhas opções.

— Pete vai com você? — Gabe diminui a chama na churrasqueira.

— Não — respondo, apesar de ter pensado nisso mais cedo.

— Por que não? Você mudou de ideia quanto a... usá-lo?

— Não. Ele ainda está em primeiro lugar na minha lista. Mas não precisa me acompanhar... não neste momento... Estava pensando em chamar minha mãe. Seria legal ter alguém lá. Você sabe, para me dar apoio moral. — Eu lhe lanço um olhar carente e acrescento: — Pescou? Pescou?

Gabe revira os olhos e diz:

— Você quer que eu vá com você?

Junto as mãos num gesto de oração.

— Você faria isso? Por favor?

— Acho que sim — suspira ele.

— Leslie não vai achar ruim?

— Por que acharia? — pergunta ele.

Porque ela é controladora e claramente não gosta de mim, quase digo, mas acho melhor levar isso como uma pergunta retórica.

— Isso seria incrível, Gabe. Obrigada.

— Sem problemas. — Ele dá de ombros. — Além disso, quero estar lá para ouvir a médica lhe dizer que um esperma conhecido é uma má ideia.

— Esperma conhecido? — Rio. — Esse é o termo técnico?

— É... Quero dizer... Este tal de Pete parece legal e tudo... Mas ele pode ser um serial killer com... um gene recessivo com tendência à fibrose cística.

Rio.

— Bom, é *possível* — diz Gabe, transferindo os cachorros-quentes para um prato e virando-se para entrar em casa.

— Tenho certeza de que a dra. Lazarus fará todos os exames — digo, seguindo-o.

— O velho exame para serial killer? — pergunta ele, olhando para trás.

— Bom, qualquer doador pode ser um serial killer. Assim como qualquer namorado. Até onde sei, Leslie pode ser uma...

— Nunca ouvi falar de serial killer mulher — diz ele.

— Mesmo se ela não for mesmo uma assassina, pode ser perigosa... Pode ter vários tipos de podres dos quais você não sabe.

— Pode. Mas a diferença é que... não estou planejando engravidar Leslie no curto prazo.

— Não *no curto prazo*, hein? — Ponho as mãos na cintura.

— Pare de mudar de assunto. Não estamos falando de mim. Estamos falando de você e sua... escolha excêntrica.

— Não é uma escolha excêntrica — digo, apesar de não me lembrar direito do significado da palavra.

— Certo. — Ele pega um saco de pão para cachorro-quente do armário. — Então me diga novamente. Uma vez mais. O que há de tão especial em Pete? Por que ele?

— Por que não? — digo, incapaz de (ou talvez só sem querer) articular minha intuição quanto a usar Pete.

— Essa é a sua resposta? — Ele me lança um olhar incrédulo e joga um pão para mim. Não o pego e o vejo cair no chão da cozinha.

— Sim — respondo. Pego o pão e o coloco no meu prato, agindo de acordo com a regra dos cinco segundos. — Essa é minha resposta.

Na sexta-feira pela manhã, depois que Gabe e eu ligamos para nosso trabalho dizendo que estamos doentes, entramos num prédio comercial simples no centro da cidade para minha consulta com a dra. Susan Lazarus. Na sala de espera, preencho formulários intermináveis, respondendo a perguntas exaustivas sobre meu histórico médico, enquanto Gabe joga paciência no celular. Em certo momento, olho por sobre o ombro dele e leio uma mensagem de texto de Leslie, que diz: *Onde você está?*.

Com Josie, responde ele, o que me surpreende e atiça minha curiosidade o bastante para ler às escondidas o restante da conversa, em tempo real.

Ah. Almoço?

Não. Só dando uma volta.

Pode me ligar?

Não posso agora – mas posso daqui a 30 min?

Claro... Sdd.

Pelo canto do olho eu o vejo sorrir e escrever: *Sdd tb.*

Neste momento, ele me surpreende lendo.

— Intrometida. — Gabe afasta o celular de mim, bem quando meu nome é chamado por uma jovem usando um uniforme lavanda.

Levanto-me e olho para Gabe.

— Você vem?

— Quer que eu entre?

— Quero.

Pouco depois, somos levados a um consultório pequeno. Uma mulher baixinha com cabelos curtos se senta atrás de uma mesa enorme e antiga que parece pesada e decorada demais para ela. Ela se levanta e diz:

— Josephine?

— Josie — digo, meneando a cabeça.

— Josie — repete ela, dando um sorriso caloroso. — Por favor, entre. Sou Susan Lazarus.

Gosto dela imediatamente – talvez porque ela usa o primeiro nome – e retribuo o sorriso quando nos cumprimentamos.

— Este é o Gabe — digo.

Ela faz que sim, cumprimenta-o e pede para nos sentarmos, apontando as poltronas diante de sua mesa.

— Então — diz ela alegremente —, o que os traz aqui hoje?

— Bom, quero um bebê — respondo, tomada por uma onda repentina de empolgação.

Ela abre um sorriso ainda maior e diz:

— Acho que você veio ao lugar certo... Então me diga, Josie, você tem tentado engravidar?

Faço que não com a cabeça.

— Não. De jeito nenhum. Não sou casada... Sou solteira... E quero usar um doador de esperma.

Ela faz que sim, completamente tranquila.

— Perfeito. — A médica se vira para Gabe. — E você doaria o esperma?

— Não. Só estou aqui para dar apoio moral.

— Isso é *maravilhoso*. E é muito importante, levando em conta a jornada que Josie tem pela frente. — Ela se vira para mim e diz: — Já pensou em seu doador?

— Já. Andei lendo e pesquisando bastante.

— Que bom — murmura ela, meneando a cabeça. — Fale mais sobre isso.

— Bom. Li muito sobre bancos de esperma... mulheres que usaram isso. Crianças que foram concebidas assim... e não têm problemas com isso... Entendo que é mais simples, com menos amarras... Mas acho que quero usar... esperma conhecido — digo, trocando olhares com Gabe.

— Você se refere ao esperma de um conhecido? — pergunta ela com uma expressão calma.

— Sim. Um cara que conheci recentemente. Acho que dá para chamá-lo de amigo. Acha que é uma má ideia?

— Acho que é uma decisão pessoal. Uma decisão *muito* pessoal.

Gabe faz um barulho para demonstrar sua irritação e diz:

— Mas não há muitos *riscos* em fazer isso com alguém que ela mal conhece?

— Há prós e contras em todos os cenários reprodutivos — responde a dra. Lazarus. — Acreditamos em ajudar a mulher a fazer a escolha certa para ela... e dar a essa escolha apoio médico e legal. Temos um escritório de direito da família com o qual trabalhamos... Eles podem ajudá-la a compor um contrato. E, claro, lidaremos com a inseminação na clínica.

— Está vendo? — digo, olhando para Gabe, alegre. — Eu lhe disse que, se fizer isso numa clínica médica, será algo à prova de falhas.

— Eu não diria à *prova de falhas* — interpõe ela. — Nada é completamente à prova de falhas quando se trata do conjunto de leis relativas à reprodução, sempre em mudança. Mas lidamos com o assunto da forma mais técnica possível. E já fizemos isso com muitas mulheres.

Olho para Gabe, que cruza os braços num gesto de protesto não muito sutil.

— Claro que há questões emocionais que não podem ser previstas num contrato. E me parece que essa é sua preocupação, certo? — continua ela, olhando agora para Gabe.

— Sim. Na verdade, esta é *a minha* preocupação — diz ele, meneando a cabeça. — E se esse cara que ela mal conhece se revelar louco? E se ele não deixar ela ou a criança em paz? E daí?

— Bom, isso pode acontecer com qualquer cara — respondo, virando-me para ele. — E lidaria com isso da mesma forma que lidaria se estivesse *namorando* um cara e ele enlouquecesse. Com uma ordem judicial.

— Tudo bem para você conseguir uma ordem judicial contra o pai do seu filho? — pergunta Gabe num tom de voz ligeiramente elevado e agitado.

— Ele não seria o *pai*.

— Certo. Ele só seria o doador de esperma maluco contra o qual você tem uma ordem judicial. — Gabe dá de ombros. — Nada de mais.

Antes que eu possa responder, a dra. Lazarus pigarreia e interrompe nossa conversa paralela.

— Posso fazer uma sugestão?

— Pode — digo, segura de que ela ficará ao meu lado.

— Vamos nos ater a *você*, Josie. — Ela aponta para mim. — Porque conhecemos essa parte da equação. Sabemos que você quer usar um de *seus* óvulos e gestar a criança, correto?

— Sim — digo, meneando a cabeça enfaticamente. — Disso temos certeza.

— Então vamos focar nos *seus* cuidados pré-conceptivos e ver se há algum risco em potencial a você durante a gestação.

Digo à dra. Lazarus que acho que é uma ideia fabulosa.

Ela continua com tranquilidade:

— Quem quer que seja o doador de esperma, queremos que você seja a pessoa mais saudável do mundo, tanto física quanto emocionalmente.

Concordo balançando a cabeça, sentindo outra lufada de empolgação, enquanto Gabe consegue parecer um pouco menos emburrado. Nós dois observamos e ouvimos enquanto a dra. Lazarus coloca os óculos de leitura, consulta meus formulários e começa a fazer perguntas detalhadas sobre meu histórico médico. Então ela pergunta se há algum problema discutirmos meu histórico reprodutivo na presença de Gabe. Digo que ele pode ouvir tudo.

— Somos os melhores amigos.

Ela sorri, faz que sim e pergunta se já engravidei antes.

— Passei por alguns sustos — digo, rindo. — Mas não.

— Nenhum aborto?

Faço que não.

— Acho que não. Digo, às vezes atraso um pouco e tenho uma menstruação bem intensa... e às vezes me pergunto se poderia ter sido um aborto... Mas não, acho que não.

Olho para Gabe, que faz uma careta e cruza os braços, enquanto a dra. Lazarus continua a fazer perguntas sobre meu ciclo, meu histórico menstrual, vacinas e uso contraceptivo. Digo que tenho um período bem regular de vinte e oito dias, que estou atualizada em relação às minhas vacinas, que sempre usei pílula *e* camisinha, apesar de ter deixado de tomar pílulas há algumas semanas, e não tenho atividade sexual há vários meses.

— Alguma anormalidade nos exames ginecológicos?

— Hmmm... Só uma. Mas não era nada. Só uma infecção.

— Então é isso — murmura Gabe. — Posso esperar lá fora?

— Não — digo, brava, olhando para ele. — Não pode.

Gabe suspira e olha para o teto enquanto a dra. Lazarus prossegue numa conversa sobre nutrição e exercícios, álcool e nicotina. Digo para ela que não fumo, mas que bebo socialmente.

Ela faz que sim.

— Tudo bem. Uma taça de vinho aqui e ali não tem problema antes da concepção, mas tente se limitar a isso.

— E quanto a café?

— Recomendo limitar sua cafeína a trezentos miligramas por dia... Então, cerca de dois copos de 250 ml.

Pego meu bloquinho e começo a tomar nota, mas ela me garante que todos os conselhos estarão no meu material impresso.

— Também lhe darei uma receita para vitaminas pré-natais, e você precisará de muito ácido fólico. Além disso, deve comer vários alimentos ricos em fibras, cálcio e outros nutrientes. Evite açúcar e alimentos processados... Você precisa estar a mais saudável possível a fim de preparar seu corpo para a gestação.

— Tudo bem — digo, determinada. — Gabe é um ótimo cozinheiro. E moramos juntos.

— Ah, isso ajuda muito. — Ela sorri para ele e para mim.

Sorrio também para ela.

— Então é isso?

— Quase. Gostaria de fazer um exame físico rápido e depois pedirei outros exames laboratoriais.

Gabe parece apavorado.

— Você não precisa ver o exame — diz a dra. Lazarus com um sorriso. Ela se levanta, dá a volta na mesa e o cumprimenta. — Muito prazer em conhecê-lo, Gabe. Josie tem sorte de tê-lo na vida dela.

O comentário parece pegá-lo desprevenido, mas ele só resmunga um educado obrigado.

— Tenho certeza de que você a ajudará a tomar a decisão certa quanto aos próximos passos — acrescenta ela.

Prendo a respiração, esperando pela resposta dele, esperando que algo venenoso saia de sua boca. Em vez disso, Gabe só balança a cabeça e diz:

— Sim. Vou mesmo. Só queremos um bebê saudável. Certo, Josie? — Ele se vira para me olhar.

Engulo em seco, quase chorando, e digo a ele que sim, é só o que queremos.

Capítulo vinte

MEREDITH

Nolan e eu mal nos falamos na semana seguinte ao nosso aniversário e, quando conversamos, nossos diálogos são tensos e formais. Não tenho certeza se posso chamar isso de beco sem saída ou zero a zero ou simplesmente a calmaria antes da tempestade, mas me percebo considerando seriamente a "sugestão" dele de eu ir para Nova York. Não me imagino sem Harper por mais do que uns dias, mas a ideia de passar um tempo sozinha meio que se transforma em uma obsessão. Não ajuda em nada meu estado mental o fato de ter sido escolhida para fazer parte de um caso com Larry Goldman, o sócio mais babaca do escritório, que fez uma avaliação ruim de mim no ano passado porque ousei perder um depoimento ao ficar doente, com uma febre de 40 graus.

Quando conto tudo a Ellen pelo telefone, certa manhã, ela me diz que posso ficar no apartamento dela em Nova York.

— Tem certeza? — pergunto.

— *Claro*. Com certeza.

— Ah, *obrigada*... Seria por apenas uns dias...

— Fique o quanto quiser. Fique uma semana.

— Não sei... Acho que me sentiria culpada se deixasse Harper por mais do que algumas noites.

— Você não deveria sentir culpa. Eu costumo ficar longe de Isla por uma semana e ela fica muito bem com Andy e os pais dele.

— É diferente... você vai *a trabalho* mesmo.

— Sim. Mas todos precisamos de um tempo para nós às vezes — afirma Ellen. — Isso não faz de você uma mãe ruim.

— Talvez não. — Penso que isso talvez não faça de mim uma mãe ruim, mas tenho certeza de que meus sentimentos fazem de mim uma péssima esposa.

Na segunda-feira seguinte, aciono as engrenagens e me consulto com Amy, contando-lhe tudo o que contei a Ellen, só que mais calmamente. Ela ouve com atenção e diz:

— Por que Nova York?

Franzo a testa, pensando por uns segundos antes de dizer:

— Não sei por que Nolan sugeriu Nova York. Talvez porque eu morava lá quando começamos a namorar... talvez porque ele saiba que eu teria um lugar para ficar lá... Minha amiga Ellen tem um apartamento... Sinceramente, não precisa ser Nova York. Só quero me afastar. Dele. Do trabalho. Até de Harper.

Espero por uma explicação psicológica – algo sobre como meu sentimento é comum entre as mães de crianças pequenas.

Em vez disso, Amy simplesmente diz:

— Você deveria ir, Meredith. Deveria ir *agora*. — Ela me encara com sua marca registrada, aquele olhar confiante.

Meu coração quase para de bater.

— Mesmo?

— Ah, sim. — Ela meneia a cabeça novamente, os cabelos em movimento.

— E fazer o quê, exatamente? — digo, querendo esclarecer a permissão que ela está me dando.

— Tire férias. Talvez até uma licença do trabalho, como Nolan sugeriu. Vá para Nova York. Sozinha.

Faço que não com a cabeça.

— Eles nunca me deixarão tirar licença, ainda mais agora que estou nesse caso grande...

— Vão, sim. Principalmente se você lhes disser que precisa desse tempo para cuidar da sua saúde.

— Você quer dizer que devo sugerir que estou com câncer ou algo assim? — Olho para ela, assustada.

— Não, estou falando da sua saúde *mental*. Que pode ser igualmente importante.

Suspiro, pensando nas consequências.

— Se admitir que tenho algum problema mental, então eles *nunca* me farão sócia. Nem se eu voltar a trabalhar em tempo integral.

— Antes de mais nada, legalmente eles não podem usar isso contra você. Depois, não sabia que virar sócia era seu sonho — diz ela, percebendo meu blefe porque sabe que virar sócia nunca foi algo importante para mim. Digo, seria uma realização gratificante, significaria mais dinheiro e deixaria meus pais muito, *muito* orgulhosos. Mas, basicamente, estou muito bem como advogada sênior.

— Não é meu *sonho*. Você sabe disso.

— E então? Qual é a sua próxima desculpa?

Olho para ela, meu coração agora disparado. Uma coisa foi Nolan me dizer para ir para Nova York. E até mesmo Ellen. Outra é ouvir isso de Amy.

— Acho que não tenho — digo.

— Certo. Então diga ao seu escritório que você precisa de um tempo. Eles colocarão outra pessoa no caso. Você é substituível.

— E se for substituível a ponto de eles me demitirem?

Ela faz que não, firme.

— Eles não farão isso... principalmente se você mencionar sua saúde... Mas quem sabe? Talvez você peça demissão ao voltar para casa.

— Talvez — digo, perguntando-me por que ainda não pedi demissão. Será que nunca tive coragem? Ou uma alternativa viável?

— Não há desvantagem aqui — diz Amy. — Então, vá para casa e reserve seu voo, faça as malas e vá para Nova York para uma semana ou três...

— *Três semanas?* — O conselho de repente parece tão extremo que questiono *tudo* o que ela está me dizendo. — Isso está fora da questão. Jamais poderia ficar longe de Harper por mais de uma semana... Além do mais, isso não constituiria *abandono?*

Amy faz que não.

— Claro que não. Algumas semanas fora não constituem abandono... e, no final das contas, a ideia foi *de Nolan*. Seu *marido* lhe fez uma oferta muito gentil de você tirar um tempo para pensar...

Eu a interrompo, balançando a cabeça.

— Não diria "gentil". Diria passiva-agressiva. Na verdade acho que ele acredita que jamais farei isso.

— Mais um motivo — diz ela.

— Por quê?

— Porque esse é só outro sinal de que vocês não estão em sintonia. Ele a está desafiando, desafiando seu amor pela família e talvez até sua maternidade.

— Certo... então ir para Nova York não vai simplesmente provar para ele que sou de alguma forma inadequada?

— Você *se sente* inadequada? — pergunta Amy.

Penso na pergunta com cuidado e digo:

— Às vezes, sim.

— Só porque você precisa de um tempo para si mesma?

— Pois é... — Mordo o lábio. — Porque quero ficar sozinha. Entre outros motivos.

Amy ajeita o cabelo atrás de uma orelha e depois de outra, e diz meu nome num tom calmo, reconfortante.

— Meredith, todas as mães às vezes fantasiam uma fuga. Tirar um tempo para si. Você, contudo, está na posição única de *tirar* esse tempo. Você tem segurança financeira... e um marido que lhe deu essa permissão, ainda que de forma passiva-agressiva. Então vá. Pense. Decida o que *você* quer e precisa. Talvez um divórcio. Talvez uma nova carreira. Talvez nada mais do que tempo para si e uma nova perspectiva sobre as coisas. O que quer que seja, acredito que você será uma mãe até melhor depois de alguma reflexão.

Sorrio, grata por ela usar a palavra *até*. Digo para mim mesma que *sou* uma mãe muito boa, se não talvez já tivesse ido embora há muito tempo.

— Se você acabar mais feliz... isso pode ser um presente para Harper no longo prazo.

— Talvez — digo, fazendo uma cara feia ao imaginar o rosto da minha filha me espiando em seu quarto escuro, dizendo que precisa de outra história, um copo d´água ou simplesmente "um abraço da mamãe". Ela não consegue nem mesmo *adormecer* na própria cama se eu não estiver sentada na cadeira de balanço ao lado. Como ela pode ficar bem numa semana ou mais sem mim? De repente acelero o tempo e imagino Harper como uma jovem sentada num consultório como este, discutindo seus problemas mais íntimos. E todos tiveram origem no tempo em que a mãe se afastou dela, quando ela tinha quatro anos.

Ouço Amy me chamar.

Olho para ela.

— Hã?

— No que você está pensando? — pergunta ela.

— Não sei. — Balanço a cabeça. — Só não sei se consigo fazer isso...

— Consegue, sim.

Respiro fundo e solto o ar quando Amy me garante que Harper ficará bem.

— Ela ficará com o pai e os avós e a tia, em mãos competentes de gente que a ama.

— Não diria que minha irmã é exatamente competente — comento, mas sinto a primeira vontade real de conversar com ela desde nossa briga, nem que seja pelo bem de Harper.

— Harper ficará bem — repete Amy. — E *você*, Meredith, precisa encontrar um modo de ficar bem também.

Na manhã seguinte, acordo e decido agir. Aceito o desafio de Nolan, a oferta de Ellen, o conselho de Amy e, mais importante, sinto minha intuição. Tomo um banho, visto meu melhor terninho e sapatos de salto, e chego ao escritório mais cedo, antes mesmo dos advogados sem filhos nem vida pessoal. Vou para minha sala e imediatamente começo a fazer um inventário dos meus casos, percebendo, com sentimentos conflitantes, que Amy tem razão – não sou indispensável em absolutamente nada. Um dentinho da engrenagem, insignificante, embora sobrecarregado.

Uma hora depois, consigo reunir coragem para enviar um e-mail ao nosso sócio administrativo, Mike Molo, pedindo uma reunião com ele. Tenho certeza de que Molo não faz ideia de quem eu seja, pois nossa única interação real ocorre no elevador, quando ele me pede para apertar o botão do décimo sexto andar, um acima do meu. Então fico impressionada ao encontrá-lo no corredor do lado de fora da minha sala, lendo meu nome sobre a mesa, uma pasta numa das mãos e um café do Starbucks na outra. Depois de confirmar que está diante da advogada substituível correta, ele dá um passo para o lado, ocupando toda a porta, e diz:

— Bom dia, Meredith.

— Bom dia, Mike — respondo, meu coração batendo forte ao encará-lo.

— Você queria falar comigo? — pergunta ele, a voz tão imponente quanto a postura.

— Sim... Quero... mas teria.... ido até a sua sala — gaguejo.

— Tudo bem. Era perto. Por que não nos sentamos? — diz ele, apontado para a cadeira diante da minha mesa.

Volto a me sentar enquanto ele entra para valer na minha sala, olha o espaço apertado em volta e se senta na outra cadeira.

— O que está havendo? — pergunta ele, tomando um gole de café, como se fôssemos velhos amigos ou pelo menos iguais.

Respiro fundo e recito meu discurso ensaiado.

— Antes de mais nada, gostaria de dizer que estou trabalhando neste escritório há mais de sete anos... e que tenho recebido avaliações ótimas... E alcancei ou excedi minhas horas pagas exigidas anualmente, tanto como advogada em tempo integral quanto, depois do nascimento da minha filha, como advogada em meio expediente.

— Sim. Você tem uma reputação excelente. Obrigado por seu trabalho e comprometimento. — Ele meneia a cabeça, parecendo sério, mas percebo uma faísca em seus olhos, como se soubesse o que está prestes a ouvir e estivesse se divertindo. — E no que você anda trabalhando ultimamente?

— No caso Lambert — digo, tentando, sem sucesso, esconder meu desgosto. — Praticamente só nisso.

Ele assobia e faz uma careta.

— Ah. Uma pena ouvir isso. O Goldman é um encanto, não é?

— Sim. — Dou um sorriso genuíno. — É mesmo.

Molo ri e diz:

— E sobre o que você queria conversar? Goldman?

— Ah, não. Não exatamente. Na verdade, de jeito nenhum... — balbucio. — Só queria falar sobre o trabalho *no geral*...

— Tudo bem. Vamos direto ao assunto. Você está pedindo demissão? Ou só pedindo uma licença? — Ele bebe o restante do café e mira o copo na minha cesta de lixo, a um metro de distância. Ele atira e diz: — Porque realmente recomendaria a última opção.

Impressionada, respondo:

— Sim, senhor. Uma licença. Adoraria a última opção.

— De quanto tempo você precisa?

— Duas semanas? Talvez três?

Ele arqueia as sobrancelhas e diz:

— Tem certeza disso?

— Três seria maravilhoso.

Molo concorda, balançando a cabeça, e diz:

— Que tal um mês?

Meu sorriso se transforma numa risadinha nervosa.

— Muito obrigada. Um mês seria incrível.

— Ótimo. Aproveite — diz ele, consultando o relógio e se levantando de repente. — Só diga a Goldman e ao RH que autorizei isso. Vejo-a daqui a um mês. Espero que você volte. Mas boa viagem assim mesmo.

Então, antes que eu possa agradecê-lo ou pelo menos processar o tamanho do presente que ele me deu, meu chefe me lança uma piscadela e sai da sala.

Capítulo vinte e um

JOSIE

Na manhã de quarta-feira depois da minha primeira consulta com Susan Lazarus, e três dias antes de eu completar trinta e oito anos, Gabe entra na cozinha com os cabelos todos desgrenhados.

— Belo cabelo — digo.

Ele passa a mão pela cabeça e me agradece.

— Por que você está acordado? — pergunto, olhando para o relógio no micro-ondas. Ainda são seis e quarenta, faltam cinco minutos para eu sair, mas ainda uma boa hora para Gabe normalmente apertar o botão soneca pela *primeira* vez.

— Só queria vê-la antes que você saísse — diz ele, bocejando e abrindo a geladeira. Pega a jarra de suco de toranja, dá uma mexida e serve um pouco num copo. — Seu aniversário está próximo.

— Achei que você tinha esquecido.

— Só lembrei hoje — confessa ele, sem qualquer remorso. — Por que você não me lembrou como sempre?

Coloco minha torrada com manteiga de amendoim sobre um papel toalha, limpo os dedos e digo:

— Estou tentando pensar em outras coisas além de mim agora que estou prestes a ser mãe.

— E como está sendo isso para você? — Ele esfrega os olhos.

— Não é fácil. Estou começando a me sentir como Samantha Baker.

— Quem? — pergunta ele, o que me surpreende, porque normalmente entende todas as referências a filmes.

— Ah, pare com isso. Molly Ringwald? *Gatinhas e Gatões*? Lembra que todos esqueceram o aniversário dela?

— O Facebook não deixaria isso acontecer com você.

— Você não está no Facebook.

— Mas tenho certeza de que Pete está. — Ele me lança um olhar constrangido, claramente me provocando.

— Bem pensado.

— Então, você está planejando alguma coisa com ele?

— Não. Não tenho planos. — Faço um show para tomar meu ácido fólico com um gole de chá verde agora à temperatura ambiente.

— E o que você quer fazer? — pergunta ele.

Penso por um segundo.

— Quero sair e ficar bêbada.

— Já está falando como uma mãe.

— Será minha última farra. Com sorte, meu último aniversário sem filho... Faz reserva num lugar divertido?

— Sydney não pode fazer isso?

— Gabe — choramingo. — Ela não é minha melhor amiga. *Você* é.

— Certo — suspira ele. — Mas pode dar alguma dica? Aonde você quer ir e quem você quer convidar?

— Tenho certeza de que você tomará as decisões certas — digo. Então, como se isso não fosse pressão o bastante, acrescento: — Você é a única pessoa que *nunca* me decepciona.

— Certo. Só me dê o número do Doadorzinho. Suponho que você o queira presente.

— Claro. Isso seria ótimo.

— Como está a contagem de esperma dele, por sinal?

— Vamos ver. Ele deixou de usar cueca sunguinha e está usando samba-canção. Parou de andar de bicicleta. E está evitando sauna e banho quente de banheira. Os meninos funcionam melhor numa temperatura entre 34 e 35 graus — digo, pegando minhas coisas.

— Você está brincando.

Estou brincando, mas dou de ombros, gostando dos papéis invertidos. Geralmente, eu é que sou a tola e confusa. Gabe resmunga algo baixinho sobre eu estar louca enquanto saio pela porta, sentindo-me inexplicavelmente feliz.

Estranhamente, a dra. Lazarus me deixa uma mensagem naquela manhã, dizendo que recebeu os resultados dos meus exames e que gostaria que eu ligasse para ela quando possível. Ouço a mensagem duas vezes e, apesar de o tom de voz dela ser neutro, fico com medo e desesperada. Tenho certeza de que ela vai me dar péssimas notícias e mal consigo me manter calma ao longo da aula de ciência sobre a diferença entre sólido, líquido e gasoso. Assim que o dia termina, ligo para ela, começando com:

— Seja direta. Não posso engravidar, não é? Preciso começar a procurar um filho adotivo?

Ela fica em silêncio por alguns segundos assustadores, ri e diz:

— Nada disso, Josie. Não é nada tão horrendo assim...

— Nada *tão* horrendo?

— Não é *nada* horrendo.

Contenho as lágrimas de alívio, enquanto ela continua calmamente:

— Você está bem. *Muito* bem. E muito saudável.

— Então *posso* ter um bebê?

— Sim. Você é capaz de ter um bebê... mas o resultado da sua reserva ovariana, que mede a quantidade e a qualidade de seus óvulos e é um grande indicativo de fertilidade, está um pouco baixo para sua idade.

— Então... estou mais perto dos quarenta do que dos trinta e oito?

— Mais ou menos isso — diz ela, e sei que está sorrindo. — Não há nada para criar pânico... mas, ao mesmo tempo, se você tem mesmo certeza disso, acho que não deveria esperar muito.

— Quanto tempo tenho?

— Não é algo tão exato. Mas se eu fosse você...

— Sim? — pergunto, depositando toda a minha fé na resposta dela. — Se você estivesse no meu lugar, o que faria?

— Começaria a tentar imediatamente. Assim que você tomar sua decisão quanto ao doador.

— Certo. — Imagino Pete. — Vou fazer isso.

Naquela noite, depois de contar a Gabe sobre minha reserva ovariana, Pete me liga para conversar. Apesar de falar ao telefone com ele regularmente, ainda há um quê de nervosismo em nossos diálogos. Nós dois nos esforçamos para parecer inteligentes, como geralmente acontece com novos amigos, não importando o gênero e se um deles considera doar esperma para o outro. Depois de uns dez minutos, ele diz que Gabe ligou para convidá-lo para o sábado à noite.

— Ah, sim... Sei que foi de última hora. Mas ninguém se empolga muito com o aniversário de trinta e oito anos... — digo, pensando que isso é verdadeiro sobretudo quando seus óvulos estão velhos. — Não se preocupe se tiver planos... — Tento parecer mais indiferente do que me sinto.

— Estou dentro — diz ele rapidamente.

Sorrio e respondo que bom, fico feliz por ouvir isso.

— Andei pensando no seu presente.

— Ah, não precisa me dar nada. Sua presença é meu presente — brinco. Por acaso, Meredith incluiu isso no convite para o último aniversário de Harper, o que acho que foi um pouco pretensioso. Digo, *por favor*, deixe as pessoas darem logo uma lembrancinha para sua filha.

— Ah, é mesmo? — pergunta Pete.

— Isso... e seu esperma — acrescento rindo.

— Só me diga quando e onde faço o depósito.

Sei que é só provocação, mas aproveito a oportunidade de lhe contar sobre minha consulta na semana passada.

— Eles chamam isso de consulta pré-natal — digo. — Foi interessante. Gostei muito da médica, Susan Lazarus. Ela é muito gentil e inteligente. Gabe gostou dela também, e ele é difícil de agradar... — Mordo o lábio para conter o discurso inseguro, achando melhor não falar nada sobre os resultados dos meus exames.

— Legal. Então você está pensando em usar Gabe agora? — pergunta Pete. — Como doador?

— Ah, *meu Deus*, não. De jeito nenhum. Nunca. Ele só me acompanhou para me dar apoio moral. — Respiro fundo e acrescento: — Falei de você para a dra. Lazarus, claro.

— Ah, falou, é? — Pela voz, ele parece lisonjeado.

— Sim. Disse que tinha um excelente candidato... — Minha voz se perde e me pergunto como conseguirei levar esta conversa para onde quero.

— E?

— E... ela... ouviu — digo, com uma gargalhada nervosa. — Você gostaria de conhecê-la?

— Claro — diz ele, sem um segundo de hesitação. — Quando?

— Na minha próxima consulta? — Agora estou suando. Pego o folheto que a dra. Lazarus me deu e começo a me abanar com ele.

— Claro. Isso seria como uma entrevista preliminar? Ou mais algo como assista-a-um-pornô-e-ejacule-num-pote?

— Pare! — digo, fingindo-me de ofendida. — Isso é nojento.

— Desculpe. Mas não é assim que funciona?

— Acho que é. Mas posso fazer um pedido?

— Vá em frente. Se bem que algo me diz que não será o último.

— Realmente não quero saber se pornô faz parte da minha jornada rumo à maternidade — digo, rindo.

— É justo. Vou acender umas velas e levar rosas e pensar em algo romântico.

Sorrio e lhe digo que essa é uma imagem bem melhor.

— Obrigada.

— Sem problema. Ah, Josie?

— Sim?

— Você pode me acompanhar, se quiser... — diz ele, brincando.

— Rá, rá — respondo, fingindo que meu coração quase não parou de bater.

No sábado pela manhã, meu aniversário, acordo de bom humor e me sinto ainda mais feliz quando Gabe entra no meu quarto e diz que temos reservas para o Optimist às oito.

— Perfeito! — digo, começando a arrumar a cama. — Quem vai?

Gabe me lança um olhar cheio de segredos e diz:

— Achei que você quisesse ser surpreendida.

— Nunca disse isso. Disse que queria que você *cuidasse* de todos os detalhes.

— Bom, eu cuidei *mesmo*.

— E?

Ele se senta numa cadeira ao estilo Fonzie e diz:

— Eu, você, Leslie, Sydney, Meredith, Shawna e o Doador.

— Interessante — digo, parando de afofar o travesseiro.

— Certo — suspira ele. — Qual o problema?

Tenho vários problemas, entre eles Leslie, mas digo simplesmente:

— A *Meredith* vai?

— Sim. Ela me mandou mensagem ontem e perguntou. Tive de inclui-la.

— E quanto a Nolan?

Gabe faz que não e diz que ele não vai poder.

— Por que não? — pergunto, decepcionada por ele não representar a família e com um pouco de medo de ele estar com raiva de mim também – com medo de que minha irmã tenha conseguido convencê-lo e virá-lo contra mim. Mas me lembro de que isso nunca aconteceu antes, então me tranquilizo.

— A Meredith não disse — responde Gabe.

— E quanto a Stacey, Kendra e Leigh? — pergunto, referindo-me às minhas três melhores amigas da faculdade, das quais Gabe não gosta. — Você as convidou?

Ele para e confessa:

— Você deixou isso sob minha responsabilidade, então *talvez* eu tenha feito uma seleção...

Cruzo os braços e resmungo o nome dele.

Gabe não cede.

— Olha. Você tem ideia do quanto é difícil conseguir uma mesa para sete pessoas no Optimist com três dias de antecedência? Pode se concentrar no lado positivo?

— Não é tão difícil assim quando se teve um caso com a bartender-chefe.

Gabe me lança um olhar melancólico.

— Isso foi há muito tempo.

— Muito tempo que você transou com ela ou que ela lhe enviou uma foto nua? — pergunto, lembrando que acidentalmente vi um nu frontal espetacular dela no celular dele.

— As duas coisas. — Ele estala os nós dos dedos.

— Mas foi *assim* que você conseguiu a reserva de última hora. Não foi?

Ele ri.

— Talvez.

Reviro os olhos e pergunto se Leslie sabe sobre ela.

— Sim, Leslie sabe que sou amigo de uma bartender no Optimist.

— Não, Gabe. Nós somos amigos. Aquilo foi outra coisa. Mas que seja — digo, mudando de foco. — *Então* Shawna vai?

— Sim. Ideia de Meredith. Ela me deu o número.

— Hã? — Estou um tanto quanto surpresa. Apesar de Shawna e eu termos nos esforçado para reparar nossa amizade depois da morte de Daniel, faz anos que ela não vai a um aniversário meu.

— Quando foi a última vez que você conversou com ela? — pergunta ele.

— Faz alguns meses... e acho que não a vejo desde que Oliver nasceu.

— Achei que fazia tempo... Ela perguntou se você estava saindo com alguém.

— O que você disse?

— Disse que não...

— Você não contou a ela sobre Pete?

— Não. Por sinal, como você planeja apresentar todos a ele?

— Assim — digo, parando para causar um efeito dramático. — Pete, estas são Meredith, Sydney e Shawna. Moças, este é meu doador de esperma.

Gabe balança a cabeça, resmungando que devo ter problemas sérios, se levanta e vai até a porta.

Pigarreio e digo:

— Hein? Você esqueceu alguma coisa?

— Ah, sim. — Ele olha para trás. — Feliz aniversário, *Samantha*.

— Obrigada, Duckie — respondo, dando um sorrisinho.

— Duckie é de A *Garota de Rosa-Schocking* — diz ele, saindo para o corredor e indo para a escada. — Use os filmes de menininha certos.

— Bom, então obrigada, *Long Duk Dong*[2]! — grito para ele.

2. Referência a um personagem do filme *Gatinhas e Gatões*. (N. T.)

Naquela noite, Gabe e eu pegamos um Uber até o Optimist bem antes do horário da nossa reserva. Nós nos sentamos diante do bar, comendo ostras e bebendo champanhe, enquanto esperamos os outros chegarem, cada vez mais animados. Leslie chega primeiro, ofuscando-me em um vestido preto justo com um belo decote, que com seus seios pequenos gera mais um efeito Kate Moss. Acredito que escolheu isso para provocar ciúme na bartender e digo a mim mesma que devo dar uma chance a ela quando Gabe se levanta, beija-a no rosto e lhe oferece seu banquinho. Ela recusa, dizendo que pode ficar em pé, e se vira para me desejar feliz aniversário.

— Teve um bom dia? — pergunta ela, dando-me um abraço hesitante.

Faço que sim e digo que tive, que fui fazer compras e depois à manicure. Mostro minhas unhas pintadas de vermelho-bombeiro, que ela rapidamente elogia, apesar de não parecer o tipo de mulher que usa unhas vermelhas. Ela coloca a bolsa sobre o bar, furtivamente olhando quem está trabalhando atrás dele.

— Não se preocupe — digo, sorrindo. — A vagabunda está de folga.

Leslie não dá uma de boba; ela ri e diz:

— Ah, que bom!

— Além disso, você é muito mais bonita — acrescento, o que é verdade.

— É mesmo — diz Gabe, meneando a cabeça animadamente.

Leslie ri novamente e diz:

— Você tem de dizer isso.

— Não. — Balanço a cabeça. — Gabe é insuportavelmente honesto.

— E isso é *ruim?* — pergunta ele.

Ignoro a pergunta e olho para Leslie.

— Só nunca pergunte a ele se uma roupa a deixa gorda. Não que você pudesse parecer gorda. Mas assim mesmo.

— Espere aí, aniversariante. *Nunca* disse que você parecia gorda. Nunca — diz Gabe, virando-se para Leslie. — Ela sempre está perguntando se dá para ver que ela ganhou peso... Às vezes não. Às vezes sim. Mas nunca a chamei de gorda.

— Certo. Tem razão — reconheço, enquanto Leslie fala do quanto é bom estar com um homem honesto. Concordo meneando a cabeça e pensando que eles são mesmo um casal bonito, apesar de quase passarem por irmão e irmã.

— Vocês meio que parecem da mesma família — digo, de repente.

Gabe dá de ombros, abraça Leslie e diz:

— Pois é. O que é mais sexy do que namorar consigo mesmo?

O bartender chega e peço um Old Salty Dog, um coquetel de vodca com toranja. Aviso Leslie que isso desce como água e ela pede um também.

Quando Sydney, Shawna e Pete entram no restaurante, praticamente todos ao mesmo tempo, percebo que começo a enrolar as palavras um pouco ao apresentar todo mundo. Pouco depois, bem quando Gabe me entrega um copo d´água e discretamente sugere que eu "vá mais devagar", a recepcionista nos leva à nossa mesa. Sento-me no meio do banco. Sydney e Pete se sentam ao meu lado; Gabe, Leslie e Shawna se sentam à nossa frente – o que deixa uma constrangedora sétima cadeira reservada para Meredith, se é que ela vai aparecer.

— Estou tão feliz por todos terem vindo! — anuncio, tomada por uma sensação de carinho por todos na mesa. Acrescento uma nota especial a Shawna. — Obrigada por ter conseguido vir... Sei que é difícil com um bebê... e *realmente* agradeço. Por favor, agradeça ao Lars por mim — digo, sabendo que o marido dela está em casa com o filho.

— O prazer é nosso — responde ela, esticando o braço para segurar minha mão por sobre a mesa. Aperta minha mão e abre um sorriso que me faz lembrar de como eram as coisas entre nós – como se ela estivesse prestes a contar uma fofoca bem quente. Em vez disso, ela se vira para olhar Pete, encarando-o através dos óculos de aros escuros.

— Como você e Josie se conheceram? — pergunta ela. — Você é professor também?

Pete me lança um olhar fugaz, claramente esperando por alguma orientação, mas, como não digo nada, ele responde simplesmente:

— Não. Sou fisioterapeuta.

— Ah! — Ela meneia a cabeça, entusiasmada. — Você tem alguma especialidade?

— Esporte e ortopedia.

— Ele trabalha com alguns jogadores dos Braves — vanglorio-me.

Ela parece impressionada e ele acrescenta com modéstia:

— *Ex*-jogadores.

Enquanto todos começamos a consultar o cardápio, decido contar as notícias.

— Pete também vai ser meu doador de esperma — anuncio.

Sydney bate palmas e solta um gritinho de alegria. Gabe revira os olhos e balança negativamente a cabeça. E Shawna, depois de olhar para Pete e confirmar que não estou brincando, começa a disparar perguntas. Pete e eu respondemos juntos e ele repete o que disse mais de uma vez. Que quer me ajudar – e fazer algo de bom na vida. Que ele acha que tem bons genes. Que adoraria ter uma relação com meu filho, mas que respeitará minha decisão em relação a seu envolvimento. Shawna ouve atentamente, sem qualquer traço de julgamento ou condescendência. Em certo momento, quando ela murmura "absolutamente fantástico", eu me pergunto se ela está exagerando um pouco. No mínimo, aposto que ela se sente aliviada por não estar no meu lugar. Ainda assim admiro sua reação solidária e lhe digo isso, contrastando com a reação de Meredith. Quando Gabe se intromete, Sydney me cutuca com o cotovelo e anuncia:

— Shh. Ela está vindo.

Claro que levanto a cabeça e vejo minha irmã se aproximando da mesa com uma cara feia e com o traje mais entediante possível – calça jeans escura e uma blusinha preta, além de seus sapatos Manolo de sempre, que ficariam bem se não fossem tão baixos (a única coisa pior seria um salto gatinho). Os acessórios são brincos, a aliança de casamento e um relógio. *Bocejo.*

— Desculpe pelo atraso — diz ela ao chegar à mesa. Ela me dá uma sacola com papéis de seda e diz "feliz aniversário". Então, abaixa-se o bastante para me dar um abraço constrangido e distante, dando-me dois tapinhas nas costas.

— Obrigada — respondo, pegando a sacola e apontando para a cadeira dela. — Você se senta aqui.

Ela dá um passo naquela direção, para, olha para Pete e se apresenta.

— Sou Meredith. Irmã da Josie — diz ela, formalmente oferendo a mão.

— Oi, sou Pete — responde ele, cumprimentando-a.

— Oi, Pete. Acho que ouvi falar de seus atos heroicos no Bistro Niko. — Ela se senta, aparentemente feliz por ter essa informação, provavelmente porque sabe que estou me perguntando como ela ficou sabendo.

Pete ri modestamente e diz que não chamaria "um tapinha nas costas de um ato *heroico*".

— Claro que não é como doar esperma. — Sydney abre um sorriso enorme ao passar a bola para mim, praticamente esfregando as mãos.

— Ah, sim... Estava contando a Shawna que Pete planeja me doar seu esperma — digo, olhando diretamente para Meredith.

Minha irmã aproxima a cadeira da mesa e abre um sorriso contido, as mãos sobre o colo.

— Sim, a mamãe me contou sobre seu doador. Não sabia que você era o mesmo Pete — diz ela, à toa, depois volta sua atenção para nosso garçom, que voltou para ouvir nossos pedidos, e pede uma Coca Zero.

— Não quer uma taça de vinho? — pergunto, sem esconder minha irritação.

Ela balança negativamente a cabeça e diz:

— Infelizmente, não. Não vou beber hoje. Tenho de ir à igreja amanhã cedo. Harper está cantando no coro de querubins.

Claro que qualquer notícia com as palavras *igreja* e *querubim* quando se está num jantar tem um efeito cômico, e sou obrigada a ir na direção oposta, dizendo ao nosso garçom que adoraríamos animar as coisas com uma rodada de tequila.

Ele sorri, balança a cabeça, concordando, e olha para a mesa.

— Sete doses?

— Não. Seis — Meredith o corrige rapidamente.

— Não. *Sete* — digo. — Fico com a dela.

A despeito do esforço de Meredith para acabar com o clima, meu jantar de aniversário é um sucesso. Dá para ver que Shawna e Sydney gostam *mesmo* de Pete e até Gabe parece ter deixado de lado nossa controvérsia reprodutiva. Ele está relaxado e feliz, fazendo piadas e contando histórias, o que não lhe é comum. Em certo momento, Sydney observa isso e zombeteiramente pergunta a Gabe se Leslie merece crédito por ter "melhorado o humor dele".

Ele meneia a cabeça com um sorrisinho e diz:

— É. Talvez.

— *Com certeza* — digo, decidindo dar moral a Leslie. Viro-me para ela e acrescento: — Você é boa para ele.

Ela sorri, segura minha mão e diz:

— Acha mesmo?

— Acho. Mas eis o teste real. Você consegue fazê-lo ir ao Johnny's Hideaway hoje?

Sydney ri, sabendo do meu plano secreto de encerrar a noite no meu lugar preferido, e o lugar *menos preferido* de Gabe.

— De jeito nenhum — diz ele. — Nem fodendo.

— Quem é Johnny? — pergunta Pete.

— Você não conhece o Johnny's Hideaway? — pergunto. — Há quanto tempo você mora em Atlanta?

— Quatro anos. E não. Nunca ouvi falar.

— Nem eu — diz Leslie.

— Vocês não estão perdendo nada — informa Gabe.

— É um bar? — pergunta Pete.

— É uma casa noturna — explico. — E uma *instituição* de Atlanta.

— Por favor — diz Gabe. — É uma espelunca assustadora para pessoas na crise da meia-idade aonde você vai para ouvir ABBA e Neil Diamond.

— Gosto de Neil Diamond — diz Pete.

Lanço um olhar de triunfo para Gabe, que balança a cabeça para Pete.

— Você pode gostar de Neil Diamond quando está dirigindo seu carro por aí... mas um bar cheio de coroas cantando *Sweet Caroline* sob os olhares de velhos sacanas com charutos sob uma bola de espelhos? Não é algo bonito de se ver.

Pete ri e diz:

— Na verdade, até parece divertido.

Gabe fica olhando para ele, se vira para mim e pergunta em seu tom de voz mais seco:

— Ainda vai querer o esperma dele?

Todos riem, menos Meredith, que já pediu a conta ao garçom e olha com impaciência na direção dele.

— É *muito* divertido — confirmo. — Como uma volta aos anos setenta.

— Metade das pessoas lá *tem* setenta anos — diz Gabe. — E todas são cafonas.

— Não é verdade — digo, insistindo que hoje o público é diverso, com pessoas modernas e cafonas vivendo em harmonia.

Meredith pega o AmEx da carteira e anuncia:

— Estou com Gabe. O Johnny's Hideaway é horrível.

Gabe estala os dedos e aponta para ela, dizendo:

— Finalmente concordamos em alguma coisa.

— Bom, vocês dois podem ir para casa. Syd e eu vamos ao Johnny's — digo, depois pergunto se Shawna, Leslie e Pete querem nos acompanhar.

— Sim, estou dentro — responde Shawna, sem hesitar, lembrando-me do que amava tanto nela.

— Eu também — diz Pete. — Quero ver esse lugar.

Sorrio e me viro para Leslie, esperando que ela decline o convite. Em vez disso, ela faz que sim e começa a cantar *Sweet Caroline*. Eu e Syd continuamos em uníssono.

— Ah, meu Deus — resmunga Gabe.

— Deixe disso. Por favor, venha — imploro. — Por mim?

— Não. Não vou ao Johnny's — anuncia Gabe com o mesmo tom de voz de alguém que diz "não uso drogas". Ele se vira para Pete e diz: — Cara, você está por conta própria.

Pouco antes da meia-noite, Shawna, Sydney, Leslie, Pete e eu entramos na fila do lado de fora do Johnny's Hideaway, que fica num prédio comum no fim de um trecho comercial na Roswell Road. À nossa frente está um grupo barulhento de mulheres de cinquenta e poucos anos, todas usando calças justas com estampas de animais. Depois que Sydney começa a conversar com elas, descobrimos que estão numa despedida de solteira com a temática de peruas. A noiva anuncia que essa será sua última noite na pista.

— Quando é o casamento? — pergunto.

— Sábado que vem — responde ela, ajustando a faixa na cabeça, que na verdade é uma calcinha com estampa de oncinha. — Espero que a terceira vez seja a melhor!

Todos rimos e desejamos boa sorte, depois pagamos cinco dólares ao homem de terno na porta, entrando no salão escuro, decorado em preto e vermelho, pulsando ao ritmo de *Little Red Corvette*. Uma enorme bola espelhada gira, lançando luzes coloridas sobre a pista de dança.

— Uau! Este lugar é incrível — diz Pete, olhando as paredes decoradas com fotos de celebridades que vão desde Frank Sinatra a Arnold Palmer, passando por Britney Spears e George Clooney (que aparentemente veio à casa uma noite, já que está posando com o mesmo segurança que nos recebeu).

— Eu disse — respondo com orgulho.

Leslie, a outra virgem do Johnny's, concorda, murmurando que Gabe realmente está perdendo, enquanto lhe digo pela terceira vez que estou impressionada por ela ter vindo sem ele.

— Muito legal de sua parte — digo, depois admito que agora gosto mais dela, o tipo de coisa que você confessa quando bebe.

— Ah, obrigada. Gabe me disse que você é muito importante para ele... então...

— Ah, você está só sendo estratégica? Tipo conquistando o homem pelo estômago? Mas, no caso de Gabe, por Josie? — pergunta Sydney.

Leslie ri e diz:

— Sinceramente, só queria conhecer este lugar.

— Não é tudo o que você imaginava que seria? — pergunto.

— E mais! — responde ela, passando por uma nuvem de fumaça de charuto e sentando-se diante do bar num dos banquinhos giratórios com estofado vermelho.

— O que vocês querem, meninas? — pergunta Pete, com o cartão de crédito na mão. — Vamos pedir um coquetel retrô? Harvey Wallbangers? Manhattans? Tequila Sunrises?

— Sabe de uma coisa? Vou querer um uísque sour.

Shawna faz uma cara estranha e diz:

— Nem lembrava que bebíamos isso! Quero também.

Syd e Leslie dizem que preferem vinho tinto, e Pete pede uma Miller Lite, abrindo uma conta apesar de Shawna insistir para ele pagar apenas a primeira rodada. Pouco depois, com as bebidas em mãos, nós nos esprememos na pista de dança cheia e diversa – com meninas de uma irmandade, divorciadas fumantes de Virginia Slims e empresários em ternos amassados. Enquanto o DJ toca sucessos dos anos cinquenta aos noventa, dançamos num grupo suado, às vezes nos misturando a estranhos ou posando para selfies provocativas. Em certo momento, meu seio esquerdo até aparece acidentalmente.

Algumas rodadas mais tarde, enquanto Pete e eu nos afastamos para dançar *Every Rose Has Its Thorn*, do Poison, sinto uma onda de felicidade. Apesar de reconhecer que provavelmente são só o álcool e a euforia da música dos anos oitenta, eu me pergunto se pode ser mais do que isso. Se pode ter algo a ver com *Pete*.

— Estou tão feliz por termos nos conhecido — digo, sorrindo para ele, abraçando-o pela cintura.

— Eu também. — Ele sorri para mim. — Não importa o que aconteça com a gente.

— O que você quer dizer? Está desistindo...?

— Não — diz ele, habilmente me abaixando na pista. — Só quis dizer que não importa o que aconteça *hoje à noite*.

Eu rio.

— Espere aí. Você está me cantando?

— Arrã. Acho que estou. — Pete põe a mão na minha bunda. — Mas no Johnny's eles dizem "dar em cima"... Você curte, broto?

— Ah, curto — digo, procurando no meu cérebro a gíria dos anos setenta. — Você é um Casanova.

Ele me dá uma piscadela e gira num movimento de dança bacana.

— Conhece isso, moça?

Sorrio para ele e digo:

— Sabe de uma coisa?

— O quê?

— Estava aqui pensando que você é gostoso. Muito gostoso... mas provavelmente é por causa da bebida.

— Uma mente ébria expressa um coração sóbrio, gatinha — diz ele, puxando-me para perto.

— Na verdade, acho que não é a bebida. Acho que é seu cabelo escovinha finalmente crescendo.

— *Babaca* — diz ele, fingindo-se de ofendido.

— Uma mente ébria expressa um coração sóbrio — lembro, olhando para a covinha no queixo dele. — Mas, sério, você está bonito hoje.

— Bonito o bastante para você me beijar? — pergunta ele quando o DJ começa a tocar *Jessie's Girl*, uma de minhas músicas preferidas.

— Talvez. — Sorrio timidamente.

— Bom, e aí? O que vai ser? — pergunta ele.

Quando Springfield entra no refrão, decido agir. Fico na ponta dos pés e o beijo demoradamente, o bastante para perceber que gosto disso.

— Uau — diz ele ao nos separarmos, os olhos ainda fechados. — Isso foi muito bom.

— *Muito bom?*

— Bom demais. — Ele se abaixa para nos beijarmos novamente. Nossas bocas se entreabrem.

— Vão para um canto! — ouço Shawna gritar atrás de nós, evocando memórias da faculdade.

Afasto-me de Pete, rapidamente seco a boca com as costas das mãos e digo para Shawna:

— Você não viu isso.

— Vi, sim — diz ela, e aponta para Leslie e Syd. — E elas também viram.

— Não foi nada — anuncio ao grupo. — Só um beijinho de aniversário. Certo, Pete?

Pete faz que sim.

— É. Foi só isso.

Eu o encaro, perguntando-me se ele está blefando ou dizendo a verdade. Concluo que é a verdade, sentindo um quê de decepção. Afinal, é muito difícil abandonar o velho sonho de encontrar o amor – e no mínimo seria agradável se sentir desejada. Mas então me lembro do cenário como um todo, do sonho maior. Digo a mim mesma para não deixar que um beijo estúpido estrague tudo. Que, um dia, isso será só uma historinha bonita para contar para minha filha – ou filho – sobre meu aniversário de trinta e oito anos. Como, uma noite, pouco antes da inseminação, beijei o pai biológico dela na pista do Johnny's Hideaway.

Uma hora mais tarde, depois de fecharmos o lugar (não foi um feito fácil) e de Sydney me dar carona em seu Uber, entro em casa esfomeada, indo diretamente para a cozinha. Ao abrir a geladeira, procurando sobras, ouço passos atrás de mim e dou um pulo, derrubando a caixa de comida chinesa e espalhando tudo pelo chão.

— Oi — ouço Gabe dizer.

— Jesus, você me assustou — digo, abaixando-me para pegar a caixa e um bocado de arroz. — O que você está fazendo, andando sorrateiramente assim?

— Hã? Eu moro aqui?

— Assim mesmo. — Tiro os sapatos, sabendo que meus pés demorarão dias para se recuperarem. — O que você está fazendo acordado?

— Não consigo dormir.

— Está com fome?

— Não.

— Bom, estou com uma fome do caralho — digo, falando mais palavrão do que o normal, o que sempre faço depois de algumas doses. — Temos outra coisa além de arroz?

— Era para ter um pouco de carne e brócolis também.

Procuro novamente e encontro outra caixinha atrás da embalagem de leite integral de Gabe.

— Aí está — digo, pegando a caixa e colocando-a na bancada. Então pego um garfo da gaveta de utensílios, concluindo que não vale a pena pegar um prato ou colocar tudo no micro-ondas. Em vez disso, começo a comer.

— Que nojo — comenta Gabe, baixinho, porque nunca come sobras frias e porque acha que toda comida, mesmo a consumida às três da manhã, deve ser colocada num prato e saboreada com um mínimo de civilidade. Nas palavras dele.

— Que se dane — digo. — *Você* é nojento.

— Não, *você* é. E está fedendo como um cinzeiro.

Ele me lança um olhar crítico, tentando me manipular como sempre. Como não respondo, ele diz:

— Ouvi dizer que você fumou uns charutos.

— Paul Jolly estava lá. Sabe? Nosso antigo vizinho? Dei, tipo, uma baforada no charuto dele. Quem é seu informante?

— Conversei com Leslie.

— Ela *já* ligou? — pergunto, pensando que ela saiu só vinte minutos antes de nós.

— Não. *Eu* liguei para ela.

— Uma tentativa fracassada de convidá-la para transar?

— *Nunca* fracassei nisso — diz Gabe, o que é provavelmente mais próximo da verdade.

— Então, por que ela não está aqui?

— Porque não a convidei. Estava começando a ficar preocupado com você... Liguei para *você* antes... Olhe seu celular.

— Ele morreu... Fiz vários vídeos. Filmei Leslie se pegando com outra mulher — digo, pensando na dança sexual dela e de Sydney ao som de *Pour Some Sugar on Me*. É verdade que Syd começou tudo, mas ainda assim.

— Pois é. Bom, ouvi dizer que você se pegou com um *cara*. Vocês estavam se amassando na pista de dança, hein?

— Que merda, ela é uma dedo-duro — digo, comendo outro pedaço de carne.

— Ah, então você queria guardar segredo?

— Não é um segredo — respondo, a boca cheia. — Mas ela está exagerando.

— Claro. — Ele cruza os braços. — Sabe de uma coisa, Josie?... O Johnny's Hideaway é ruim. Mas *ficar de pegação* no Johnny's Hideaway é muito pior.

— Não fiquei de pegação lá — digo, comendo o último pedaço.

Ainda de braços cruzados, ele tomba a cabeça para o lado.

— Então você não beijou Pete?

— Beijei, sim. — Reviro os olhos. — Mas isso está bem longe de ser pegação.

Gabe me encara com reprovação no olhar.

— O que foi? Não me olhe assim. Você sabe... se não o conhecesse bem, diria que está com ciúme.

É o tipo de coisa que nunca diria sóbria, o que me faz pensar: será que é o que penso no fundo?

— Com ciúme *do quê?* — responde Gabe. — Digo, se você quer o esperma medíocre dele, vá em frente. Mas tenho noventa e nove por cento de certeza de que você vai se arrepender.

— Esperma medíocre! — Rio. — Uau. Você *está mesmo* com ciúme. Isso é tão bonitinho.

— Não estou com *ciúmes*. Só acho que é uma *péssima* ideia ficar se pegando com seu doador de esperma. Se você quer namorá-lo, tudo bem, mas então adie o projeto.

— Não quero namorá-lo. Só quero um bebê – e um pouco de esperma.

— Certo. Então, francamente... acho que você pode escolher algo melhor do que Pete.

— Que maldade! Ele é um cara legal.

— Eu sei. Mas e no mundo dos espermas? Ele é o melhor? Deixe disso, Josie...

— Quem seria melhor? — digo, grata por ter começado a beber água na hora certa a fim de poder ao menos defender minha opinião no debate. — O corredor vegetariano? Gabe, pare, leia aquele texto de novo. Ele parece maluco. Além disso... Não gosto da ideia de usar um estranho. Prefiro um conhecido.

Ele me encara, meneando a cabeça, descruza os braços e coloca as mãos abertas sobre a bancada.

— Então que tal um conhecido *de verdade?*

Coloco a caixinha de carne no lixo e começo a comer o arroz. Ele o tira da minha mão e o joga no lixo também.

— Ei! — digo.

— Você me mandou jamais deixá-la comer carboidrato de madrugada. Estou tentando ser seu amigo... Então, de volta ao conhecido... E quanto a um amigo próximo em vez de um cara que você conheceu no Match?

Estreito os olhos, confusa.

— Quão próximo? — pergunto. Ele não pode estar sugerindo o que parece estar sugerindo.

— Tipo... Não sei... um melhor amigo? — pergunta ele, desviando o olhar e parecendo nervoso.

— Você está brincando, não é? — digo, rindo.

Ele me encara e faz que não, sério.

Meu coração dispara tanto quanto na pista de dança quando eu e Pete nos beijamos.

— Achava que você não quisesse complicação.

— Não quero. Ainda acho que você deveria escolher um estranho completo. Mas, se não quer fazer isso... você deveria usar alguém em quem confia. Alguém que sempre lhe dará apoio. E ao seu filho.

— Quer dizer *você?* — pergunto para confirmar.

— Sim. Quero dizer *eu.*

— E você se tornaria o quê? — pergunto, a mente em disparada.

— Como assim?

— Você seria só um doador? Ou, tipo... um pai?

Ele engole em seco e diz:

— As duas coisas, acho.

— Então mais do que um doador?

— Sim. Mais do que um doador. Mais do que você teria com Pete. E seria o pai também.

— E quanto a nós? — pergunto, imaginando se ele não está prestes a revelar uma paixão secreta por mim, como Andrew McCarthy em *O primeiro ano do resto de nossas vidas.*

— O que quanto a nós? — pergunta ele.

— Bom... você não está sugerindo... — Minha voz se perde quando me aproximo, mas ele continua sem reagir.

Concluo o pensamento.

— Você não está sugerindo que façamos *sexo*, está? Para engravidar.

— Ah, meu Deus, não. — Gabe faz uma careta. — Nada disso. Ainda usaríamos a médica. E continuaríamos na mesma quanto à nossa amizade...

— Certo. — Balanço a cabeça. — Mas não seria estranho?

Gabe dá de ombros.

— Talvez... Mas não sei... Acho que seria mais como termos o Revis juntos.

— Mas Revis é um *cachorro.*

— Sei disso.

— E, além do mais, Revis é *meu.*

— Isso é uma tecnicalidade e você sabe. Quem passeia mais com ele? Quem o tira de casa à noite? Quem pagou a última conta estratosférica do veterinário quando ele comeu aquela meia?

— Mas a meia era *sua*. Você a deixou pela casa.

— Pare, Josie. Na cama de quem ele dorme quando pode escolher?

— É meio a meio — insisto.

— Bobagem. Aquele cachorro me ama mais e você sabe.

Começo a protestar, mas Gabe está falando sem parar.

— A questão é que amo Revis como se fosse meu. Faria qualquer coisa por ele. E ficaria com ele se algo acontecesse com você.

— E se brigássemos? — pergunto.

— Nós *já* brigamos.

Balanço a cabeça.

— Não estou falando de briguinhas bobas por causa de louça suja deixada na pia. Uma briga *de verdade*.

— Não seja boba. Você sabe que isso não aconteceria.

— Pode acontecer.

— Certo. Tem razão. Pode. E, se acontecesse, seríamos como qualquer outro casal divorciado que compartilha a custódia. Só que nunca fomos casados. Só estamos pulando essa parte.

Concordo meneando a cabeça, apesar de ter problemas para acreditar no que ouço.

— O que Leslie diz sobre isso?

— Não discuti isso com Leslie.

— Você acha que ela aceitaria?

— Na verdade, sim — responde ele, tão rápido que fica claro que pensou no assunto. — Digo, eis como vejo a situação. E se eu já tivesse um filho? Ela *não* me namoraria?

— Não tenho ideia. Mal a conheço. Talvez não.

— Bom, se não me namorasse por causa disso, ela seria fútil. E não gosto de mulher fútil. Então é melhor descobrir agora.

— Não concordo com isso. Não tenho certeza se iria querer sair com um homem que vai ter um bebê com outra mulher.

— Então *você* é fútil — diz ele, sorrindo. — E, de qualquer forma, gosto muito da Leslie... mas ela não é determinante aqui.

— Tem certeza? Achei que você estivesse se apaixonando.

— Talvez esteja. Mas isso é irrelevante. Se fizéssemos isso, seria *nossa* decisão. Sua e minha. Juntos.

Eu o encaro por mais alguns estonteantes segundos, tentando processar tudo.

— Então você está me dizendo que *quer* um bebê?

— Não. Nunca disse isso. Mas não *deixo de querer* um bebê. Quero que *você* tenha um bebê, se for isso o que você quiser.

— Isso não é muito convincente.

— Não estou tentando convencê-la. Estou só fazendo uma oferta. É pegar ou largar...

Eu o abraço, os olhos cheios d'água, sussurrando que essa talvez seja a coisa mais linda que alguém já se ofereceu para fazer por mim.

— Claro, claro — diz ele, afastando-me com um bocejo. Noto que seus olhos permanecem abertos, um sinal de que é um *bocejo falso,* e que só está procurando por uma transição, incomodado por minha demonstração de afeto. Claro que ele diz que vai voltar para a cama, se vira e sai de repente da cozinha.

— Boa noite, Gabe. Amo você *pra caralho!*

— Também te amo, boquinha de Jesus — murmura ele, subindo as escadas.

Capítulo vinte e dois

MEREDITH

Na sexta-feira depois do aniversário de Josie, na tarde em que deveria viajar para Nova York, Harper tem um ataque de birra que não tem nada a ver com minha viagem – ou com o fato de ela saber que vou perder o Halloween na segunda-feira, uma fonte de considerável culpa maternal. Em vez disso, num caso da vida imitando a arte, ela parece ter perdido seu bichinho de pelúcia preferido, exatamente como a menininha de *Knuffle Bunny, de* Mo Willems, o livro preferido de Harper.

— Onde você o viu pela última vez? — pergunta Nolan, uma pergunta que sempre me intrigou e que parece ridícula quando feita a uma criança histérica de quatro anos.

— Eu. Quero. O. Coelhinho! — chora ela em resposta.

— Eu sei, querida — digo, procurando embaixo do sofá, apesar de saber que ele é grande demais para estar ali. — Vamos encontrá-lo. Prometo.

Nolan pigarreia e diz:

— Hmmm. Acho que não deveríamos fazer promessas. Se é que você me entende.

Olho para ele, ainda de joelhos, e meu coração quase para de bater, pensando que eles acabaram de voltar para casa depois de um passeio na Legolândia.

— Nolan — digo, baixinho. — Você está tentando me dizer alguma coisa?

— Talvez — responde ele, a voz questionadora, aparentemente em pânico.

— Por favor, pelo amor de Deus, não me diga que Harper levou o Coelhinho para a Legolândia — peço, levantando-me e olhando-o nos olhos.

Nolan me encara, mas não responde, e uma onda de terror toma conta de mim. Lembro-me de que ainda tenho Harper, de que não foi um sequestro, de que estamos falando de um bicho de pelúcia, um objeto inanimado.

— Estou otimista, acho que o deixamos no carro — diz ele, parecendo *qualquer* coisa, menos otimista.

— Quão otimista?

— Cem por certo. Lembro-me de ver o Coelhinho pelo espelho retrovisor.

Por um segundo, me sinto aliviada. Então, digo:

— Espere. A caminho do parque? Ou na volta para casa?

Nolan coça a cabeça e dá de ombros.

— *Disso*... não tenho certeza.

— Nolan! — chamo, com um gemido, levando as mãos à cabeça. — Quantas vezes disse para não deixá-la tirar o Coelhinho de casa? Você *sabe* que seria um desastre se ele se perdesse para sempre!

— Não sabia que ela estava com ele quando saímos.

Respiro fundo, a mente em disparada.

— Você ligou para a Legolândia? — pergunto, enquanto o choro de Harper aumenta.

— *Claro*. Várias vezes. Deixei duas mensagens e conversei com um cara na recepção.

— E?

— Ninguém o devolveu ainda.

— Então você *realmente* o deixou lá?

— Não sei, Meredith — diz ele, para então mencionar um fato irrelevante. — Eu a levei para lá a fim de que você pudesse fazer as malas em paz...

— Então a culpa é minha?

— Não disse isso...

Viro-me e digo:

— Harper, querida. Venha cá, bebê.

— Quero o Coelhiiinhooo! — grita ela, esfregando os olhos com os punhos, o rosto coberto com uma mistura de lágrimas e ranho.

— Eu sei, querida. O papai e eu vamos fazer o melhor para encontrá-lo.

Ela repete que quer o Coelhinho e diz que está com muita, muita saudade dele.

— Eu sei, meu amor — digo, um nó no estômago, consultando meu relógio.

— A que horas é seu voo? — pergunta Nolan pela terceira vez hoje.

— Às sete. Mas obviamente não vou mais.

— Por que não?

Pergunto se ele está falando sério e ele diz que sim, está.

— Sua presença aqui não vai mudar nada — acrescenta ele.

Mordo o lábio, meneio a cabeça e digo:

— Isso é *muito* gentil, Nolan. Muito obrigada.

— Digo em relação ao *maldito* coelho — diz ele, baixinho.

O telefone toca antes de eu poder responder e cometo o erro de olhar o identificador e ver o nome de Josie. Decidindo que não dá para piorar, atendo.

— Oi, Josie. Estamos no meio de uma crise aqui — digo, antes que ela fale qualquer coisa.

— O que está havendo? — pergunta ela.

— Não encontramos o coelhinho da Harper.

— Ah. — Está claro que ela acha que simplesmente guardamos o coelho em algum lugar, e não que o deixamos na *maldita* Legolândia.

Saio de perto de Harper, cobrindo o microfone com a mão e contando as notícias a Josie.

— Além disso, tenho um voo que sai daqui a poucas horas...

— Para onde você vai?

— Nova York.

— A trabalho?

— Não.

— Para quê, então?

Hesito, perguntando-me por que não tenho uma resposta preparada, e digo:

— Só preciso me afastar por uns dias.

— Uns dias? Então você vai perder o Halloween?

— Sim. Mas a fantasia de borboleta da Harper está pronta... e, além do mais, Nolan sempre a leva para pedir doces. Eu só dou doces para os vizinhos. Não é nada de mais — digo, ainda tentando me convencer disso.

— Ah. Certo... Então você vai com Ellen?

— Não. Vou sozinha... mas não sei se vou conseguir agora...

— Por quê? Por causa do coelhinho?

— Isso mesmo — digo, olhando para Nolan. — Por causa do coelhinho.

— Quer que eu vá para aí?

— Por quê? — pergunto, imediatamente me arrependendo.

— Deixe para lá.

— Desculpe. Quando digo "por quê?", só estou perguntando se você vem por causa do coelhinho. Porque acho que você não vai encontrá-lo...

— Só pensei em ir para ficar com Harper. Para você poder viajar... enquanto eu a distraio.

Hesito, não porque quero desesperadamente aceitar a oferta dela, e sim porque tenho dificuldade para admitir que precisamos dela. Que eu preciso dela. Mas minha preocupação com Harper vence e digo:

— Isso seria maravilhoso...

— Certo — diz ela rapidamente. — Estou quase em casa. Só preciso soltar Revis... Posso chegar em quarenta e cinco minutos. Pode ser?

— Pode. Obrigada. Vou avisar Nolan.

— Tudo bem — diz ela. Então, depois de um tempo, faz uma oferta ainda maior. — Posso passar a noite também... se Nolan quiser. Posso ser a substituta do coelhinho dela.

Quase digo que não há substituto para o coelhinho, mas titia Josie pode ser a exceção a isso.

— Pode mesmo fazer isso? — pergunto, engolindo o que resta do meu orgulho. — Isso seria maravilhoso. Obrigada, Josie.

Meu voo pousa no La Guardia pouco depois das 22 horas. Ligo o celular assim que saio do avião, consultando as mensagens e rezando para ter novidades quanto ao coelhinho. Nada, descubro. Nenhuma palavra de Atlanta além de uma mensagem de Ellen desejando uma boa viagem e para ligar se tiver alguma pergunta sobre o apartamento. Agradeço e mando uma mensagem para Nolan e Josie perguntando sobre o coelhinho. *Ainda perdido? Como está Harper?*

Trinta minutos mais tarde, depois de pegar a mala e entrar na fila curta dos táxis perto do desembarque, ainda não recebi uma resposta dos dois. Penso no pior, mas digo para mim mesma que não há nada que eu possa fazer. Então guardo o celular na bolsa, fecho os olhos e sinto o cheiro glorioso do Queens – uma mistura de escapamento e lixo e falafel.

De repente, sou tomada pelo cansaço e tudo o que quero fazer é dormir. Lembro que posso fazer isso. Posso dormir *o dia todo* amanhã. Posso dormir a semana toda. Pela primeira vez desde o nascimento de Harper, não tenho nenhuma responsabilidade, pelo menos não de hora em hora. Ainda assim, ao entrar no táxi e dar o endereço de Ellen para o motorista, na East Tenth Street, percebo que não é uma questão tão simples de dormir e ser livre e, à medida que os anúncios e prédios passam por mim, sinto-me tão perdida quanto o pobre coelhinho, onde quer que ele esteja.

Capítulo vinte e três

JOSIE

Meredith me liga na manhã seguinte enquanto ainda estou abraçada a Harper na cama dela.

— Encontraram o coelhinho? — pergunta antes mesmo de eu dizer alô.

— Não — sussurro, virando-me para a parede e falando baixo, apesar de Harper conseguir dormir em meio a um ataque aéreo. — Ainda não.

— *Merda* — suspira Meredith. — Como ela está?

— Bem. Ainda dormindo. Estou aqui com ela agora...

— Na cama dela?

— Sim.

— Ela a chutou a noite toda?

Rio e digo que não foi tão ruim assim.

— Onde está Nolan?

— Não sei... Ainda não levantei.

Faz-se uma pausa antes de ela dizer:

— Mandei mensagem de texto para vocês dois noite passada. Vocês receberam?

— Harper e eu fomos dormir cedo. Nolan saiu.

— Ah — diz ela, aparentemente surpresa. — Aonde ele foi?

— Não sei. Não perguntei... — Hesito e pergunto com todo o cuidado possível: — Está tudo bem entre você e Nolan?

— Sim. Estamos bem.

A resposta atravessada dela, bem como o mau humor incomum de Nolan na noite passada, só corroboram minha desconfiança de que há algo errado. Mas sei que Meredith é reservada quanto a seu casamento – e que é inútil pressioná-la quando ela não quer falar. Então mudo de assunto.

— Aposto que o coelhinho vai aparecer hoje. Mas, para garantir... me adiantei e encomendei outro.

— Outro coelhinho?

Digo que sim, que me lembrava da etiqueta Jellycat e que, depois de uma olhada rápida no Google, encontrei o mesmo coelhinho bege no website da Nordstrom.

— Vou recebê-lo amanhã — digo.

— Mas ela com certeza vai notar a diferença — argumenta Meredith. — Lembra que a mamãe tentou substituir o Bongo?

Sorrio, pensando no nome completamente aleatório que dei ao nosso peixe beta azul e amarelo.

— Sim. Aquilo não deu certo.

— Claro que não. E Harper é mais esperta do que nós éramos...

— Eu sei. Mas achei que valia a pena tentar. Estava pensando em deixar Revis brincar com ele por uns dias... passá-lo na lama... jogá-lo na secadora na temperatura máxima...

— Ela vai notar mesmo assim — diz Meredith com um suspiro.

— Sim. Acho que tem razão — respondo, querendo que ela ao menos me dê um pouco de crédito pela ideia e pelo esforço. Por eu estar aqui na cama com a filha dela. — E o que você vai fazer hoje?

— Ainda não sei. E você?

Digo que não sei, mas que planejei passar o dia com Harper.

— Tudo bem por você?

— Claro — diz ela, a voz um pouco mais amena. — Obrigada.

— De nada. E, Mere?

— Sim?

Hesito, procurando as palavras certas.

— Por favor, me avise se quiser conversar... sobre qualquer coisa.

— Obrigada — repete ela. — Agradeço muito por isso, Josie.

Mais tarde naquele dia, depois que Harper chorou por causa do coelhinho três vezes (felizmente, nunca ao telefone com Meredith), Nolan entra na sala, onde estou dobrando a roupa lavada, e pergunta se gostaria de visitar Daniel.

— No cemitério?

É uma pergunta idiota – onde mais visitaríamos Daniel? –, mas Nolan é gentil em sua resposta.

— Sim... Vou levar Harper... Adoraria se você fosse também. Vamos, por favor?

Olho para ele, surpresa com o pedido direto, tanto que me vejo balançando a cabeça, relutante.

— Tudo bem — digo, e meu coração se enche de medo.

Algumas horas depois, a despeito das minhas várias tentativas de nos desviar do caminho, Nolan, Harper e eu paramos na entrada circular do Arlington Memorial Park. Nossas três portas se abrem e se fecham rapidamente, ecoando na serenidade do belo cemitério. Meu estômago se revira e tento me proteger das lembranças de 26 de dezembro de 2001, a última vez que estive ali. As lembranças vêm assim mesmo. O frio cortante. A sensação dos meus saltos se afundando na terra úmida. O buraco de terra avermelhada no chão. O pássaro solitário no carvalho nu olhando o caixão do meu irmão.

Andamos em fila até o túmulo de Daniel, Nolan na frente, Harper entre nós dois. Ela carrega um buquê de flores. Tenho um péssimo senso de direção, mas encontro o lugar sem qualquer ajuda, orientando-me pelo velho carvalho. Claro que vejo o nome do meu irmão, a lápide na sombra parcial da árvore. Algumas folhas caíram no terreno, e vejo Nolan limpá-las. Enquanto isso, fico de lado, sem ideia de qual é a etiqueta do cemitério, mas certa de que não se deve pisar no túmulo.

O sol passou o dia inteiro entre as nuvens, mas agora o tempo está nublado, um ventinho frio no ar. Tremo e fecho meu casaco, cruzando os braços antes de me forçar a olhar para a lápide do meu irmão. O granito cinza traz o nome completo dele, as datas do nascimento e do acidente. Embaixo há uma cruz gravada e as palavras nas quais mamãe pensou à mesa da cozinha com meu pai e nosso pastor. *Amado filho, irmão, amigo.*

Eu me lembro de pensar que o epitáfio era simples demais. Que faltavam várias coisas — *neto, sobrinho, primo, namorado*, para mencionar algumas. Quase disse isso, num ataque do que parecia uma Síndrome de Tourette pós-traumática, mas consegui me conter. Em vez disso, fui para meu quarto, onde fiquei quase até o funeral, afastada de todos.

Nolan pigarreia e diz numa voz baixa e calma:

— Harper, querida, quer colocar as flores no chão? — Ele aponta para a base da lápide.

Com uma solenidade exagerada, como uma atriz mirim numa cena de funeral, ela faz que sim e se ajoelha, lentamente colocando o buquê no chão. Uma mistura de cravos e rosas, as flores parecem baratas, quase gritantes, e o celofane verde e o laço não ajudam muito. Se Meredith estivesse conosco, seria diferente: as flores teriam sido compradas de um florista elegante e Harper usaria um vestido, não uma camiseta manchada. A maior diferença, porém, é que eu não estaria aqui – o peso das expectativas dela seria insuportável para mim.

— Bom trabalho, querida — sussurra Nolan, ajoelhando-se ao lado dela e cuidadosamente virando os botões de flor para a lápide. — Quer rezar?

Claramente acostumada a isso, Harper junta as mãos, fecha os olhos e diz:

— Deus abençoe o tio Daniel.

— Deus abençoe o tio Daniel — ecoa Nolan.

Apesar de sempre pensar nos filhos que meu irmão não teve, nunca pensei na perda dele a partir da perspectiva da minha sobrinha. Incluo isso na minha longa lista mental das coisas pelas quais ficar triste mais tarde. Por enquanto, faço o melhor que posso para não expressar nenhuma emoção.

Enquanto isso, Nolan reza o Pai Nosso, o que acho estranhamente formal ou no mínimo antiquado. Sei que deveria rezar com ele, mas não rezo. Nem fecho os olhos, o que Harper faz durante toda a oração, até o *Amém*. Então ela diz também, num suspiro demorado: *Aaaamém*.

Depois, os dois se levantam e Harper se afasta, uma criança despreocupada novamente. Nolan me envolve num abraço rápido, mas firme.

— Você está bem?

Percebendo que estava prendendo a respiração, solto o ar e digo que sim, estou bem.

— Quando foi a última vez que você esteve aqui? — pergunta ele, e me pergunto se sabe a resposta.

Uma brisa sopra meus cabelos sobre os olhos. Ajeito as mechas atrás das orelhas antes de confessar:

— Nunca vim aqui.

— *Nunca*?

— Não. Desde o dia em que ele foi enterrado — explico, com vergonha.

— Ah. — Ele está boquiaberto.

— Você acha isso horrível, não é?

Finamente fechando a boca, ele faz que não com a cabeça.

— Não — responde, mas não sei se acredito.

— Só não acho que ele esteja aqui. No chão — balbucio. É a desculpa que sempre dou ao justificar minha decisão de não visitar meu irmão – para mim mesma ou para minha mãe e minha irmã.

Gentil como sempre, Nolan meneia a cabeça e diz que entende.

Olho para o céu e digo:

— Gosto de pensar que ele está lá em cima.

Ele segue meu olhar e meneia a cabeça novamente.

— Sei o que você quer dizer... Mas ainda o sinto com mais força quando venho aqui... Dizem que uma porção da alma sempre está presente no local do enterro...

Faço que sim, ouvindo o silêncio e percebendo que não é silêncio nenhum. As folhas farfalham à brisa. Um cachorro late ao longe. Alguém liga um carro. Enquanto isso, sinto Nolan me olhando e sei que ele espera uma resposta.

— Cada um com sua crença — digo, finalmente, com medo de parecer desdenhosa. Meredith certamente ouviria assim.

Mas Nolan não é Meredith, ainda bem, e só murmura sua concordância.

— Sim, todos são diferentes quanto a essas coisas... mas você acredita que ele está *em algum lugar*, não é? — Ele franze a testa e me olha nos olhos.

Hesito, pensando que às vezes acredito, às vezes não.

— Não sei — respondo finalmente.

Ele me olha, perplexo.

— Mas, Josie... você *tem* que acreditar. Se não...

— Se não o quê?

— Se não, como você dá sentindo a isso?

— Eu *não dou* sentido a isso — digo, baixinho, pensando que odeio mais do que tudo a ideia de "um plano divino".

Antes que eu diga mais alguma coisa, o telefone dele toca, salvando--me. Ele o pega do bolso, olhando para a tela. Acho que nós dois esperamos que seja Meredith – ao menos eu espero. Mas ele mostra o celular com um número sem identificação. Resmungando que não tem ideia de quem possa ser, atende assim mesmo.

— Alô? — diz Nolan, a voz ansiosa.

Ouço uma voz fina de mulher e acho que é uma atendente de telemarketing. Até Nolan começar a rir.

Vê-lo sorrir é como ver o sol nascendo, lembro-me da minha mãe dizendo antes da morte de Daniel, quando ela fazia observações poéticas assim. Era e ainda é verdade.

— Isso é maravilhoso! Obrigado — diz ele, empolgado. — Vamos já para aí! *Muito* obrigado.

Ele desliga, guarda o celular e levanta a cabeça com lágrimas nos olhos.

— Harper, querida! Adivinha só!

— O quê? — grita ela, protegendo os olhos com as mãos.

— Encontraram o coelhinho! Ele está são e salvo na Legolândia! — grita Nolan para nós duas.

Enquanto Harper grita e corre na nossa direção, Nolan sorri e me lança um olhar do tipo "eu disse".

— Está vendo?

— Vendo o quê? — respondo, mas sei o que ele está pensando, porque o ouvi dizer isso muitas vezes antes. Algo sobre Daniel ser o anjo da guarda de Harper. Algo sobre ele estar cuidando de todos nós.

Como se o "plano divino" pudesse ser tirar a vida de um homem para salvar um coelhinho de pelúcia.

Mais tarde naquela noite, depois de colocar facilmente Harper para dormir (com a ajuda do coelhinho), desço para encontrar Nolan comendo a sobra do macarrão com queijo de Harper diretamente do pote com uma enorme colher de pau. Ele abre um sorriso triste, limpando a boca com a mão.

Sorrio para ele e digo:

— Não se preocupe. Também faço isso. Por que comida é sempre melhor quando a gente come direto da panela?

— Não sei, mas é mesmo. — Ele come a última colherada. — Está com fome? Podemos pedir uma pizza ou coisa assim.

— Não muito. Na verdade, estava indo embora...

— Agora? — pergunta ele, decepcionado. — Você tem compromisso?

— Não — respondo, apesar de Pete ter me enviado uma mensagem de texto há uma hora perguntando se estava a fim de fazer alguma coisa. — Mas, agora que temos o coelhinho de volta, achei que você não precisava de mim...

— Não *preciso* de você. Mas por que você não fica e a gente conversa um pouco? — Lembro que Meredith uma vez me disse que Nolan não suporta ficar sozinho. — Uma cerveja?

— Claro. Por que não?

Nolan sorri, indo diretamente para a geladeira. Ele a abre, pega duas Budweisers da porta e me entrega uma antes de se sentar na ilha da cozinha. Sento-me de frente para ele, apoiada na bancada, abrindo a garrafa.

— E então? Como vai a vida? — pergunta ele, bebendo um gole.

— Tudo bem. — Dou de ombros. Considero contar sobre os últimos acontecimentos com Gabe e sua oferta, mas acho melhor não, sabendo que ele já tem muitos problemas. — Como está *a sua* vida? — pergunto.

— Ah, minha vida está ótima. — Ele faz sinal de positivo com as duas mãos para reforçar o sarcasmo e entendo isso como um convite para perguntar diretamente o que está havendo com Meredith.

— Quem sabe? — ele suspira demoradamente.

Bebo um gole da cerveja, escolhendo as palavras com cuidado.

— Por que ela está em Nova York?

— Ela está só tirando férias... — responde ele, e a voz vai se perdendo.

— Está acontecendo alguma coisa? Com vocês? — pressiono, sabendo que a situação tem que estar bem feia para Meredith perder o Halloween – quase um Natal quando se tem uma criança de quatro anos.

Nolan levanta a cabeça e olha para a esquerda, o que, de acordo com os especialistas em linguagem corporal, é sinal claro de uma mentira.

— Não. Não está acontecendo nada.

— Certo. Mas, só para você saber, os mentirosos sempre olham naquela direção.

Nolan abre um meio sorriso e diz:

— Bom. Acho que os mentirosos se conhecem.

— Sério — pressiono, com cuidado. — O que está havendo com você e Mere?

— Não sei, Josie. — Ele balança a cabeça. — Ela só não está feliz...

— Qual é a novidade? Mere está de mau humor desde que saiu da barriga da minha mãe.

— Eu sei. Mas é pior do que o normal.

Pergunto por quê, irritada por minha irmã não conseguir simplesmente ser feliz, ainda mais levando em conta que ela tem tudo para ser feliz.

— Acha que ela está deprimida? Tipo, clinicamente?

— Não. Não acho que seja isso... Ela definitivamente teve depressão depois que Harper nasceu... — A frase pende no ar e me lembro da depressão pós-parto de Mere. Foi algo ameno, mas preocupante, principalmente para minha mãe. — Mas isso é diferente. É quase uma crise de meia-idade.

Eu o encaro, pensando que esse é um termo pesado que quase sempre se refere a algum tipo de infidelidade. Digo que minha irmã jamais o trairia.

— Ah, eu sei. — Ele olha para o rótulo da cerveja. — Não estou falando desse tipo de crise... Só quis dizer que... talvez ela prefira ficar sozinha a ficar casada comigo.

— Ela quer o *divórcio*? — pergunto, arrasada.

— Sim. Acho que quer. — Ele me encara.

— Não é possível — digo, balançando a cabeça.

Nolan me lança um olhar que só pode ser descrito como *profundamente* triste.

— Acho que é, Josie... Ela praticamente me disse isso.

— Mas você é o marido *perfeito*. — Sinto uma onda de hostilidade em relação à minha irmã. Como ela se atreve a fazer isso com ele?

Ele abre um sorrisinho, mas ainda parece triste.

— Pois é. Bom, obrigado. Mas acho que nós dois sabemos que não funciona assim... Pensando bem... acho que ela nunca me amou.

— Claro que amou. *Ama* — digo, bombardeada por uma lembrança distante de nós duas sentadas no provador da loja onde Meredith comprou seu vestido de noiva. Lembro-me dela falando sobre estar com o pé atrás, insegura quanto a Nolan. Pareceu ridículo na época. *Ainda* parece ridículo. Ela jamais arranjaria alguém melhor do que Nolan. Ninguém arranjaria.

— O que foi? — pergunta Nolan. — No que você está pensando?

Desvio o olhar e digo:

— Nada.

— Você levantou a cabeça e olhou para a esquerda. *Você* é a mentirosa agora.

Engulo em seco, quase contando sobre aquele momento no provador, mas rapidamente decidindo que não cabe a mim. Além do mais, que bem faria? Em vez disso, respiro fundo e digo:

— Só acho que Meredith está programada para ser insatisfeita... e ela sempre duvida de si mesma. Pense em como ela escolheu a profissão... O que foi aquilo? Ela *sempre* quis ser atriz... por que foi para a faculdade de direito?

— Exatamente — concorda ele. — Mas, Josie, é o que estou querendo dizer... Sou o equivalente romântico à faculdade de direito. Ela se arrepende da faculdade. Ela se arrepende de mim. Ela se arrepende de *toda a vida*.

— Não foi o que quis dizer. — Percebo que só o fiz se sentir pior. — Só quis dizer que... Meredith é complicada... Ela sempre foi assim... e piorou depois da morte de Daniel.

Ele me lança um olhar de surpresa.

— O quê? Isso não é nenhuma revelação, é? — pergunto, pensando que *todos nós* pioramos depois da morte de Daniel. Meredith só ficou um pouco mais melancólica do que o normal.

— Não... não é isso. Só acho que talvez esta seja a primeira vez que você toca no assunto de Daniel comigo. Sempre sou *eu* tocando no assunto com *você*.

Faço que sim, e algo se revira no estômago, como no cemitério.

— Eu sei — digo.

— Por quê? Por que você nunca fala sobre ele?

Engulo em seco, sentindo o suor se acumular nas minhas axilas.

— Não sei... Foi como disse no cemitério hoje... Cada um age de um jeito com esse tipo de coisa. Em relação à morte... e como lidar com ela.

— Sim... mas sempre achei esquisito... Sempre achei que você seria mais como Meredith... e ela, mais como você... Entende?

Balanço a cabeça, sem entender.

— Por quê?

— Porque, em termos gerais, você é mais um livro aberto... e é mais otimista...

— Talvez. — Dou de ombros. Então, na esperança de mudar de assunto, pergunto como deixamos de falar sobre o casamento dele e chegamos a esse ponto.

— Acho que está tudo relacionado — diz ele, sem perder o ritmo.

Forço uma risada e tento contorná-lo.

— O quê? Como *eu* posso ter a ver com o *seu* casamento?

— Não tem — diz ele, e minha estratégia fracassa. — Estou falando da sua família... do que a morte de Daniel fez com sua família. Com todos nós.

Sei aonde ele quer chegar e quero desesperadamente que não chegue lá. Mas chega assim mesmo, encarando-me de uma forma que não posso fugir.

— Podemos falar sobre aquela noite, Josie? — pergunta ele.

Minha garganta parece estar fechada para responder, então só balanço a cabeça.

— Já se passaram quase quinze anos... e nunca conversamos sobre isso... Não lhe parece estranho?

— Não muito — consigo dizer, desviando o olhar. — Digo... qual o sentido? — Minha voz falha e desaparece.

— Josie. Acho que nós dois sabemos *o sentido*. E acho que isso precisa acontecer. *Agora*.

Meu coração começa a retumbar em meus ouvidos enquanto tento novamente esquecer tudo, algo que tenho feito desde a noite em que suspeitei da verdade, a noite em que Will me encontrou na cama com Gabe.

— Precisamos mesmo? — choramingo.

— *Sim. Precisamos.* Quero dizer, Josie, que *merda*... Estávamos *juntos* na noite em que Daniel morreu, e ainda assim nunca falamos disso...

— Não estávamos *juntos* — interrompo-o, preparando-me e rezando para que talvez, quem sabe, esteja enganada quanto ao que diz minha intuição. — Só estávamos... no mesmo bar. Muitas pessoas estavam lá...

— Eu sei. Muitas pessoas que não tinham *absolutamente nada* a ver com Daniel... — diz ele, segurando a garrafa entre os dedos e o balcão. Ele dá uma pancada com força e ficamos vendo a garrafa girar e parar, e só então fazemos contato visual novamente.

— Josie — diz ele, empalidecendo. — Tenho de lhe contar uma coisa.

— Não. — Meu coração bate forte no peito, meu instinto de fugir aumentando. Recuo uns passos, já olhando em volta, à procura da saída, mas Nolan dá a volta na bancada, põe as mãos nos meus ombros e me segura.

— Eu *tenho* que contar — repete ele, com mais firmeza.

— Sei o que você vai dizer. — Minha visão começa a nublar.

— Acho que não — diz ele, ainda me segurando.

— Sei, sim — insisto, livrando-me, lutando contra lágrimas de pânico. — Ele não estava indo comprar um hambúrguer naquela noite, não é?

Nolan me encara e faz que não com a cabeça, lentamente.

— Não. Não estava.

— Ele estava indo *me buscar*... não é?

A expressão torturada de Nolan confirma meus maiores temores, antes mesmo de ele concordar com a cabeça.

— Porra — digo, tremendo. — Sabia... Sabia que a culpa era minha. *Porra.*

— Não, Josie. Você *não teve* culpa.

— Claro que tive — digo, contendo um soluço. — Ele estava indo *me* buscar.

— Mas você não entende, Josie? — Ele me encara.

— Entende o quê?

— Não entende que *eu* é que liguei para ele... *Eu* é que disse para ele entrar no carro e ir buscá-la. Entende? A culpa foi *minha.* Não *sua.*

— Mas se eu não tivesse bebido...

— Mas *eu* não estava bêbado, Josie. Não entende? Não estava nada bêbado. Tudo o que eu tinha de fazer era levá-la para casa...

Estava conversando com uma garota. Uma garota qualquer com a qual queria dormir... Não queria que minha diversão fosse interrompida. Então liguei para Daniel e pedi para buscá-la... e fui embora do bar... E nem esperei que ele chegasse. Não sabia que ele nunca chegaria lá. Só fiquei sabendo na manhã seguinte, quando Meredith me contou. — Ele abaixa a cabeça e começa a chorar de uma forma que nunca vi um homem adulto chorar. Nem mesmo meu pai depois da morte de Daniel.

Meu instinto de fuga ganha intensidade e desta vez consigo ir até a sala. Jogo-me no sofá, escondendo o rosto com as mãos. Nolan me segue. Vejo-o por minha visão periférica e sinto o peso dele na almofada ao meu lado, seus braços me envolvendo.

— Josie. — Sua voz está cheia de dor. — Por favor, olhe para mim, Josie.

Olho. Para o bem dele.

— Sinto muito — diz ele, lágrimas escorrendo pelo rosto. — Sinto muito mesmo, Josie.

— Sinto muito também. — Recuso-me a deixá-lo ficar com a culpa. — Ele sempre me disse para não beber muito... Sempre me alertou sobre ficar como meu pai...

— Sim. Mas um dia antes ele me disse que eu deveria parar de correr atrás de meninas estúpidas e tentar encontrar alguém de quem eu gostasse... como Sophie...

— Bom, acho que nós dois não demos ouvidos a ele, não é?

— Mas se ao menos eu a tivesse levado para casa... A culpa foi minha.

Continuamos assim por um tempo, fazendo confissões paralelas desconjuntadas. *Eu estava transando com uma garota qualquer quando ele morreu... Eu estava bêbada quando ele morreu... Só soube na manhã seguinte... Você soube antes de mim.*

Em algum momento, quando não há mais nada a ser dito, ele pega minha mão. Deixo que pegue. Era para ser estranho estar ali sentada segurando a mão do marido da minha irmã, mas não é. Pelo contrário. Ele parece meu irmão. Não Daniel, mas outro irmão. Sentamo-nos em silêncio por muito tempo antes de eu finalmente fazer a pergunta que queima em meu coração.

— Meredith sabe disso?

Olho para ele, prendendo a respiração, esperando pela resposta, pensando que um sim explicaria a hostilidade dela em relação a mim. Mas não consigo imaginá-la guardando isso por tantos anos – não sendo que ela sempre joga até as menores coisas na minha cara.

— Não, ela não sabe de nada disso. Ninguém sabe... Todos acham que ele ia comprar um hambúrguer. — A voz treme, mas ele continua: — No dia seguinte, quando seus pais me pediram para ligar para os amigos de Daniel, peguei o telefone dele... Sabia a senha... 4265...

— Por que essa era a senha dele? — pergunto. A pergunta é irrelevante, mas quero saber.

— São as mesmas teclas de *Hank*. De Hank Aaron.

— Ah. — Penso no cartão de beisebol que ele guardava na carteira. Em como meus pais o guardaram no bolso da lapela de Daniel pouco antes de fecharem o caixão dele. Engulo em seco, segurando-me para não vomitar.

— Então, eu tinha a senha dele — continua Nolan. — E peguei o telefone dele e vi as ligações feitas... Rezei para ele ter ligado para alguém depois de conversarmos... talvez Sophie antes de ela entrar no voo... Mas não. — Ele balança a cabeça e respira fundo, tentando se acalmar. — As últimas duas ligações foram para mim.

— *Duas* ligações? — pergunto.

— Sim. A primeira de cinquenta e dois segundos. Quando pedi que ele a buscasse.

— E você ligou de volta?

— Não. Daí ele me ligou uns quinze minutos mais tarde... para dizer que estava saindo de casa.

— Você se lembra da ligação?

— Claro. Foi a última vez que ouvi a voz dele. Foi a última vez que *qualquer um* ouviu a voz dele...

— Durante quanto tempo vocês conversaram dessa vez? — pergunto, certa de que ele sabe a resposta.

— Catorze segundos. Catorze segundos de merda. Sabe por que foram só catorze segundos?

— Por que ele estava dirigindo? — pergunto, pensando em como Daniel era responsável ao volante. Em *tudo*.

— Não. — Ele balança a cabeça. — Porque eu estava com pressa... A garota com quem eu estava conversando estava de saída... e não queria que ela fosse embora sem mim...

— Ela tinha ido? — pergunto.

— Quase. Mas a alcancei na porta... Fui até o apartamento dela... e fiz sexo com ela... E o pior?

Aperto a mão dele, dando-lhe forças para continuar.

— O pior é que não consigo nem me lembrar do nome dela...

Capítulo vinte e quatro

MEREDITH

No domingo pela manhã, acordo ao som dos sinos de uma igreja ao longe e sob um frio doído no quarto branco do apartamento de Ellen. Tremendo, cubro-me com o edredom de pena de ganso até o pescoço, virando-me para ver a janela. As cortinas estão fechadas, mas são claras o bastante para eu ver a silhueta de uma árvore, os galhos nus e retorcidos dobrando-se em direção à janela.

Eu me pergunto que horas são, mas não dá para ver com a luz fraca. Pode ser sete ou nove horas. Chego à conclusão de que não importa, algo que mais me desorienta do que liberta. Pego meu celular, surpresa ao ver que já passou das dez, o mais tarde que acordei desde que Harper nasceu, ao menos quando ambas estamos saudáveis. Só de pensar nela sinto uma pontada de saudade. Por mais intratável que ela seja pela manhã, sempre ficarei feliz por ver seu rostinho antes de qualquer coisa, as bochechas vermelhas, os cabelos desgrenhados. Fecho os olhos e quase sinto o estranho cheiro de xarope de bordo de sua pele depois de uma longa noite de sono.

De repente, fico desesperada para ouvir a voz dela e ligo para Nolan. Ele não atende, assim como não atendeu na noite passada ou ontem à tarde, as únicas notícias vindas de Josie quando ela me mandou uma foto de Harper abraçada ao coelhinho, com a legenda: *Reunidos e felizes!*. Meu coração se encheu de alívio e respondi imediatamente, praticamente implorando por detalhes, acrescentando alguns pontos de exclamação e de interrogação. Mas três horas se passaram desde que ela escreveu uma resposta simples: *Encontrado na Legolândia. Deu tudo certo. Aproveite suas férias.*

Ligo para Nolan novamente, ouvindo o som inútil dos toques do telefone, seguido pela musiquinha animada da caixa postal. Desta vez, deixo uma mensagem. Calmamente peço para ele me ligar quando puder, esforçando-me ao máximo para não deixar transparecer a agitação em minha voz. Sei que não tenho motivos para ficar com raiva, mas fico mesmo assim. Sim, eu é que estou desperdiçando meu tempo em Manhattan, mas tudo por insistência *dele*. E agora ele está me punindo. Me ignorando. Defendendo um argumento. *É assim que sua vida será sem mim, sem nós.* Digo a mim mesma para levantar, aproveitar o dia e aceitar meu período sabático reflexivo.

Então, depois de um banho rápido, visto meu uniforme urbano – calça jeans e blusa preta, uma jaqueta de couro também preta e botas pretas. Coloco óculos escuros enormes, ajeito os cabelos num rabo de cavalo e desço quatro andares, saindo do prédio para um dia frio de outono. Está ventando mais do que esperava, um vento mais desagradável do que revigorante, mas digo a mim mesma que vou me esquentar. Só preciso continuar em movimento.

Durante as cinco horas seguintes, ando sem rumo pela cidade, a pé e de metrô, do Village ao Chelsea e até o Upper West Side, depois cruzo o parque e desço pela Quinta Avenida até o SoHo. Pelo caminho, entro em cafés e butiques, comprando qualquer coisa que me dê vontade. Sento-me em bancos ao acaso, observando as pessoas. Falo só o necessário, para pedir um sanduíche, fazer uma pergunta a um funcionário, agradecer ao homem que me deu lugar no metrô. Meu monólogo interior e minha solidão urbana não são interrompidos, minha vida examinada de todos os ângulos.

Penso muito no passado, principalmente nos anos em que vivi aqui, sentindo-me tão desconectada dessas memórias e desses amigos quanto dos meus anos na faculdade e no teatro. Não tenho vontade de entrar em contato com ninguém que conhecia, nem para tomar uma bebida, mas não posso deixar de me perguntar o que isso diz a meu respeito. Gosto de pensar em mim mesma como uma pessoa meramente introvertida, mas será algo maior? Serei eu uma solitária patológica? Uma perdedora? Se sim, não é de se surpreender que meu casamento pareça vazio, como se sempre me faltasse algo. Não é de se admirar que não me dê bem com minha irmã. Talvez nossa turbulência seja mais minha culpa do que dela. Penso em como ela parecia feliz na outra noite durante seu jantar de aniversário, como a diversão sempre a acompanha, como seus amigos lhe são leais, principalmente Gabe. Digo a mim mesma que tenho Ellen, mas no fundo sei que não é a mesma coisa, talvez porque Ellen tenha Andy e *ele* seja seu melhor amigo, a pessoa a quem ela é mais leal.

Ao cair da tarde, estou congelando e meu calcanhar está com bolhas, e tudo o que quero é ir para casa e tomar um banho. Mas paro numa farmácia perto de Chinatown, compro um Diet Snapple e uma caixa de Band-Aids, depois saio para pedir um táxi.

— Para onde vamos? — pergunta o motorista assim que entro no carro com cheiro artificial de pinheiro.

— Ainda não sei. Pode só seguir em frente, por favor?

Ele faz que sim, indiferente desde que o taxímetro esteja ligado, enquanto estudo o nariz, a testa e os olhos dele pelo retrovisor, tentando determinar sua etnia com base nos traços e sobrenome – Abrama. Ele pode ser mexicano, italiano, português, espanhol ou israelense, as possibilidades são tão infinitas quanto meus destinos em potencial.

— De onde o senhor é? — pergunto, cedendo à curiosidade.

Ele empina o nariz, respondendo com orgulho.

— Sou da Calábria — diz ele, da mesma forma que as pessoas na minha cidade dizem que são a terceira ou quarta geração de cidadãos de Atlanta.

— Ah. É lindo — respondo, apesar de nunca ter visitado essa parte da Itália. — É o calcanhar da bota, não é? — pergunto, lembrando-me da minha irmã e de como ela sempre conversa com estranhos.

O sr. Abrama faz que sim novamente, sem se impressionar com meus conhecimentos geográficos.

Alguns minutos se passam e ele pergunta:

— A senhora já se decidiu?

— Decidi o quê? — digo, pensando em Nolan.

— Para onde quer ir?

Pigarreio e respondo:

— Sim. Pode me levar à Times Square?

Vinte minutos depois, pago a corrida e desço a um quarteirão do coração pulsante de neon da cidade. Vou diretamente para a bilheteria sob a calçada vermelha, de repente ansiando por uma apresentação ao vivo. Estou a fim de algo simples e com muitos diálogos, não algo pomposo ou arrastado, mas são quase sete horas, então aceito o que houver, comprando um ingresso para *Chicago*, peça que já vi duas vezes e da qual não gosto muito. Ainda assim, vou até o Ambassador Theatre e me sento na galeria, esperando que as cortinas se abram, sentindo algo se avivar dentro de mim.

No intervalo, sinto-me uma nova pessoa – ou talvez apenas a Meredith de antigamente. Consulto meu telefone no salão do teatro e vejo que finalmente tenho uma ligação perdida de Nolan. Vou a um canto silencioso e ligo para ele.

— Oi — diz ele, a voz quase inaudível. — Onde você está?

— No teatro.

— Com quem?

— Sozinha.

— Ah... Está se divertindo?

— Não chamaria isso de "diversão"... mas é legal... Como você está? Como está Harper?

— Estamos bem. Recuperamos o coelhinho.

— Ouvi dizer. Josie me contou.

— Ah, claro.

— Posso falar com Harper? — pergunto, apesar de já ouvir o segundo sinal para voltarmos aos nossos lugares.

— Ela está dormindo. Ela tem escola amanhã. Vou tirar folga para levá-la ao desfile de Halloween.

— Ah, que ótimo... Como está todo o resto? — pergunto, enquanto o salão se esvazia.

— Bom... Josie e eu fomos ao cemitério ontem. Com Harper. Levamos flores.

— *Josie* foi? — pergunto, um tanto quanto surpresa.

— Sim.

— Uau. A ideia foi sua?

— Foi. Mas ela acompanhou... e tivemos uma conversa muito boa.

— Sobre Daniel?

— Sim.

Balanço a cabeça, pensando em quantas vezes tentei levar minha irmã ao cemitério ou ter uma conversa séria sobre nosso irmão. Sem sucesso. O ressentimento fervilha dentro de mim, em relação a meu marido e minha irmã.

— Obrigada por ligar. Preciso ir... o intervalo acabou — digo, pensando que ele irritantemente sempre chama isso de *meio-tempo*.

— Sem problemas — responde Nolan rapidamente. — Aproveite a peça.

Capítulo vinte e cinco

JOSIE

Vários dias depois da minha conversa com Nolan, tento me iludir, algo que aprendi a fazer bem ao longo dos anos. Insisto em dizer a mim mesma que minhas ações são apenas uma peça num enorme e trágico quebra-cabeça e que centenas de coisinhas aconteceram para que Daniel morresse. *Milhares*. Se você pensar bem, *dezenas de milhares*.

Pegue, por exemplo, Scott Donahue, o motorista do Denali que atingiu Daniel. Nunca vi o homem, mas de alguma forma sei parte da história. Sei que, na noite do acidente, ele estava indo para Walgreens a fim de comprar xarope para seu filho de três anos. Então só nisso vejo que o sr. Donahue e a esposa tiveram de se conhecer, se casar e conceber uma criança específica, que acabou doente bem naquela semana de dezembro (talvez pegando um vírus naqueles brinquedos de pula-pula que Meredith despreza); que os Donahues tiveram de estar sem xarope infantil (talvez os dois tenham esquecido de comprar mais cedo); e que o sr. Donahue teve de sair na hora certa (talvez ele tenha demorado um pouco mais para assistir ao noticiário sobre o terrorista que tentou entrar num avião com explosivos no sapato, a história do dia). E assim por diante.

Ainda assim, por mais que fatie a situação ou por mais que analise os muitos fatores envolvidos naquela noite fatídica (e nas semanas, meses e anos que levaram a ela), a verdade inescapável, nua e crua permanece: Daniel estaria vivo hoje se eu não estivesse bêbada – não, *travada* – na noite de 22 de dezembro de 2001.

Obviamente não há nada que eu possa fazer sobre o passado exceto conviver com ele, mas meu dilema insuportável se transforma no que fazer daqui por diante. Tomo a decisão com Nolan de contar a Meredith o que realmente aconteceu naquela noite? Confesso sozinha a Meredith, não importando o que ele decida? Digo a verdade à minha família porque eles merecem saber todos os detalhes das últimas horas de Daniel – ou contar tudo só os magoará ainda mais? Penso nas repercussões de uma confissão e tenho medo de que meu pai se culpe por eu ter bebido em excesso. Com certeza é o que minha mãe sentiria. Posso vê-la lamentando não ter sido mais rígida durante minha adolescência. Mais do que tudo, sei, sem dúvida, que uma confissão dessas só arruinará minha relação com Meredith, talvez acabando com ela completamente, e que isso também pode levar ao fim do casamento dela. Conheço minha irmã e não a imagino perdoando nenhum de nós por guardarmos esse enorme segredo.

Depois de muitos dias de tortura e noites insones, decido conversar com a única pessoa em quem sempre confio. Então bato na porta de Gabe numa noite, finalmente pegando-o sozinho, sem Leslie.

— Sim? — diz ele, aparentemente exausto.

Abro a porta e espio seu quarto escuro.

— Desculpe. Você estava dormindo?

— Não. — Ele se vira de lado para me olhar. — Acabei de deitar... Você está bem?

— Sim... sim... Só queria conversar...

— Entre.

Hesito um pouco, então respiro fundo, subo na cama dele e falo o mais rápido possível, antes de mudar de ideia, despejando toda a confissão confusa.

— Bom, você sempre achou que poderia ser isso... — diz ele depois de eu terminar, o tom de voz solidário, mas ainda assim direto.

— Sim. — Meneio a cabeça e abraço os joelhos. — Mas também esperava que estivesse enganada.

— Eu sei.

— É uma droga.

— Pois é... mas você não está um pouco aliviada por *saber*? — pergunta ele. — Agora você não precisa mais ficar se perguntando.

Faço que sim, impressionada com a perspicácia de sempre dele.

— Sim. Acho que sim. Talvez um pouco... Provavelmente deveria ter falado com Nolan há muito tempo.

— Ele deveria ter conversado com você também — afirma Gabe, lealmente tirando a culpa dos meus ombros. — E não acredito que ele *nunca* contou para Meredith... Uau.

— Bom, eu guardei segredo dela também.

— Sim, mas você não é *casada* com ela.

Faço que sim.

— Além do mais, Nolan *sabia* a verdade. Você só *suspeitava*... — continua Gabe.

— Acho que sim — digo, depois de considerar todos esses ângulos à procura de uma forma de me inocentar ou ao menos mitigar minha culpa. — Mas *nós dois* temos culpa pelo que aconteceu.

Gabe se senta, segurando a cabeça com a mão esquerda.

— Ninguém tem culpa, Josie. Ninguém estava dirigindo bêbado... Foi um acidente... um acidente que ninguém podia prever.

— Ainda assim.

— Ainda assim *o quê*? — Ele franze a testa.

— Ainda assim eu tive um papel nisso... e ainda assim tenho de contar para minha família. Eles merecem saber a verdade... — Encaro Gabe, esperando que ele me demova da ideia, que diga que não faz sentido, ou, pelo menos, que não fará bem a ninguém. — Não concorda? — pergunto, prendendo a respiração.

Ele hesita e lentamente faz que sim com a cabeça.

— Pois é... Acho que você tem razão... Mas acho que precisa contar a eles para o *seu* próprio bem, mais do que para o deles... para *você* poder seguir em frente...

— Mas *já* segui em frente — respondo, interrompendo-o e pensando que daí é que vem minha culpa, do fato de ter seguido facilmente com minha vida, sem jamais visitar o túmulo do meu irmão, mal o mencionando para meus amigos ou parentes.

Gabe faz que não com a cabeça.

— Não. Não seguiu, Josie. Não seguiu em frente *de jeito nenhum*. Você carrega isso consigo para todos os lugares.

Eu o encaro, sabendo que tem razão e me perguntando como percebeu.

— E olhe só o que isso fez com você — conclui ele calmamente.

— O que isso fez comigo? — pergunto, abaixando o olhar, com medo da resposta, da sua honestidade sempre brutal.

— Bom, antes de mais nada, você não contou ao seu namorado por que eu estava na sua cama naquela noite.

— E daí? — Fico irritada à menção de Will.

— *E daí*? Você preferiu deixá-lo pensar que você o estava *traindo* em vez de contar a verdade sobre a noite em que seu irmão morreu. Que tal isso?

— Você está dizendo que eu *deveria* ter contado a Will? Que eu poderia ter me casado com ele se dissesse a verdade sobre o porquê de você estar na minha cama? Sobre tudo? — É uma ideia que me ocorreu incontáveis vezes ao longo dos anos e ainda mais nos últimos dias.

— Não — diz Gabe, inflexível. — Não é o que estou dizendo... Acho que, se Will tivesse sido correto com você, teria acreditado quando você disse que nada aconteceu entre a gente...

— Sim, mas parecia mesmo algo errado — argumento, perguntando-me por que ainda defendo Will depois de tantos anos.

Gabe faz que não com a cabeça, a voz aumentando, ficando mais intensa.

— *E daí*? E daí que parecia errado? Nada aconteceu.

— Nossa, Gabe. *Sei* disso... Tentei contar a ele tantas, *tantas* vezes — digo, lembrando enojada da nossa última briga e da solidão e do vazio depois, quando comecei a perceber que ele não voltaria. Nunca mais.

— Você poderia ter se esforçado mais para convencê-lo, e *sabe* disso. Se ele fosse sua alma gêmea — diz Gabe, usando um termo que jamais o ouvi usar antes —, você teria contado para ele... ou ele teria acreditado e confiado em você. Você teria confiado *nele* o bastante para contar tudo... Em vez disso, deixou que ele pensasse o pior de você... E foi o que ele fez.

— Matar meu irmão é pior do que trair Will.

Gabe range os dentes, deitando a cabeça no travesseiro.

— Você *não matou* seu irmão, Jo. Nunca mais diga isso.

— Eu sinto como se tivesse matado... Sabe quantas vezes Daniel me deu lição de moral por causa de bebida? Sobre eu precisar tomar mais cuidado por causa do meu pai? Jesus, Gabe, uns dois dias antes ele me falou sobre isso... e eu o ignorei.

— Você era uma universitária, Josie. Várias universitárias bebem demais.

— Ele nunca bebeu. Nem Meredith.

— Bom, *você* não é *eles*. E não é seu pai. Você é *você*. Bebeu demais naquela noite? Claro. Bebeu demais na outra noite quando ficou se amassando com Pete no Johnny's? — Ele sorri, claramente tentando me animar.

— Não ficamos *nos amassando* — digo, esquivando-me do verbo, mas ele ergue a mão e continua:

— A questão é que não acho que você tenha um problema com bebida. Talvez um problema de atitude e comportamento. — Ele sorri novamente. — Mas não com bebida.

— Meu comportamento, assim como o fato de eu beber, resultou na morte do meu irmão — insisto. — Direta ou indiretamente, resultou. E...

— E o quê?

— E mereci perder Will por isso — concluo decisivamente, acreditando nisso de verdade.

— Como punição?

— Sim. Como meu castigo.

Gabe nega com a cabeça.

— Discordo. Discordo *enfaticamente*... Você e Will terminaram porque ele não era o homem certo para você, Josie... Isso é claro... Droga, isso era claro para mim *antes* de vocês terminarem... Você nunca era você mesma perto dele... Você era... uma Josie falsa... e não amou mais ninguém depois de Will porque não se permitiu.

— Isso não é verdade. — Penso em todos os homens com quem saí, com quem dormi e que tentei amar e tentei fazer com que me amassem.

— É verdade. E você precisa parar de se castigar. — Gabe levanta o olhar com uma mistura de piedade e amor, antes de tocar carinhosamente meu braço. O gesto, assim como a sensação da pele dele na minha, imediatamente faz meus olhos se encherem de lágrimas.

— Ah, Jo. Não chore. Venha cá.

— Onde? — pergunto, precisando desesperadamente de um abraço, mesmo que seja de uma das pessoas mais constrangidas do mundo.

— Bem aqui — responde ele, batendo no peito antes de me puxar para seu lado, abraçando-me.

— Estou triste demais — digo, e me ocorre que estamos deitados juntos exatamente como Will nos encontrou há tantos anos, e que nada mudou desde aquela noite.

— Eu sei. — O hálito de Gabe é quente em meus cabelos. — Mas você precisa se perdoar. Já é hora, Jo.

— Mas e se minha família não me perdoar?

— Eles vão perdoá-la.

— Mas e se não perdoarem? — insisto, pensando especificamente na minha irmã.

— Então... *Eu* serei sua família.

— Você quer dizer o pai do meu bebê? — pergunto, sorrindo, e brincando só parcialmente.

— Sim, isso também. — Ele dá uma risadinha.

— Você está mesmo falando sério sobre isso? Você *realmente* faria isso por mim?

— Claro que sim, Josie... Faria qualquer coisa por você.

Tento agradecer e dizer que sinto o mesmo, mas não consigo falar, emocionada demais com a gratidão. Além disso, sei que ele não espera uma resposta, que só está dizendo algo que já sei. Em vez disso, fecho os olhos e me permito cochilar nos braços dele, esforçando-me para guardar o momento que um dia contarei a meu filho ou filha... *Foi naquele momento que tomei minha decisão. O momento em que escolhi o seu pai. O momento em que soube.*

Capítulo vinte e seis

MEREDITH

Quatro dias, duas peças off-Broadway, um musical e horas intermináveis de passeios pela cidade mais tarde, não sei se estou me sentindo melhor ou pior. Acho mais provável que esteja me sentindo pior quando recebo uma ligação de Josie dizendo que Harper ficou linda na fantasia de borboleta.

— Recebeu minhas fotos?

— Sim. Não agradeci? — respondo, sabendo que agradeci, sim.

— Sim. Você agradeceu mesmo.

— Fico feliz que você tenha passado em casa para vê-la... porque é claro que Nolan só tirou uma foto. E uma foto escura e desfocada.

Ela ri e diz:

— Coisa típica de homem.

Murmuro minha concordância e faz-se silêncio por um tempo até que Josie fale da visita ao cemitério.

— É. Ouvi dizer que vocês todos foram — comento, ficando tensa. — Como foi?

— Legal. Difícil, mas legal... Sinto-me um pouco melhor.

— Que bom... Que ótimo. A mamãe sabe que você foi? — pergunto, certa de que a resposta dela é não.

— Acho que não... A não ser que Nolan tenha contado... Não mencionei a ela ainda.

— Talvez você devesse contar. Você sabe, já que ela espera que você vá visitá-lo há *anos*.

— É, eu sei. Vou contar. Na verdade, preciso conversar com vocês duas...

— Ah, é? Sobre o quê?

— Sobre... umas coisas. Quando você volta?

Recosto-me no sofá de Ellen e fico olhando para uma enorme infiltração no teto ao responder que não sei.

— Logo? — insiste ela.

— Não sei — repito, a irritação transparecendo em minha voz.

Segue-se a isso um longo silêncio, mas estou determinada a vencer minha irmã.

— Você vai voltar para casa *algum dia?* — pergunta ela finalmente.

— Por que você está perguntando isso? — retruco, ríspida, irritada com a insinuação dela de que abandonaria minha filha.

— Meu Deus! *Desculpe*. Não queria ofendê-la... Só estou preocupada... com você e Nolan. E Harper.

— Bem, não fique. Você já tem muitos problemas na vida.

Sei que minha resposta é extremamente venenosa e me preparo para aguentar o contra-ataque ou, no mínimo, para ela desligar na cara, mas Josie me surpreende agindo com nobreza.

— Tem razão, Mere. Tenho mesmo. Mas estou tentando.

— Tentando fazer o quê, exatamente? — ataco.

— Tentando resolver as coisas... e só quero muito mesmo vê-la pessoalmente. Se você não voltar para casa, será que eu poderia ir aí?

Balanço a cabeça e reviro os olhos, tendo a sensação repentina de que Josie está usando minha crise para justificar uma viagem a Nova York *e* um lugar onde ficar de graça.

— Isso é assim tão urgente?

— Sim, Mere. Meio que é mesmo.

Suspiro, dizendo a mim mesma para não cair na armadilha da mamãe e achar que é algo terrível ou relacionado à saúde.

— Pode ao menos me dizer o assunto? — pergunto, apostando que envolve Will ou o doador de esperma e o estranho acordo entre eles, ou ainda algum homem novo, já que Josie não passa muito tempo sem que um homem novo surja em sua vida.

Segue-se um silêncio demorado – tanto que acho que a ligação caiu.

— Ainda está aí? — pergunto.

— Sim. Estou aqui.

— Certo. E então? Qual é o assunto?

— É sobre Daniel — diz ela, a voz trêmula. — Preciso conversar com você sobre Daniel.

Todos os meus instintos me mandam dizer não – dizem que Josie está de alguma forma me manipulando e manipulando minha situação ou então criando outra cena para chamar a atenção. Mas entre todas as coisas sobre as quais minha irmã foi dramática ao longo dos anos nunca esteve nosso irmão. Penso imediatamente nos dias seguintes ao acidente, em como ela se escondeu no quarto por horas sem fim enquanto nós nos reuníamos na cozinha. Penso no comportamento dela durante o funeral – toda contida e isolada. Não me lembro dela chorando no velório e tenho a lembrança vívida dela separada da nossa família perante o túmulo de Daniel, até que minha avó a puxou para a primeira fila de cadeiras dobráveis, praticamente obrigando-a a se sentar.

Então, diante da chance de isso ser verdadeiro, suspiro e digo que sim, ela pode vir a Nova York no fim de semana.

O voo de Josie pousa por volta das sete da noite de sexta-feira e ela desce do táxi cerca de uma hora mais tarde, bem quando estou chegando em casa, vinda do mercado da esquina. Ela me vê primeiro, chamando meu nome ainda de dentro do táxi, com a janela aberta. Está com os cabelos ondulados e naturais, sem maquiagem no rosto, e minha primeira impressão é a de que ela está linda – muito mais do que quando se enche de maquiagem e alisa demais o cabelo. Tento acenar, mas as sacolas estão pesadas, então, só sorrio e digo oi, esperando-a sair do carro. Ela, como sempre, demora demais para pagar e encerrar a conversa com o motorista, e percebo que estou ficando irritada. Josie é o tipo de pessoa que encerra sem pressa uma ligação e retoca o batom enquanto alguém espera pela vaga dela no estacionamento. Isso me deixa louca.

Digo a mim mesma para parar com o desvario mental e respiro fundo. Tenho problemas demais no momento. Pouco depois, a porta se abre e ela planta a bota preta na rua, antes de tirar uma enorme mala do banco de trás.

— Na hora certa! — grita ela ao sair do táxi, batendo a porta e dando adeus ao motorista.

— Sim, acabei de ir ao mercado. — Sorrio ao ver a mala dela. — É uma mala bem grande para duas noites — digo, sem conseguir resistir.

— Eu sei, eu *sei*... Sou péssima para fazer as malas. Só joguei dentro dela um monte de coisas antes de ir à escola esta manhã. — Ela se aproxima de mim e me abraça. — É *tão* bom vê-la, Mere.

Deixo as sacolas na calçada e a abraço, toda dura a princípio. Então relaxo, ao perceber que, a despeito do meu cinismo, estou realmente feliz por vê-la. Nós nos separamos e eu a vejo olhar para a rua, como se tentasse se localizar. Então, semicerra os olhos e aponta para o prédio do apartamento de Ellen.

— É esse?

— Sim. Quarto andar. Só escadas — respondo com uma careta. — Não tem elevador.

— Tudo bem. Preciso me exercitar. — Ela flexiona o braço e exibe o músculo, e então gesticula para as sacolas, perguntando se vamos comer em casa hoje.

Não era meu plano, mas confirmo assim mesmo, tentando avaliar a reação dela.

— Tudo bem para você?

— Claro — diz ela, passando no teste – ao menos por enquanto. — O que você fizer está bom para mim...

Sorrio, me viro e a levo pelos degraus de pedra do prédio de Ellen. Entramos no corredor vazio, passamos pelas caixinhas de correio e chegamos à escadaria. O tempo todo, Josie reclama de estar cansada, de que foi uma longa semana, do quão exaustivo é ser professora, principalmente com crianças sem autocontrole ou respeito pelo espaço pessoal alheio. Depois de dois lances de escadas, ela está completamente esgotada e, no terceiro, deixa a mala de lado para recuperar o fôlego.

— Quantos pares de sapato você trouxe? Diga a verdade... — digo.

— Ah, não sei... quatro ou cinco. — Ela abre um sorriso triste, mas de alguma forma orgulhoso.

— Incluindo os sapatos que você está usando?

— Ah, então cinco ou seis.

— E ainda assim... tudo bem por você comer em casa? — pergunto, subindo o último lance de escada.

— Já disse que sim. Por que você insiste em me perguntar isso?

— Só perguntei duas vezes.

— Certo. Mas já disse que sim... O que você quiser está bom para mim, Mere.

— Tudo bem. — Destranco e abro a porta do apartamento de Ellen. Uma vez lá dentro, coloco as sacolas no chão e lentamente tiro as botas, enfileirando-as certinho perto do capacho, uma dica para ela fazer o mesmo. Mas claro que ela não faz isso, entrando afobadamente, as botas imundas batendo no piso de madeira.

— Ei, Josie — chamo. — E os sapatos?

Ela revira os olhos e diz que já ia tirá-los.

— Pode, *por favor*, me dar uma chance?

— Certo. *Desculpe* — digo, apesar de não acreditar nela. — Sabe que tenho isso... Você faz malas grandes demais e eu sou obcecada por germes.

— Eu sei. — Ela recua uns passos. — Ainda assim. Lembra que a mamãe nos mandava dizer "obrigada" antes mesmo de termos a chance de falar?

— Sim. — Eu rio. — O bolinho não chegava às nossas mãos antes de ela dizer algo como: "Meninas! Como se *diiz*?!".

Josie se senta no chão, tirando as botas.

— Exatamente. E você não se lembra de como isso sempre nos deixava irritadas? Porque já íamos agradecer. Só que... aí não levávamos crédito por termos boas maneiras. Ficávamos parecendo duas idiotas... — Ela se levanta e me olha, as sobrancelhas arqueadas.

Sorrio, pensando, não pela primeira vez, que parte de nossa rivalidade fraternal envolve disputar a atenção da nossa mãe e parte da nossa ligação se deu à custa dela.

Levo as compras para a cozinha pequena do apartamento, guardando alguns itens perecíveis antes de lavar as mãos. Josie faz o mesmo, desta vez sem reclamar, vira-se e pede para eu mostrar o lugar.

— Bom, é basicamente isso — digo, gesticulando para a sala de estar. — Além de um quarto nos fundos.

— É legal — diz ela, indo até a janela e olhando para a rua. — Muito bonito e... aconchegante... Quanto é o aluguel?

— Ela comprou. E não tenho ideia de quanto pagou. — Detesto a forma como Josie sempre fala de dinheiro.

— Deve ser legal ter esse tipo de coisa — murmura ela.

— Melhor do que ser falida, acho — digo, evitando meu comentário de sempre de que o dinheiro não compra felicidade.

— Sim... isso é óbvio. —Josie ri e pega um Buda de bronze da mesa. — Que bonitinho.

Faço que sim, pensando que Ellen provavelmente não o consideraria *bonitinho*.

— Pois é. Ela tem bom gosto.

— Como você chamaria o estilo dela? — pergunta Josie, deixando o Buda de lado e passando a mão na base de um abajur feita de cortiça.

— Ah, não sei... eclética? O contrário do de Andy?

Ela faz que sim e estuda os livros de mesa de Ellen, agora no modo intrometida. Abre um livro de fotografia, lendo a dedicatória de Andy, depois o folheia até um retrato em preto e branco de Lenny Kravitz.

— Bela foto — murmura.

Concordo, balançando a cabeça.

— Ellen fez estas fotos? — pergunta ela, virando as folhas.

— Acho que não... mas talvez. — Estou pensando que Josie parece ter sentimentos contraditórios quanto a Ellen, mais ou menos como eu me sentia quanto a Shawna no ensino médio, ao mesmo tempo fascinada e desdenhosa – o que geralmente se resume ao ciúme. — Ela fez fotos de algumas algumas pessoas famosas.

— Ah, eu sei. Ela me disse. — Josie revira os olhos, querendo dizer que Ellen se vangloria – o que não corresponde de jeito nenhum à verdade. — Ela sabe que estou aqui neste fim de semana?

Faço que sim.

— Arrã.

— O que você disse a ela?

— Não me lembro *exatamente*. Só que você vinha me visitar neste fim de semana.

— E?

— E *o quê?*

— Você disse *por que* estava vindo?

Arqueio as sobrancelhas e a encaro firmemente.

— Não... Como poderia fazer isso?

Ela me lança um olhar impassível.

— *Não sei* por que você veio. Lembra?

Ela desvia o olhar, cruzando os braços e sentando-se na ponta do sofá em L de Ellen.

— Meu Deus. Isso é *tão* desconfortável. — A princípio, acho que está falando de nós duas, mas acrescenta: — Por que ela compraria um sofá assim *tão duro*?

— Talvez ela goste. Cada um na sua.

— Não é possível. É *horrível.*

Dou de ombros.

— Bom, acho que ela não se senta nele muito... Ela realmente só trabalha e dorme quando está na cidade.

— Então... ela aceitou minha vinda aqui? — pergunta Josie ansiosamente, quase como se *quisesse* que a resposta fosse negativa.

— Sim. Ela concorda completamente com isso... — Sento-me no outro extremo do sofá. É a verdade, mas deixo de lado a parte na qual Ellen e eu analisamos o motivo da visita por quase trinta minutos, incapazes de pensar em qualquer tema relacionado a Daniel que justificasse uma conversa urgente e cara a cara.

— Duvido — resmunga Josie.

Contrariando minha vontade, pergunto por que ela sempre pensa o pior de Ellen.

— Não penso *o pior* dela. Gosto dela... Só tenho a sensação de que *ela* pensa o pior de mim.

Faço que não com a cabeça.

— Não é verdade — digo, porque não é *mesmo.* — Ela geralmente a defende... — Minha voz desaparece.

Ela estreita os olhos e diz:

— Hã? Por que ela precisaria fazer isso?

Minha mente procura desesperadamente uma resposta esperta, mas não encontra nada.

— Porque você me deixa louca — respondo com um sorrisinho. — Por isso.

— Bom, você me deixa louca também. — Ela faz um biquinho que demora uns segundos para desfazer. — Mas assim mesmo estou feliz em vê-la.

— Eu também — digo, perguntando-me como posso ter sentimentos tão conflitantes – e como eles podem mudar tão rápida e radicalmente, de um minuto para o outro. — Quanto tempo você acha que conseguimos ficar sem discutir?

— Nossa! — Ela ri. — É como se você quisesse brigar comigo.

Digo que isso é bobagem, que *odeio* brigar com ela.

— Eu também — diz ela. — Nossa. Temos histórias loucas, não é?

Faço que sim, quase amorosamente.

— Lembra do Chick-fil-A?

— Claro — rio, lembrando-me dos detalhes daquela que talvez tenha sido nossa briga mais épica, que ocorreu quando ela tinha dezesseis e eu, catorze anos. Todas as manhãs, ela me levava para a escola em nosso Volvo antigo, deixando-me na Pace antes de percorrer mais alguns quilômetros até a Lovett. O problema, claro, era que nunca concordávamos com o horário de saída e ela *sempre* estava atrasada. (Ela ainda deve ser a recordista de atrasos por ano letivo na Lovett.) Naquela manhã, Josie me prometeu várias vezes que faria o melhor para me deixar na escola antes do horário, já que eu tinha deixado meu livro de matemática no armário e precisava terminar a lição de casa.

Tudo estava bem, até que ela passou numa Chick-fil-A no Northside, dizendo que só "levaria um segundo" para comprar um sanduíche de frango. Incrédula, principalmente depois de ter visto a enorme fila do *drive-thru*, tentei demovê-la da ideia, até mesmo implorando.

— Tarde demais — disse ela, quando um carro estacionou atrás de nós, prendendo-nos na fila. — Desculpe, já era.

— Meu Deus. Por que você tem de ser *tão vaca*?

— Por que você tem de ser tão nerd? — respondeu ela, pondo-se a zombar de mim por me importar tanto com a lição de matemática.

Nossa discussão ganhou força rapidamente enquanto avançávamos devagar, até que exagerei com um comentário venenoso sobre como ela "não precisava daquelas calorias extras". Assim que disse isso, me arrependi da maldade, até porque sabia o quanto Josie se preocupava com o peso e como ela tentava perder alguns quilos antes da formatura. Mas, antes que eu pudesse pedir desculpas, ela esticou o braço e bateu com toda a força no meu seio esquerdo. Doeu tanto que lágrimas encheram meus olhos, e me lembro de pensar que um chute no saco de um menino não poderia doer mais que isso. Então, é claro que bati nela também e, em poucos segundos, teve início uma briga com puxões de cabelo e xingamentos no meio do *drive-thru* da Chick-fil-A. Claro que cheguei atrasada naquela amanhã, desgrenhada e triste, e passei os dias seguintes com medo de que o soco no seio tivesse me dado câncer de mama. Uma parte de mim até *esperava* que houvesse um dano real, nem que fosse para reforçar para meus pais que eu era uma filha melhor e que a filha do meio deles era a pessoa mais egoísta do mundo.

— Nossa. Aquilo foi tão baixo — diz Josie agora, rindo.

— Eu sei. Foi coisa de favelado mesmo.

Ela continua sorrindo, mas me diz que acabei de usar uma "expressão preconceituosa".

— Por que você diz isso? — pergunto, ciente de como ela é politicamente correta, algo que aprendeu com Gabe.

— Ora, por que "coisa de favelado"? Diga outro caso em que você cita o lugar onde a pessoa mora... Isso parece querer dizer que quem mora na favela é violento — diz ela.

Reviro os olhos e digo:

— Isso é um exagero, mas que seja...

Nós nos olhamos por um tempo, constrangidas, antes de ela bater nas coxas e dizer:

— Sabe de uma coisa? Acho que deveríamos sair. Tem um lugar tranquilo e discreto aqui perto?

— Claro. Estamos no Village. Tudo é tranquilo e discreto... mas você não quer falar sobre Daniel antes?

— Não. — Ela faz um gesto desdenhoso. — Temos todo o fim de semana... Isso pode esperar.

Como Josie quer um hambúrguer, escolhemos jantar no Minetta Tavern. São momentos bons e tranquilos, sem qualquer tensão, e momentos ainda melhores de volta ao apartamento. Contra todas as probabilidades, caímos naquele terreno raro, feliz e cheio de lembranças, a maioria da nossa infância, antes que os atritos da adolescência se estabelecessem.

O nome de Daniel aparece aqui e ali, mas só no contexto do ambiente familiar, antes de o perdermos. Ao nos deitarmos para dormir, percebo quantas coisas Josie e eu compartilhamos ao longo dos anos. Penso na expressão "do berço ao túmulo" – e no fato de ela ser a única pessoa no mundo sobre quem posso dizer isso.

A manhã seguinte também é legal. Depois do sono, nos levantamos, tomamos banho e vamos à minha lanchonete preferida para tomar café da manhã, depois caminhamos pela Quinta Avenida até a Bendel's, onde Josie gasta uma pequena fortuna em maquiagem.

Saímos da loja cruzando a rua 57 e passando pelo Bergdorf's e pelo Plaza, antes de entrarmos no parque. O dia está frio, mas limpo e ensolarado, e sinto o coração leve como não sentia há semanas, talvez meses. Quase digo isso quando paramos num banco, mas me distraio enquanto lemos a plaquinha prateada presa ao encosto: "Para Caroline, que amava o parque, e George, que estava sempre com ela".

Josie passa a mão pelas palavras e diz:

— Uau. Que dedicatória linda.

Murmuro minha concordância ao nos sentarmos, dando as costas para a inscrição.

— Acha que os filhos fizeram isso para os pais? — pergunto, esperando que um dia Josie e eu sejamos assim unidas, quando mamãe e papai estiverem mortos e ficarmos realmente sozinhas.

— Provavelmente — diz ela, com um sorriso vago. — Imagino um casalzinho sentado aqui todas as manhãs, com seu cachorrinho e bengalas iguais... até que um dia morreram dormindo. Juntos...

Meneio a cabeça e sorrio.

— É o final mais feliz possível — comento, pensando que até o mais feliz dos finais termina em morte.

Digo isso em voz alta e ela me olha, balançando a cabeça.

— Meu Deus, Mere. Você é *deprimente.*

Dou de ombros e digo:

— Ué? É a verdade.

— Eu sei, mas... *meu Deus!*

Ambas rimos e nos sentamos em silêncio, antes de ela me olhar com seriedade.

— Então... quer falar sobre o que está acontecendo? — pergunta, a voz calma. — Com Nolan?

Pela primeira vez em muito tempo, realmente quero fazer uma confidência à minha irmã. É o que faço.

— Não acho que casei com a pessoa certa — digo, semicerrando os olhos para o céu azul sem nuvens e desejando estar de óculos escuros.

Espero um pouco e a encaro. A expressão dela é mais de tristeza do que de crítica, o contrário do que imaginaria.

— Eu sei. — Ela faz que sim com a cabeça. — Nolan meio que me contou...

— *Contou?*

— Sim. Não fique com raiva dele.

Balanço a cabeça.

— Não estou com raiva. O que ele disse?

Ela engole em seco, admirando suas unhas cor-de-rosa.

— Ele está com medo de que você queira se divorciar.

Fico paralisada. Essa palavra.

— Você quer? — pergunta ela, desviando o olhar das unhas para me encarar.

Faço que sim e digo:

— Acho que talvez seja a decisão certa.

— Mas... por quê? — pergunta ela, com uma tristeza inocente. — Ele a ama tanto.

— Antes de mais nada, não sei se isso é verdade...

Ela me interrompe.

— Ah, Mere, é verdade, sim. Não vê como ele a olha? Ele *a adora*. Ele a respeita. Nossa... você tem *tanta sorte*.

E, assim, sinto minha tristeza se transformar em ressentimento.

— Não tenho *sorte*. Casei com alguém por quem não estava apaixonada de verdade. Chorei no dia do meu casamento. Isso não é sorte. Isso é só... *errado*. — Olho para minha irmã, sem saber se quero que ela discorde ou aceite o que digo.

— Mas você tem um casamento bom. Não tem?

— De certa forma, sim. Certo... de *várias* formas, talvez... Mas às vezes quero mais... para nós dois... Quero que nós dois tenhamos algo *real*... o que Daniel tinha com Sophie.

— Eu sei — diz ela num sussurro. — Eu os uso como referência também.

— Usa? Achei que você usasse Will para isso.

Ela faz que sim.

— Sim. Por um tempo, usei. *Queria* que Will fosse minha Sophie. Na superfície, ele parecia ser... Mas, pensando bem... não era. — Ela me lança um olhar curioso e diz: — Por falar nisso... ela quer jantar com a gente hoje à noite.

— Sophie? — pergunto, pensando que devo ter confundido.

— É. Entrei em contato com ela outro dia. Pelo Facebook... Disse que estaríamos na cidade e ela me deu o telefone. Mandei uma mensagem para ela noite passada e ela disse que adoraria jantar...

— Ela mandou uma mensagem *noite passada?* — pergunto numa voz alta. — E você só menciona isso *agora?*

— Pois é... Não sabia se queria fazer isso.

Fecho os olhos, balanço a cabeça e digo o nome dela baixinho.

— O quê? Achei que você quisesse vê-la — diz ela, a voz agora mais alta e sofrida. — Como você pode estar com raiva de mim por organizar algo que você e a mamãe queriam tanto?

— Para começo de conversa, a mamãe não está aqui.

— Eu sei... mas podemos rever Sophie novamente em dezembro... com a mamãe.

— Então esperamos quinze anos e nos encontramos com ela duas vezes em questão de semanas?

— Ué? Por que não?

— Isso não parece... um exagero?

— Desculpe, não consultei o manual de etiqueta sobre isso... — Ela tira o celular da bolsa e resmunga que simplesmente vai mandar uma mensagem para Sophie dizendo que não podemos ir.

Bufo, aborrecida, estico a mão e a coloco no braço dela.

— Pare. Não mande essa mensagem. Isso é grosseiro... Só preciso pensar por um segundo...

— Pensar em quê?

— Se quero ver Sophie hoje à noite, sem qualquer aviso prévio.

— Por que você precisa de um aviso? — pergunta ela. — Digo, qual é a diferença? Entre agora e o mês que vem?

— Só queria que tivéssemos discutido sobre isso juntas.

— É o que estamos fazendo agora. Não é?

— É, mas...

— Mas o quê? Por que tudo tem que ser exatamente como você quer?

— Não tem — digo, pensando em quantas vezes ela me chamou de controladora só por ter uma *opinião* diferente da dela. — Eu só...

— Você só o quê, Meredith? Por que você está sempre tão irritada comigo? — Ela se levanta e me olha, as mãos nos bolsos.

— Não estou — minto.

— Sim, está. E a mamãe e o papai também estão... Nossa. Desculpe se não sou perfeita como você e Daniel. — Ela se afasta de mim.

Levanto-me e rapidamente a alcanço.

— Pode *parar* de se fazer de vítima?

Ela para e me olha.

— Não estou me fazendo de vítima. Só estou cansada de suas críticas constantes. Estou aqui neste fim de semana para conversar sobre Daniel... Por isso é que entrei em contato com Sophie. Estou tentando fazer a coisa certa. Não está vendo?

Eu a encaro, vendo as coisas sob o prisma dela. Mas, assim como a ilusão ótica de Rubin, rapidamente volto ao meu ponto de vista, aquele vaso branco que é muito mais óbvio do que os dois perfis pretos.

— Certo — digo, cedendo. — Responda a ela. Diga que vamos jantar.

— É o que você quer mesmo? — pergunta ela, e me ocorre que poderia estar blefando. Esperando que *eu* decidisse não me encontrar com Sophie.

Mas em vez disso eu dou de ombros de forma vivaz.

— Claro. Vamos lá.

Capítulo vinte e sete

JOSIE

Deveria ter previsto que Meredith encontraria uma forma de ficar irritada comigo por entrar em contato com Sophie. Na verdade, me ocorreu consultá-la antes, mas então pensei: "Não, devo ser proativa e resolver algo sozinha para variar". Além disso, não esperava que Sophie respondesse tão rápido. Achei que havia uma chance boa de ela só responder semana que vem, o que significava que eu teria crédito com a mamãe e Mere por ter entrado em contato com ela sem ter de aguentar outro confronto emocional.

Então, noite passada, ao receber a resposta de Sophie, não quis tocar em nenhum assunto pesado com Meredith, já que estávamos nos divertindo tanto, brincando e rindo e criando um vínculo. Foi tão bom e natural – como vejo outras irmãs se relacionando. Só queria aproveitar, ainda mais por causa do medo que sentia ao pensar na minha confissão e na possibilidade muito real de que Meredith nunca mais me perdoe por meu papel no acidente de Daniel.

Mas claro que o tiro saiu pela culatra e, ao caminharmos pelo parque, vejo-a se transformar completamente, deixando a alegria de lado e voltando ao azedume em tempo recorde.

— Certo — diz ela rispidamente. — Quero ir para casa.

— Agora? — pergunto, pensando que queria fazer mais compras no caminho de volta.

— Sim. Mas você não precisa vir comigo — diz ela, entrando em modo passivo-agressivo. — Você conhece o caminho.

Faço que não, sabendo que ela usará isso contra mim também, e posso praticamente prever o ataque dela. *Como você pode fazer compras numa hora dessas?*

E, na verdade, ela teria razão. Aquela sensação mágica de Manhattan rapidamente se dissipa enquanto penso que agora não tenho só um, mas *dois* problemas a temer.

— Não, vou voltar com você — insisto.

Ela faz que sim, apressando o passo enquanto rumamos para o oeste atravessando o parque, na direção oposta de onde viemos.

— Por que estamos indo por aqui? — pergunto, praticamente correndo para acompanhá-la.

— É o caminho para o metrô.

— Ah. Você não quer caminhar?

— Não. Quero *pegar o metrô.*

— Então tudo bem — murmuro.

Depois de uma caminhada silenciosa e pesada de quinze minutos, entramos na estação de metrô da rua 57 com a Sétima Avenida, descendo e ficando de pé, caladas, na plataforma.

— Olha — finalmente digo, respirando pela boca para evitar o fedor de urina e lixo. — Não precisamos nos encontrar com Sophie hoje à noite. Podemos dizer que temos um compromisso. Podemos dizer que faremos isso outra hora...

— Não, tudo bem — responde ela, o que para Meredith significa que *não está* tudo bem, mas ela vai bancar a mártir.

— Então você quer ir? — pergunto para confirmar.

— Já disse que sim. Está *tudo bem.*

Olho para ela, a frustração crescendo dentro de mim.

— Só não entendo por que você está com tanta raiva de mim — digo, enquanto o trem se aproxima.

— Não estou com raiva — grita ela sobre o barulho e a vibração do metal contra o metal.

— Certo. Você está como, então? — pergunto, à medida que o trem freia e entramos no metrô praticamente vazio. Ela espera que eu me sente, depois escolhe um lugar na diagonal à minha frente. — Você está como, então? — repito.

Como ela não responde, ofereço alternativas.

— Incomodada? Irritada? Frustrada?

— Todas as anteriores. — Ela cruza os braços.

— Por quê? — pergunto, realmente querendo saber. — Só não entendo por quê.

— Para começo de conversa, vamos voltar no tempo... Tenho tentado levá-la ao cemitério há tempos – e a mamãe também – e você finalmente vai quando saio da cidade e nem mesmo avisa à mamãe...

— Foi uma coisa de última hora.

— Mas isso é ainda *pior*! Você vai *por impulso*? Sem a gente?

Suspiro e tento explicar:

— Eu estava na *sua* casa, passando um tempo com a *sua* filha, porque *seu* marido perdeu o coelhinho...

— E daí? O que você quer dizer?

— Quero dizer que... a ideia simplesmente surgiu... Nolan me chamou para ir com ele... Queria dizer não, mas tive pena dele, sabe, com tudo o que está acontecendo... Então disse sim... Como você pode estar com raiva de mim por causa disso?

Meredith não responde à pergunta, só me encara, para então soltar mais um argumento.

— Em segundo lugar, eu lhe disse *claramente* que a mamãe e eu queríamos planejar algo para dezembro... para o aniversário de quinze anos.

Novamente faço uma cara feia quando ela usa a palavra "aniversário" nesse contexto.

— E então você deu aquele espetáculo — diz ela. — Isso era para ser sobre você, eu e a mamãe fazendo coisas juntas. À memória de Daniel.

— Bem, estamos juntas agora.

— Eu sei, mas a mamãe não está aqui e, *que merda*, Josie. — Ela joga as mãos para o alto e as deixa cair sobre o colo. — Você não entende? Mesmo? Que sempre fazemos as coisas *como você quer*?

— Sim, entendo que pode parecer isso... Mas as coisas mudam... Nenhuma de nós pensou que você tiraria licença do trabalho e viajaria para Nova York e pensaria em divórcio...

— Será que podemos deixar Nolan e meu casamento fora disso?

— Tudo bem — digo, percebendo uma velha olhando para nós. Mudo de lugar para ficar bem em frente a Meredith e me inclino para a frente, falando mais baixo. — Mas acho que está tudo relacionado.

Ela faz que não com a cabeça e diz:

— Não, *não* está tudo relacionado.

— Está, sim — insisto, o coração batendo apressado. — Tudo remonta a Daniel. Você não vê isso?... Nolan... seu casamento... Sophie... — Quase confesso, naquela hora e ali, no metrô, só para acabar logo com o caso e ganhar a discussão. Para mostrar como está tudo interligado *pra caralho*. Mas ela agora está me olhando com tanta hostilidade que recuo, assustada.

— Meus problemas também. E eu gostaria muito de resolver as coisas antes de ter um bebê... antes de me tornar mãe.

— *Exatamente!* — Ela ergue a voz e aponta para mim, como a advogada que é. Encaro-a também, perguntando-me que argumento ela acha que acabei de fornecer.

— O quê? — pergunto. — O que há de errado nisso? Meu Deus, Mere. Por que você me odeia tanto?

— Eu não a *odeio* — diz ela, olhando-me como se me odiasse. — Só estou cansada de tudo girar em torno de você. *Sua* hora. *Seus* planos. Tudo é sempre sobre *você*, Josie.

Com o rosto pegando fogo, digo:

— Isso é tão injusto... Vim aqui vê-la, Meredith, para ter certeza de que você está bem. Realmente esperava melhorar nossa relação. Por isso é que não quis deixá-la de mau humor na noite passada falando de alguma coisa séria.

Ela começa a falar, mas ergo a mão, determinada a tentar um último argumento.

— E também vim aqui porque *preciso* conversar com você sobre Daniel.

— É, você continua dizendo isso. — Ela balança a cabeça. — Quando essa conversa vai acontecer, então?

— Hoje à noite — respondo, sabendo que as coisas estão prestes a piorar *muito* entre mim e minha irmã.

Quando voltamos ao apartamento de Ellen, mando uma mensagem para Sophie, dizendo que adoraríamos nos encontrar com ela hoje à noite. Ela responde rapidamente, sugerindo que a visitemos em seu apartamento no Upper West Side para bebermos algo antes do jantar e diz que fará uma reserva em algum lugar casual.

Nas horas que se seguem, Meredith e eu reagimos ao estresse do compromisso à nossa maneira: ela veste roupas de exercícios e diz que está saindo para correr. Eu visto um moletom, deito-me na cama e durmo profundamente.

Acordo um pouco mais tarde com meu celular vibrando, sentindo-me desorientada, e mais ainda ao ver o nome de Pete. De repente me lembro de quem sou, atendendo com um alô entorpecido.

— Oi — diz ele, a voz animada. — Estava dormindo?

— Não — minto, perguntando-me por que sempre nego estar dormindo ou bebendo.

Ele pergunta o que está acontecendo e digo que estou em Nova York, visitando minha irmã. Não converso com ele há alguns dias e ainda preciso lhe dizer que decidi usar Gabe como doador. Sinto-me mal depois de ter ido tão longe assim com Pete, ainda mais levando em conta a generosidade dele o tempo todo. Não quero magoá-lo nem parecer volúvel. Mas esses fatores não podem se sobrepor à situação como um todo. Contrariamente ao que Meredith pensa, não tenho ilusões quanto à seriedade disso, afinal, estamos falando da vida de uma criança aqui. De qualquer modo, Pete talvez se sinta até aliviado. Claro que ele deve ter suas dúvidas e inseguranças também. Ao mesmo tempo, tenho medo de que isso acabe com qualquer possibilidade de um relacionamento romântico entre nós, e talvez acabe até com nossa estranha amizade. E tenho a sensação triste de que vou sentir muito a falta dele.

— Ah. Legal — diz ele. — Não sabia que você iria.

— Pois é. Foi uma coisa de última hora... Minha irmã e eu realmente precisamos resolver umas coisas... — digo, e passa pela minha cabeça contar tudo. *Tudo* mesmo. Em vez disso, falo por alto sobre Sophie e nosso plano de encontrá-la nesta noite.

— Será a primeira vez que a veremos desde o funeral do nosso irmão.

Pete assobia.

— Uau. Isso parece intenso.

— Pois é. Provavelmente vai ser bem difícil... — Minha voz vai sumindo.

— Ela é casada?

Digo a ele que não sei, que o perfil dela no Facebook é vago. Ela publica artigos científicos e observações aleatórias e engraçadas à la Seinfeld.

— Parece que ela tem um filho — acrescento. — Tem um menininho em várias fotos. Mas pode ser sobrinho ou amigo da família... sabe, como você e Fudge.

— Claro. — Ele ri. — A boa e velha Fudge.

— E você... o que você anda fazendo? — pergunto, mentalmente refutando a acusação de Meredith de ser autocentrada.

— Nada de mais. Eu meio que sinto a sua falta.

Sorrio, surpresa pela resposta dele.

— Sério?

— Sério. Não *muito*. Mas *um pouquinho*.

— Um pouquinho, é?

— Sim. Um tiquinho.

— Sinto um tiquinho de saudade também — digo, sentindo um latejar inesperado.

— Que bom. Quando você volta?

— Amanhã. Meu voo chega por volta das cinco, acho.

— Precisa de carona para casa? — pergunta ele. — Adoraria ir buscá-la.

— Ah, obrigada. Isso é muito gentil... mas estou de carro.

— Então... que tal jantar? Segunda à noite?

— Seria ótimo. Queria mesmo conversar com você sobre uma coisa...

— Ah, é? — diz ele, a voz agora séria. — Sobre quê?

— Só... umas coisas.

— Umas coisas do bebê e do papai? Ou sobre nosso beijo no Johnny's?

Rio, lembrando-me da sensação dos lábios dele.

— As duas coisas, na verdade — respondo.

Duas horas depois, Meredith e eu entramos num táxi rumo ao Upper West Side. Estou apreensiva por motivos óbvios, mas também um pouco intimidada pela ideia de jantar com uma médica britânica sofisticada e bem-sucedida. Dá para ver que Meredith está incomodada também, verificando como está a maquiagem e mexendo nos cabelos.

— Você está ótima — comento, olhando-a de lado.

Sem graça por ser sido pega se arrumando, ela fecha o estojo de maquiagem e o guarda na bolsa, murmurando um *obrigada* indiferente.

— Ao menos somos duas. Ela é só uma... Aposto que está mais nervosa do que nós — divago em voz alta.

— Não estou nervosa — responde ela rapidamente.

Lanço-lhe um olhar cético e digo:

— Ah, deixe disso, Mere. Como não ficar nervosa?

— Só não estou. Talvez um pouco apreensiva... Quero dizer, ela é meio que uma estranha.

— Ela é *completamente* estranha. Não a vemos desde o funeral de Daniel... Acho que nem conversei com ela *naquele* dia.

— Você não falou com *ninguém* naquele dia — diz Meredith, num tom acusatório.

Ignoro a isca e pergunto se deveríamos ter um sinal.

— Sinal para quê?

— Um sinal para "vamos cair fora daqui".

Meredith fica séria e balança a cabeça, inflexível.

— Não. Nada de sinal. Devemos ser calorosas e interessadas, não importa o que aconteça... Temos de dar uma boa impressão... por Daniel... Sabe?

Ocorre-me acusá-la de se importar demais com as aparências (e ela se importa mesmo) ou dizer que, se Daniel estiver mesmo nos observando, nossa boa impressão será a menor de suas preocupações. Mas a última coisa de que precisamos agora é outra briga, então digo simplesmente:

— É. Acho que sim.

Alguns minutos mais tarde, chegamos ao prédio de Sophie na Central Park West. Meredith e eu descemos do táxi e entramos na recepção de mármore com um porteiro imóvel.

— *Movin' on up*! — Começo a cantar a música dos *Jeffersons*, fascinada pelo candelabro de cristal.

Meredith me manda parar e o porteiro sorri, perguntando se pode nos ajudar.

— Sim — responde ela, a voz alta e limpa. — Pode dizer a Sophie Mitchell que Meredith e Josie estão aqui para vê-la?

Ele faz que sim, pega um velho interfone e diz:

— Sim. Alô, dra. Mitchell. Meredith e Josie estão aqui... Muito bem. Pois não. — Ele desliga, aponta para o elevador e diz: — Nono andar.

Mere agradece e seguimos para lá. Uma vez dentro do elevador, esperamos que as portas se fechem – a de fora e a sanfona interna – antes de subirmos.

Depois de uma subida lenta, paramos e as portas se abrem para um vestíbulo ladeado por dois apartamentos. Antes de escolhermos a porta certa, uma delas se abre e ali está uma versão surpreendentemente apagada da Sophie de Daniel. Ainda diria que ela é atraente, de um jeito meio europeu, e usa um macacão muito chique e rasteirinhas de ponta. Mas o corpo não é tão esbelto e a pele está muito manchada pelo sol.

— Oi. Entrem, entrem — diz ela, a voz como eu lembrava, o sotaque inglês diluído pelos anos que passou nos Estados Unidos. Dá para ver que ela está nervosa quando se aproxima para nos dar um abraço duro e distante, primeiro a mais nova e depois a mais velha. — Tão bom vê-las novamente.

— É bom vê-la também — diz Meredith.

— Sim, obrigada por nos receber — acrescento, enquanto Sophie nos guia para dentro. Noto que há uma dezena de lugares onde podemos nos sentar, incluindo um sofá em L, duas poltronas enormes e várias otomanas. Mesmo assim não há televisão por perto. De repente, lembro-me dela falando que era proibida de assistir à TV na infância.

— Você tem uma bela casa — comenta Meredith.

— Obrigada. Acabamos de reformar. Aqui era a sala de jantar... mas ninguém usa mais isso... — Ela ri e acrescenta: — E eu ainda não sei cozinhar.

Percebo o "nós" oculto e tenho certeza de que Meredith também, mas não vejo nenhum sinal de marido ou criança, apesar de ver vários porta-retratos com fotos do menino do perfil dela no Facebook.

Seguimos Sophie até a cozinha toda branca e ela nos pergunta o que gostaríamos de beber.

— Um coquetel? Ou uma taça de vinho?

Meredith e eu dizemos que claro, adoraríamos uma taça de vinho.

— Tinto ou branco?

— O que você já tiver aberto — diz Meredith, até Sophie insistir que escolhamos.

— Tinto seria ótimo, obrigada — finalmente decido, notando que Sophie está bebendo vinho tinto. Sua taça manchada de batom está na bancada ao lado de uma tábua de frios organizada como uma obra de arte. Ela pode não ser boa na cozinha, mas com certeza sabe receber bem as pessoas.

— E para você, Meredith? — pergunta Sophie com uma voz encantadoramente animada.

— Tinto seria *adorável* — diz minha irmã, parecendo pretensiosa.

Sophie estica o braço, pega duas taças da prateleira e as enche até pouco mais da metade. Meredith e eu pegamos nossas taças e Sophie ergue a dela, um sorriso congelado no rosto. Passa-se um segundo de constrangimento até ficar claro que ela está posicionada para um brinde.

— A velhas conhecidas — diz ela, olhando-me nos olhos, e depois para Meredith.

— A velhas conhecidas — ecoamos. Abro um sorriso forçado e penso em como as duas palavras soam contraditórias, como se "conhecidas" devesse ser algo novo, nunca virando uma amizade de verdade ou caindo na obscuridade. Se bem que não consigo pensar numa descrição melhor – então deixo para lá e todas bebemos vinho. Ficamos mais calmas e Sophie fala primeiro.

— Então você é advogada? — Ela olha para Meredith.

— Sim. Mas acabo de tirar um período sabático.

Dói-me ouvir o termo e fico me perguntando por que ela não chama isso de "licença não remunerada", como fez antes. Sophie se vira para mim.

— E você é professora? — pergunta ela.

— Sim, leciono na primeira série. Como você sabe disso? Pelo Facebook?

Sophie faz que não com a cabeça e diz:

— Não. Sua mãe me contou... da última vez que ela escreveu...

— E quando foi isso? — Não sei há quanto tempo elas se correspondem, nem com que frequência, e me pergunto se a mamãe falou com ela sobre a visita em dezembro.

— Ah, há muitos anos. Talvez em dois mil e dez ou onze... Não lembro exatamente. Como ela está? — Sophie franze a testa, preocupada.

— Está bem. Ela trabalha como corretora de imóveis.

— Hmm — diz Sophie, uma resposta britânica que nunca consegui decifrar. Isso significa "sério?" ou "fala mais sobre isso" ou ainda "já sabia"?

— Acho que você ouviu falar que meus pais se separaram, não é? — digo.

Sophie abaixa a cabeça e responde que sim, sabia.

— Sinto muito — diz.

Por algum motivo, tenho vontade de piorar as coisas.

— Pois é. Mamãe não conseguia lidar com as bebedeiras do papai. Ele estava sóbrio até que... tudo desmoronou.

— Então tudo bem — diz Meredith, com uma voz ríspida e alta. — Isso basta.

Sorrio e digo, para ninguém em específico:

— Certo. Meredith diz que basta.

— Só acho que temos coisas mais animadas para conversar — diz Meredith, baixinho.

Arqueio as sobrancelhas, pensando: "Hã? Como a última vez que nos vimos, no funeral de Daniel, talvez?".

— De qualquer forma, ela manda lembranças — continua Meredith, o que tenho certeza de que é mentira, a não ser que ela tenha conversado com a mamãe à tarde, enquanto eu dormia.

— Diga que mandei um oi também. — Sophie sorri e meneia a cabeça, mas não consegue esconder o olhar de piedade. Conheço bem, foi assim que muitas pessoas me olharam durante muito tempo depois do acidente – e sinto uma onda de irritação, apesar de saber que não é justo. Como eu queria que ela agisse agora? E quero mesmo que ela *não* pareça ter pena?

Silenciosamente pensando que ela está num beco sem saída, pego um pedaço de presunto Serrano, coloco-o na boca e mudo de assunto.

— E então? — pergunto, ainda mastigando. — Você é casada, Sophie?

Meredith intervém com uma risada alta e nervosa, dizendo:

— Uau. Isso é um tanto quanto direto.

— Ah, tudo bem — diz Sophie, enquanto me lembro de uma das cartas dela para mamãe cerca de um ano depois da morte de Daniel. A carta tinha várias páginas, frente e verso, e era escrita numa bela letra, tratando de todos os assuntos possíveis – desde a família dela até sua residência médica e suas viagens. Mas não havia nenhuma menção à situação amorosa dela, só um parágrafo estranho sobre como ela ainda pensava em Daniel "todos os dias". Lembro-me de dobrar a carta e pensar que isso deveria ser óbvio e não precisava ser mencionado – e que parecia um sinal de que ela estava com alguém.

De qualquer forma, ela parece bem à vontade com minha pergunta agora.

— Estou divorciada. Mas tivemos um bom casamento... quase dez anos.

— Sinto muito — diz Meredith, abaixando a cabeça.

Ao menos ele não morreu, penso.

— Obrigada — responde Sophie. — Foi difícil... mas estou melhor agora.

Eu a imagino dizendo a mesma coisa ao ex-marido sobre a morte de Daniel e sinto outra onda irracional de ressentimento, pensando que ela é boa demais em curar grandes feridas.

— Você tem filhos? — pergunta Meredith.

— Sim — responde Sophie, sorrindo. — Tenho um menino de sete anos, Calvin.

— Ah, sim. Acho que o vi no seu perfil do Facebook.

Ela sorri, meneia a cabeça e diz:

— Sim. É ele mesmo.

— É um belo nome — comenta Meredith, enquanto penso que não imagino meu irmão escolhendo um nome como Calvin. Mas, sinceramente, não consigo nem imaginar Daniel *com* Sophie. Por mais que tente ajustar a idade dele na minha mente – algo difícil de fazer –, simplesmente não os vejo juntos como ela é hoje.

— Obrigada. Ele é um bom menino. — Sophie está toda altiva como os pais sempre ficam ao falar dos filhos. — Vocês têm filhos?

— Tenho uma filha, Harper. Ela tem quatro anos — conta Meredith, um quê de orgulho em seu olhar.

— Ah, é uma ótima idade.

Meredith concorda balançando a cabeça e diz:

— Josie está planejando ter um bebê em breve também...

Olho para ela, surpresa, enquanto Sophie me pergunta:

— Ah, você está grávida?

— Não. Estou planejando fazer isso por inseminação... em breve.

Sophie tomba a cabeça para o lado, lançando-me um olhar que só posso interpretar como respeito.

— Isso é maravilhoso. Que bom! — diz ela.

— Obrigada. Estou bem empolgada.

— E deveria mesmo — responde ela, e damos início a uma conversa animada sobre gravidez, parto e maternidade, enquanto penso quanto tempo levará para uma de nós finalmente tocar no nome de Daniel.

Quase uma hora mais tarde, estamos sentadas num cantinho aconchegante no Cafe Luxembourg, um bistrô agitado onde Sophie parece ser *habitué*. Ela pede outra garrafa de vinho, o que espero que facilite uma conversa mais profunda. Mas, quando nossas entradas chegam, o nome de Daniel ainda não foi pronunciado. Decido que não posso esperar mais. Procurando por uma brecha, encontro-a quando Meredith elogia Sophie pela escolha do vinho.

— Que bom que você gostou — responde ela. — Na verdade não conheço muito vinhos, mas estive nessa vinícola específica.

— Não conhece muito vinhos? Isso é surpreendente... Daniel costumava se vangloriar de como você era cosmopolita... — digo, pensando que escolher vinho parece se enquadrar nessa visão.

Ela sorri e diz:

— Acho que ele confundia meu sotaque com cosmopolitismo. Na verdade, eu era bem verde quando conheci Daniel.

— Ah, claro. — Sinto-me estranhamente feliz por finalmente fazê-la dizer o nome dele.

— *Era mesmo* — insiste ela.

Reviro os olhos e rio, mas não grosseiramente.

— Deixe disso, Sophie. Você era aluna de medicina em *Yale*... e você não estudou em Oxford ou em algum internato chique antes disso?

— Sim. — Ela pega uma cenoura com a ponta do garfo. — Mas eu não era interna...

— Ah, isso muda *tudo*. — Sorrio.

Sophie ri de si mesma, mas depois confessa sinceramente:

— Sério. Cresci praticamente como vocês. Com muito conforto, mas não luxo... — Ela hesita e acrescenta: — Adorava a casa da sua família... e Atlanta é uma cidade tão *linda*. Urbana de várias formas, mas também verde e exuberante... Vocês tinham mesmo uma vida idílica... — Ela para de repente, parecendo ligeiramente envergonhada. — Digo, era o que me lembro de pensar quando estava lá... Vocês sabem, com Daniel... — A voz se perde e ela fica vermelha, olhando para o prato. Em outras palavras, quando ela nos visitou pela primeira vez, não quando voltou para o funeral.

É tão estranho que não posso deixar de sentir pena dela, e a toco no braço.

— Sabemos o que você quer dizer — digo, falando por minha irmã também, e me perguntando pela primeira vez como ela lidou com tudo. — Onde você estava quando ficou sabendo? — pergunto, engolindo a pergunta com um gole de vinho.

Sophie respira fundo uma, duas vezes.

— Estava a caminho do Royal Albert Hall com minha avó. Estávamos indo ver o Carols by Candlelight. Nossa tradição... — Ela para e morde o lábio, o olhar distante. — Meu celular tocou. Vi o nome de Daniel e fiquei tão empolgada por falar com ele... Falei muito dele para a vovó... e estava tentando ligar para ele desde que pousara naquela manhã... Mas não era Daniel, claro. Era o amigo dele... Nolan.

Com meus olhos ainda em Sophie, faço que sim e aponto para minha irmã.

— O marido de Meredith...

Ela parece surpresa.

— É mesmo? — pergunta.

— Minha mãe não lhe contou isso? — pergunto, sabendo que deve ter contado e querendo que Sophie peça desculpas por ter esquecido.

— Talvez tenha contado, pensando bem — responde ela, agora olhando para Meredith. — Que legal. Para sua família.

Vejo Meredith ficando tensa, os olhos sem expressão, quase frios como metal.

— Sim. Nós nos casamos e nos mudamos para a casa da minha família... — A voz vai sumindo.

— É *mesmo* uma casa *linda* — diz Sophie. — E adoro Atlanta.

— Você acha que teria vivido lá? — pergunto. — Se você tivesse se casado com Daniel?

Sophie me olha, piscando. Ela abre a boca, começa a responder e para, como se a ideia nunca tivesse lhe ocorrido.

— Não sei — responde.

— Você acha que teria se casado com Daniel?

Segue-se um silêncio doloroso, mas me recuso a falar primeiro, sem querer lhe dar uma saída. Estou aliviada por Meredith também não falar nada.

— Ah, Josie — diz finalmente Sophie, a voz e a expressão carregadas de culpa. — Não sei responder a isso... São muitas variáveis.

— Por exemplo?

— Por exemplo, nossas residências médicas. Se faríamos residência no mesmo lugar... depois nossas bolsas de estudo... Éramos tão jovens... E foram anos difíceis.

— Mas você o amava? — pergunto, pensando que só há *uma* variável que deveria importar.

— Sim, eu o amava... Só não sei...

A resposta dela, assim como a expressão nervosa em seu rosto, confirma minha intuição. Apesar de admirar sua honestidade, não posso deixar de me sentir traída em nome de Daniel, e parte de mim tem vontade de gritar: *Como você ousa não nos dizer que nosso irmão era o amor da sua vida, a melhor pessoa que você conheceu e que você nunca superou a perda dele?!*.

Olho para Meredith e vejo imediatamente que ela sente o mesmo, o que de alguma forma me tranquiliza. Ocorre-me que, por mais diferentes que sejamos em nossas atitudes e decisões, nossas reações emocionais mais instintivas a coisas importantes são incrivelmente parecidas. E é nesses momentos que me sinto mais grata por minha irmã.

Meredith pigarreia e continua o interrogatório de onde parei, sua noção de decoro aparentemente dissipada.

— Na noite em que você voltou para Londres... antes do acidente... Daniel se sentou na cozinha e falou de você para a mamãe. Ela lhe contou sobre essa conversa?

Sophie faz que não e nos dá uma resposta péssima novamente:

— Talvez. Não lembro direito...

Minha irmã empina o nariz e continua, a voz forte e clara:

— Vou lhe dizer o que ele disse... Ele disse que você era a pessoa mais incrível que ele já tinha conhecido... e que queria se casar com você por vários motivos, incluindo o fato de saber que você seria uma mãe maravilhosa.

— Meu Deus! Isso é inacreditavelmente lindo — diz Sophie, por fim parecendo triste.

— Sim. E acho que é por isso que você ainda é uma pessoa tão importante para nossa mãe. Sua conexão com ele...

A voz dela falha, então eu concluo:

— Acho que só queremos saber se você o amava *de verdade* — digo, dando-lhe mais uma chance. — Que não foi um romance passageiro qualquer.

Sophie se arrepia, protegendo os ombros com a pashmina de cashmere, demorando para responder.

— Sim, eu o amava... Só que é tão difícil... É difícil para mim me lembrar daquela época... Tanta coisa aconteceu desde então...

— Sim. Para todo mundo, menos para Daniel — digo, querendo constrangê-la.

Parece funcionar, já que ela faz que sim e ajeita a pashmina novamente. No fundo, sei que estou sendo injusta. Sophie não tem culpa por Daniel ter morrido e ela, sobrevivido. Também dá para ver que ela está se esforçando. Só que seu esforço é péssimo. Então, tento de outro ângulo.

— Seu ex-marido era parecido com Daniel?

Parece um golpe, já que o casamento acabou. Uma saída fácil para ela seria nos dizer que Daniel era muito melhor.

— De certa forma — responde ela. — Mas não muito.

— Ele é americano? Médico? — pergunta Meredith.

— Sim e sim. Mas não um cirurgião como Daniel queria ser.

— O que ele é?

— Dermatologista. E os estereótipos da especialidade fazem sentido. Ele era muito menos intenso do que Daniel... mais relaxado... Daniel era mais inteligente...

Faço que sim, pensando: *Lógico que era*.

Ela dá de ombros e termina:

— Não sei... Eles eram muito diferentes.

— Ele tinha ciúme de Daniel? — pergunto, percebendo imediatamente como a questão é ridícula. — Digo, da *relação* de vocês.

— Não. Todd não é assim. Ele não ficava com ciúme... Não era o tipo sensível. Daí... nosso divórcio, talvez. — Ela ri, nervosa. — Meu namorado antes de Todd era mais ciumento, acho...

— Ele tinha ciúme do quanto você amou Daniel?

— Sim.

Finalmente, penso, *uma resposta satisfatória.*

— Você está namorando alguém agora? — pergunta Meredith.

Como o último pedaço do meu filé, só um pouco curiosa quanto à resposta de Sophie, e por algum motivo esperando que seja negativa. Mas, ao erguer a cabeça, vejo-a se animar ainda mais do que quando perguntei de Calvin. Ela nos diz que sim, que tem alguém.

— Ele é médico também? — pergunta Meredith.

— *Ela* — diz Sophie. — E não, ela é escritora.

Sophie explica como elas se conheceram – num retiro de yoga no Arizona –, mas em geral a ignoro, trocando um olhar com Meredith. É um olhar fugaz, mas agora tenho certeza de que sentimos a mesma coisa. Que estamos de saco cheio dessa noite e de Sophie, e principalmente do fato de ela amar alguém que não é nosso irmão, seja essa pessoa homem ou mulher.

Claro que, durante a pausa seguinte em nossa conversa, Meredith faz sinal para o garçom, pedindo a conta, e leva a mão à boca num bocejo falso.

— Ah, olhem só — diz Sophie, ainda sorrindo. — Sinto muito por tagarelar assim.

— Tudo bem — diz Meredith. — Estamos muito felizes por você. Não é, Josie?

— Sim, claro. Muito felizes por você.

— Mas está ficando *tarde*... e o voo de Josie sai cedo — mente Mere.

— Sim, é um voo bem cedo — reforço, encarando minha irmã, incapaz de pensar numa vez em que a amei mais.

Capítulo vinte e oito

MEREDITH

— Uau, por essa eu não esperava — digo, depois da corrida silenciosa de táxi de volta para casa. Tiro cuidadosamente os sapatos e penduro o casaco, tomando a decisão de não mencionar as botas de Josie. Droga, por mim ela pode até dormir de bota esta noite.

— Pois é. Nem eu... Quero dizer, sabia que ela tinha seguido com a vida... mas *caramba*... — Aparentemente triste, Josie vai até o sofá e nele se joga. — Era como se ele *não significasse nada* para ela.

— Isso não é necessariamente verdade — digo, lavando as mãos na pia da cozinha. — Não sabemos se ela não o amava profundamente... Ela poderia estar tão comprometida quanto ele na época...

— Certo... mas você teve mesmo essa impressão? — pergunta Josie. — Porque eu não. Ela só mencionou o nome dele depois que chegamos ao restaurante... Pareceu simplesmente que ela seguiu com a vida uns dois meses depois.

— É. Mas ela só nos deu uma versão resumida da vida... Disse que um ex-namorado tinha ciúme de Daniel... Ela pode ter sofrido *por anos*.

— Teria sido bom ouvir isso.

Faço que sim outra vez, silenciosamente notando a ironia – que teria sido bom ouvir várias coisas da minha irmã ao longo dos anos também. Teria sido bom discutir nossos sentimentos. Ou visitar o cemitério juntas. Ou admitir os aniversários de Daniel – e todos os dolorosos aniversários de morte dele.

Mas me apego a uma visão mais construtiva, que aprendi bem ao longo da vida.

— É impossível entender os relacionamentos dos outros. Eles pareciam felizes juntos... e talvez precisemos nos ater a isso... ao fato de que Daniel estava feliz quando morreu.

— Ela teria partido o coração dele.

— Provavelmente — concordo.

Josie suspira, a testa franzida.

— E então? Você contou à mamãe que íamos jantar com ela?

Faço que não com a cabeça.

— Sabia. Devemos contar?

Dou de ombros, tendo feito essa pergunta a mim mesma várias vezes desde que deixamos o restaurante.

— Devemos contar que a vimos. Mas sem contar os detalhes.

Josie concorda, balançando a cabeça.

— Ela ficaria mais incomodada do que a gente.

— Claro... Sophie é um símbolo para ela. Ao menos um consolo... Pense nas histórias que ela sempre conta sobre aquela visita... e a última conversa com Daniel à mesa da cozinha. Ela adora saber que Daniel estava feliz e apaixonado... que ele viveu uma experiência como aquela...

— Mesmo que ele a amasse mais do que ela o amava? — pergunta Josie.

— Mesmo assim. — Penso em Nolan novamente, perguntando-me se não é melhor ser aquele que ama *mais*. — Quer uma xícara de chá? Ou café descafeinado?

Ela faz que não com a cabeça.

— Não. Mas tomaria um uísque ou coisa assim... Tem alguma bebida forte aqui?

— Arrã. Você está com sorte. — Subo numa escadinha de acrílico para alcançar o armário onde Ellen guarda as bebidas. Pego uma garrafa de uísque Widow Jane e um copo apropriado. Depois, pensando melhor, pego um copo para mim também, sirvo duas doses e adiciono umas pedras de gelo.

— Meu Deus, isso é deprimente — digo, indo até o sofá e entregando um dos copos a Josie antes de me sentar ao seu lado. — O que estamos fazendo aqui mesmo?

— Bom, *você* está num *período sabático*. Lembra?

— É, é. Você sabe o que eu quis dizer... Olhe só para nós... Aqui estamos... quinze anos mais tarde... todas ferradas... e reclamando da felicidade de outra pessoa. Talvez só precisemos seguir em frente com a vida?

Josie tira as botas, deixando-as sob a mesinha de centro, e bebe um gole. Faz uma careta, deixa o copo de lado e meneia a cabeça.

— Pois é. Eu sei. Precisamos mesmo... Era o que eu estava tentando dizer mais cedo, quando disse que todos os nossos problemas parecem relacionados a Daniel... É como se nunca tivéssemos superado a perda... algo que Sophie fez.

Faço que sim.

— É. Mas não dá para comparar um namorinho, por mais intenso que fosse, com uma relação de irmãos.

— Verdade — diz ela, contorcendo o rosto numa expressão de profunda tristeza. — Não dá mesmo.

Um longo silêncio se passa antes de ela me chamar e se virar para mim, apoiando-se num dos braços do sofá.

— Sim? — digo, olhando para ela.

— Preciso lhe contar uma coisa... — Ela franze a testa, olhando para as mãos fechadas no colo.

— Tudo bem. — Viro-me para me sentar de lado, de frente para ela.

— É o que vim aqui lhe contar... sobre Daniel. — Ela me olha com uma expressão preocupada.

Sentindo um frio repentino, pego a manta do encosto do sofá e cubro minhas pernas.

— O que é? — pergunto.

Os enormes olhos azuis de Josie se nublam, o lábio trêmulo. Isso evoca a memória de como ela costumava chorar quando queria, só para me encrencar. Desta vez, porém, sei que é sincero. Ela está mesmo prestes a chorar e sinto uma vontade repentina de protegê-la, segurando suas mãos. Ela respira fundo por um minuto, o tempo todo me encarando e de mãos dadas comigo. Então, abre a boca e começa a me contar uma história. Uma história sobre a noite em que Daniel morreu. Sobre ela bebendo até cair no Five Paces. Sobre alguém no bar ligando para Daniel para ele a pegar e levar para casa. Há mais detalhes, a maioria deles triviais, mas tenho dificuldade para acompanhar todos.

— Não — por fim digo, soltando as mãos dela e balançando a cabeça. — Não foi o que aconteceu. Ele saiu para comprar um hambúrguer. Foi o que ele disse para a mamãe.

— Ele mentiu para a mamãe. Ele só estava me dando cobertura. — O rosto de Josie se contorce numa valente, mas inútil, tentativa de não chorar. As lágrimas escorrem enquanto ela continua: — Ele estava indo me buscar.

— Mas isso é só uma teoria. — Meu coração dispara. — Certo? Quero dizer, como você pode saber que ele estava indo buscá-la? Ele morreu antes... Ele *poderia* estar indo comprar um hambúrguer, não é?

Ela não responde nem se mexe, nem mesmo para limpar as lágrimas.

— Josie? Você não tem certeza disso, não é?

— Sim — sussurra ela. — Na verdade eu tenho.

— Como?

— Não posso lhe contar.

— Por que não? — pergunto, ficando mais agitada e com raiva.

— Porque prometi a uma pessoa...

Tiro a manta das pernas e me levanto, andando de um lado para o outro diante da mesinha de centro.

— Como assim você não pode me contar como sabe disso? Você joga uma bomba dessas e dá uma de Woodward e Bernstein[3]?

Josie cobre o rosto com as mãos, murmurando que não pode, que foi uma promessa.

— Ele era *nosso* irmão, Josie — digo, querendo não ter usado o pretérito, sendo que ele sempre *será* nosso irmão. — Você está me contando detalhes cruciais da noite em que nosso irmão morreu e está preocupada com uma promessa que fez a alguém? Quem foi? Shawna? — grito.

— Não — responde ela, chorando. — Não foi Shawna.

— Então quem?

Ela faz que não com a cabeça, aparentemente sofrendo, desesperada e em pânico. E, de repente, sem mais nem menos, sei quem ela está protegendo.

— Nolan — sussurro, o coração disparado, a cabeça girando. — Nolan ligou para Daniel naquela noite. Para buscá-la.

3. Referência aos jornalistas que reportaram o escândalo de Watergate. (N. T.)

É uma afirmação, não uma pergunta – e ela não nega.

— Então — digo, a voz calma e contida, ao contrário de como me sinto por dentro —, o que você está dizendo é que minha irmã... *e* meu marido... guardaram esse segredo de mim por *quinze anos, porra?*

— Não tínhamos certeza. — Josie enxuga as lágrimas. — Até semana passada.

— Não acredito em você. Além do mais, Nolan claramente sabia. Nolan devia saber que ligou para Daniel para ele ir buscá-la...

— Por favor, não diga a ele que contei. Acho que ele mesmo queria lhe contar...

— Ele que se foda — retruco com todo o veneno do mundo, minha descrença transformando-se em fúria. — E foda-se você também.

— Meredith. Por favor...

— Isso é que é traição — digo enquanto Josie começa a implorar. O som de seus soluços e a visão de seu rosto cheio de ranho e lágrimas só me fazem odiá-la. Pego uma das botas dela e jogo o mais longe que consigo. Ela bate na parede, o salto deixando uma marca escura. — E que parte do "tire essa merda de sapato ao entrar na porra da casa" você não entende, Josie?

— *Desculpe* — chora ela. — Desculpe *mesmo*.

— Por usar sapatos dentro de casa? Ou por não me dizer que você e Nolan foram responsáveis pela morte de Daniel? — grito.

— Meu Deus! Não diga isso — pede Josie, os olhos enchendo-se de horror, o lábio tremendo. — *Por favor*, não diga isso.

— Ora. Vamos ver o lado bom. Ao menos isso torna minha decisão sobre o divórcio um pouco mais fácil.

— Meredith, não... Não deixe que isso lhe aconteça... Vocês se amam — diz ela, dando início a um monólogo sobre como isso afetou todos os seus relacionamentos. Dizendo que ela se pune por isso há anos. Algo sobre Will e o término deles. Algo sobre Gabe.

Eu a interrompo.

— Mais uma vez, tudo é sobre você, Josie. Tudo é sobre como a morte de Daniel afetou *você*.

— Não. Só não quero que isso tenha um impacto sobre seu casamento também.

— Tarde demais.

— Sinto muito. Ele sente muito também. Não pode nos perdoar?

— Peça perdão a Daniel, Josie. Converse com Deus sobre isso.

— Eu converso — diz ela, o que é mentira, já que tenho certeza de que ela é ateia.

— E quanto à mamãe e ao papai? Eles sabem?

Ela faz que não.

— Acha que eles a perdoarão? — digo. — Acha que essa reviravolta na história não vai afetar a mamãe?

— Não sei — choraminga ela, o rosto vermelho e inchado e borrado de rímel. — Espero que ela possa me perdoar. Espero que a mamãe e o papai possam.

— Ah, é bem possível. — Minha voz treme quando contenho as lágrimas, determinada a só chorar quando estiver sozinha. — Mas eu *nunca* vou perdoá-la, Josie... Não enquanto eu viver.

Capítulo vinte e nove

JOSIE

Fico no sofá do apartamento de Ellen durante muito tempo, bebendo e repondo meu uísque, cambaleando e formulando um último pedido de perdão. Sei que não há nada que eu possa dizer ou fazer para mudar o que ela pensa sobre o que fiz – e o que não fiz – durante tanto tempo. Ela só vai pensar que sou mais egoísta. Passa pela minha mente que talvez ela tenha razão, que toda essa viagem tenha sido completamente egocêntrica. Mas então sinto uma onda de raiva, percebendo que é sempre um beco sem saída com Meredith, não importa o que eu faça.

Penso em ligar para Nolan, nem que seja só para alertá-lo, mas temo que isso só piore as coisas, que tudo pareça uma grande conspiração. Na verdade, tenho a sensação de que Meredith está com raiva mais por termos guardado segredo do que pelo que aconteceu naquela noite. Tento imaginar como me sentiria se de repente ficasse sabendo que ela e Gabe guardavam um grande segredo de mim. Não nego que doeria – e Gabe e eu nem somos casados.

Mas e se eles apenas estivessem tentando me proteger? Eu os absolveria se fosse esse o caso? Digo a mim mesma que sim, certamente, e quase acordo Meredith para defender esse argumento. Afinal, não foi ela quem sugeriu que não contássemos todos os detalhes do jantar com Sophie para a mamãe? E ela não sugeriu isso porque acredita que a informação apenas perturbaria a mamãe? Não é isso o que se faz quando se ama alguém? Começo a desenvolver uma indignação, mas não consigo me convencer totalmente. No fundo, sei que há uma diferença entre esconder informações sobre o jantar com Sophie e mentir, nem que seja por omissão, sobre a noite em que Daniel morreu. Simplesmente não há como negar que errei.

Em algum momento, durmo. Quando acordo, ainda está escuro lá fora, pouco depois das quatro horas. Decido que tenho de sair, que não conseguirei encarar minha irmã pela manhã. Então entro no quarto escuro do apartamento, onde Meredith ronca baixinho, e pego minhas coisas, enfiando-as de qualquer jeito na mala. Ao me virar para sair, lembro-me do presente que comprei para Meredith. Usando a lanterna do meu celular, procuro na mala e encontro o coelhinho novo em folha, a pelagem ainda intocada e macia. Coloco-o ao lado do travesseiro dela e sussurro um adeus para minha irmã, de alguma forma compreendendo que essa briga é diferente de todas as outras que tivemos. Apesar de esperar estar enganada, sinto que essa não tem volta.

Poucos minutos depois, estou num taxi a caminho do La Guardia. Não há trânsito e chegamos em tempo recorde. Pago a corrida e entro no aeroporto vazio. Uma senhora prestativa no balcão da Delta me garante que há muitos lugares no voo das seis da manhã para Atlanta e diz ter certeza de que conseguirei adiantar minha viagem.

— Boa sorte, querida — diz ela, olhando-me com pena, provavelmente pensando que qualquer pessoa que chega ao aeroporto horas antes do voo marcado está viajando sob circunstâncias graves.

Depois de passar pela segurança, vou ao banheiro, onde escovo os dentes e lavo o rosto. Calculando que tenho uma hora até eles começarem o embarque do primeiro voo para Atlanta, vou até o portão e me encolho num canto. Meu último pensamento antes de adormecer de exaustão é como Meredith acharia nojento sentar-se e dormir no chão de um aeroporto.

Acordo com ressaca, os olhos queimando e o pescoço doendo, mas sinto um alívio quando chamam meu nome para o embarque adiantado. Encaro isso como um sinal de que as coisas só podem melhorar a partir daqui.

Capítulo trinta

MEREDITH

Dizem que não se deve ir dormir com raiva, mas, quando se tratava das minhas brigas com Josie, a mamãe sempre nos obrigou a fazer o contrário. Ela nos mandava para nossos quartos, insistindo para que dormíssemos um pouco porque "as coisas se resolverão pela manhã". Era um conselho bom, já que geralmente acordávamos e simplesmente fingíamos que nada tinha acontecido (antes de encontrar alguma coisa pela qual brigar, claro). Às vezes, até ríamos de tudo, unindo-nos contra a mamãe e descrevendo-a como exagerada.

Mas por volta das quatro e meia da manhã, quando acordo e encontro o coelho de pelúcia no meu travesseiro, não me sinto nada melhor. Ao contrário, sinto-me consideravelmente pior, zangada e magoada, mas também tomada pela culpa e pela preocupação, certa de que minha irmã deve ter ido embora. Claro que me levanto e a procuro pelo apartamento, sem encontrar sinal dela além do xampu na beirada da banheira e uma de suas meias retrôs listradas sob a cama. Procuro mais uma vez, esperando encontrar um bilhete, nem que seja para ela ter a última palavra, mas não encontro nada. Pego o coelhinho e começo a entrar em pânico, perguntando-me para onde ela teria ido no meio da noite, se poderia estar jogada numa sarjeta por aí. E, apesar de não conseguir imaginar Josie fazendo mal a si mesma, a imagem da irmã de Lewis me vem à mente.

Então, apesar da minha decisão de nunca mais falar com ela, ligo para seu celular. A ligação cai na caixa postal. Desligo sem deixar mensagem e volto para a cama, ainda abraçada ao coelhinho. Durmo por mais algumas horas e acordo, suada e chorosa, montando os pedaços de um sonho sobre Daniel – o primeiro em muito tempo, pelo que lembro. Nós dois estávamos esperando o metrô juntos numa plataforma, conversando e rindo, e de repente ele desapareceu. *Puf.* Sumiu. Durante dias, Josie, a mamãe, o papai e eu espalhamos cartazes com o rosto dele por toda a cidade, como os cartazes colados depois do 11 de setembro. Mas Daniel nunca aparece. Claro, não é preciso ser especialista para decifrar o pesadelo, e vejo claramente que ele é uma combinação do desaparecimento de Josie e da morte de Daniel com a ideia sombria da irmã de Lewis se jogando nos trilhos do metrô. Sei que foi só um sonho, mas começo a temer que tenha sido mais uma premonição do que um pesadelo, e me pergunto o que faria se jamais visse Josie novamente. Contaria sobre a briga para minha mãe ou guardaria segredo, repetindo a história?

Levanto, caminhando freneticamente pelo apartamento, procurando sinais que não existem, antes de ligar para Josie pela segunda vez. De novo, caixa postal. Então ligo para a Delta, pensando e esperando que ela tenha adiantado o voo – mas eles se recusam a me informar. Desligo e ligo novamente, desta vez fingindo ser Josie. Eu me confundo, sou descoberta e ouço uma reprimenda quanto à confidencialidade. Começo a perder a calma e decido ligar para Gabe – o que me parece um último recurso.

— Oi — digo, contendo-me quando ele atende.

— Está tudo bem? — pergunta ele, ou sem ter ideia do que está acontecendo ou em conluio, as duas situações igualmente plausíveis.

Respondo à pergunta com uma pergunta, indagando se ele teve notícias de Josie, determinada a não ser enganada por alguém que sempre vi como um adversário digno.

— Não — diz ele. — Achei que ela estava com você neste fim de semana.

— Estava — respondo, as mãos suadas. — Brigamos na noite passada. Ela saiu... Achei que ela podia ter pegado um voo mais cedo...

— Não que eu saiba. — Ele não expressa qualquer emoção. — Não tive notícias dela.

— Tudo bem. Pode me avisar se... *quando* tiver?

Ele hesita e depois de três segundos já estou irritada.

— Então acho que isso é um não — digo, ríspida. — Deixe para lá.

— Jesus, Mere. Fique calma!

— Ficar calma? — grito ao telefone. — Ela desapareceu no meio da noite, Gabe.

— Ela é grandinha.

— É. Bom, ela me contou o grande segredo — digo, certa de que Gabe sabe de tudo.

Silêncio.

— Sobre a noite em que Daniel morreu — insisto.

— Tudo bem.

— Tudo *bem*? É isso? Isso é tudo o que você tem a dizer sobre o papel da minha irmã na morte do meu irmão?

— Acho que essa descrição é lorota, Meredith.

— Você acha certo ela esconder esse segredo de mim?

— Não. E fico feliz por ela finalmente ter contado.

— Quinze anos mais tarde, o que você acha disso?

— Acho que *nunca* é tarde demais — diz Gabe, parecendo hipócrita e superior e insuportavelmente calmo. — Mas este sou eu.

— É fácil para você dizer isso. Talvez você pensasse outra coisa se fosse *seu* irmão quem morreu. E *sua* irmã guardasse um segredo de você sobre a noite da morte dele.

— Talvez — diz ele.

Por um segundo, quase me acalmo, mas então ele acrescenta:

— Se bem que Josie não guardou o segredo *de mim*, não é?

— O que você está querendo dizer com isso? — grito ao telefone.

— Quero dizer exatamente o que *disse*, Meredith... Ela me contou tudo há alguns anos. Ela confiou em *mim*. Não em você. E acho que ela tem um bom motivo para isso.

Minha mente procura uma resposta enquanto ele continua:

— Então talvez você devesse olhar melhor *para si mesma* e parar de culpar Josie por tudo.

— Você é um babaca. — Meu rosto está em chamas. — Sabia disso?

— Pois é. Mas sou um babaca que está sempre ao lado de Josie. O que não posso dizer de você.

Desligo na cara dele e jogo o telefone no chão, as mãos tremendo ao cair no sofá, chorando. Choro com a mesma força com que chorei quando Daniel morreu, apesar de o luto ser obviamente diferente, com mais camadas e mais complexo. Em algum momento, as lágrimas acabam, mas permaneço no sofá, contemplando minha vida, como cheguei até aqui. Penso no acidente de Daniel, claro. E no meu casamento com Nolan. E nos anos entre as duas coisas. Penso no teatro e na faculdade de direito e nas expectativas dos meus pais e no lar que sempre foi minha casa. Penso em Josie, em como nossa relação é ferrada, e penso que talvez Gabe tenha razão. Talvez a culpa *seja* minha. Talvez eu me ressinta dela por causa das minhas próprias escolhas. Penso na teoria de Josie de que tudo está relacionado, que tudo remonta àquela noite de dezembro, todas as nossas decisões e sonhos e erros do passado inextricavelmente conectados. Penso em ligar para Nolan e minha mãe, depois para Ellen, Amy e até meu pai. Mas não quero falar com ninguém, por vários motivos, e percebo que nunca estive tão sozinha.

E é neste momento de desespero que penso na única pessoa do mundo que amo incondicionalmente. A única parte desta história trágica que é bela e perfeita e que não se deixou contaminar pelo arrependimento ou pelo *e se*.

— *Sou mãe da Harper* — digo em voz alta, sentindo uma paz incrível tomar conta de mim. Então me levanto e começo a fazer a mala, finalmente pronta para voltar.

Capítulo trinta e um

JOSIE

Algumas horas depois, pouso em Atlanta e pego minha mala e o carro. Volto para casa numa autoestrada praticamente vazia, estaciono na minha casa e fico aliviada por não ver o carro de Leslie na garagem.

— Ei! — diz Gabe, recebendo-me na porta com uma calça de pijama de flanela e uma camiseta. Parece feliz em me ver, se bem que não tanto quanto Revis, que coloca as patas nos meus ombros e lambe meu rosto.

— Oi, vocês dois — digo, rindo ao abraçar Revis.

— Liguei para você — diz Gabe, puxando a mala pela varanda e entrando.

— Pois é. Meu telefone morreu. Deixei o carregador em Nova York...

— Pode dar adeus a ele. — Gabe cruza os braços. — Ela nunca vai devolvê-lo.

Arqueio as sobrancelhas.

— Meredith lhe contou sobre a briga? — pergunto, pensando que não se pode chamar aquilo de briga; foi mais como um massacre.

— Contou. Ela ligou esta manhã, procurando por você.

Suspiro e digo a ele que saí enquanto ela ainda dormia e adiantei meu voo.

— E o que Meredith disse? — Sento-me de pernas cruzadas no chão com Revis, enquanto Gabe pega um banquinho da cozinha.

— Ela está preocupada.

Reviro os olhos e resmungo:

— Ah, claro.

— Prometi avisar quando você chegasse... então um de nós deveria fazer isso...

Dou de ombros e lhe digo que fique à vontade para mandar uma mensagem a ela, mas ela deixou bem claro que não quer nunca mais falar comigo.

— Bom, ela está com raiva de mim também. Mas vou mandar uma mensagem... — Gabe pega o telefone da bancada e começa a digitar.

— Qual o problema dela com você? — pergunto, acariciando a cabeça de Revis, depois o pescoço e a barriga.

— Eu meio que a ataquei — explica ele, ainda escrevendo. — Fiz com que ela se sentisse culpada...

Animo-me um pouco, a lealdade dele me acalma.

— E como você conseguiu culpar a Santa Meredith?

— Eu mostrei a hipocrisia dela... Disse que, se ela não fosse tão crítica, talvez você tivesse contado tudo para ela há muito tempo.

— E? O que ela disse?

— Ah, ela me ouviu...

— Mas ela recuou?

— Talvez um pouco. — Ele deixa o celular de lado. — Além disso, tenho certeza de que ela está com *muito mais* raiva de Nolan... Aposto que você contou a ela essa parte da história também.

— Contei. — Ainda me sinto culpada por incluir Nolan na minha confissão, se bem que não havia outra forma de contar a verdade. — Eu tive de contar.

— Ele vai ficar com raiva de você?

Dou de ombros, pensando que esse é o menor dos meus problemas.

— Espero que não. Vou mandar uma mensagem para ele contando o que aconteceu... Só para ele ficar sabendo... Tenho certeza de que ele vai entender, e talvez até vai se sentir aliviado... De qualquer forma, sei que fiz a coisa certa ao contar.

— Fez, sim. — Gabe meneia a cabeça. — Estou orgulhoso de você.

— Obrigada — digo, suspirando. Então conto sobre nosso jantar com Sophie, atendo-me aos fatos (que ela se casou, teve um filho, se divorciou e agora está se relacionando com uma mulher). Não analiso, querendo ouvir a reação dele antes.

— Foi catártico? — pergunta ele, ignorando a deixa – o que é raro dele.

Faço que não com a cabeça.

— Não. Pelo contrário... Meredith e eu esperávamos mais sofrimento... mais *saudade*... Acho que nós duas de alguma forma fomos jantar *querendo* encontrar uma mulher arrasada... querendo ouvir que a morte dele destruiu a vida dela... — Minha voz desaparece enquanto silenciosamente concluo a frase: *como destruiu a nossa*.

Gabe me encara por uns segundos e balança a cabeça.

— Não. Vocês não iriam querer uma coisa dessas. Vocês só queriam ouvir que ele foi importante para ela. Que ele a afetou de uma forma profunda e duradoura.

Faço que sim, pensando que desta vez ele tem mesmo razão, que isso realmente *teria* sido o bastante.

— É verdade — digo, respirando fundo ao me levantar e sentar no banquinho ao lado do dele. — Então não foi catártico. Mas senti que um ciclo se fechou.

— Você se refere a Sophie?

— Sim. E também com Meredith... Espero que ela mude de ideia... mas se não...

— Ela vai mudar de ideia. Sempre muda.

— Talvez não desta vez. De qualquer forma, fiz o que tinha de fazer... E sinto que agora posso seguir com a minha vida. Estou pronta para ter um bebê. Agora mesmo.

Gabe se vira noventa graus no banquinho e faço o mesmo, nossos ombros agora paralelos.

— Agora mesmo, hein?

— É. — Meneio a cabeça, sentindo a adrenalina ao encará-lo. — Agora mesmo. E com *você*, Gabe. Quero ter esse bebê *com você*.

— Quer? — pergunta ele. Seu sorriso é contido, mas os olhos estão felizes.

— Sim, quero. — Sou tomada por uma sensação de certeza calma. — A oferta ainda vale?

— Sim. — Gabe sorri. — Acho que somos loucos... mas, sim, a oferta ainda vale.

— Você consegue imaginar? — pergunto a ele, porque *finalmente* estou começando a imaginar. Não só a maternidade, algo em que penso desde que era uma menininha brincando de boneca, e sim uma parceria permanente com Gabe – e com a criança inteligentíssima de cabelos e olhos castanhos que os genes dele me darão.

— Sim, na verdade consigo — diz ele, sem hesitar.

— Mesmo? — Estou um tanto quanto surpresa.

Ele faz que sim.

— Sim. Você é minha melhor amiga, Josie. Você é *mais* do que uma melhor amiga. Já disse, você é minha família.

— Você é minha família também. Só quero que você tenha certeza.

— Eu tenho. Tenho certeza de que você vai me enlouquecer. E tenho certeza de que esse bebê vai acabar com meu estilo de vida... Mas pensei bastante, desde a primeira vez que você tocou no assunto, e tenho certeza, *muita* certeza, de que essa será a melhor coisa que farei na minha vida. De que esse bebê será tudo para mim. Para nós dois.

Abro um sorriso enorme e o abraço com força. Ao nos separarmos, digo que ele está oficialmente comprometido, não tem volta, e que vou ligar para a dra. Lazarus amanhã de manhã.

— Mas como vai ser isso exatamente? — pergunta Sydney na tarde seguinte, ao nos sentarmos no nosso banco de sempre no parquinho, supervisionando as crianças durante o recreio. Contei a ela sobre a consulta que marquei com a dra. Lazarus para o fim da semana e minha decisão de usar o esperma de Gabe.

— Você está falando do procedimento em si? — pergunto.

— Sim. Você vai fazer fertilização in vitro?

— Não. Ainda não. Minha reserva ovariana é baixa, mas decidi tentar uma inseminação direta antes...

— Então, nada de drogas de fertilidade?

— Não. Só uma injeção hormonal para estimular a ovulação.

— E daí?

— É praticamente só isso. Daí esperamos e vemos o que acontece... — Percebo cada vez mais o peso da minha decisão à medida que o tempo passa.

— Então, nada de advogados? Como você faria com Pete?

— Correto. — Sinto um frio na barriga ao ouvir o nome de Pete e penso no nosso plano de jantar hoje à noite. Tiro-o da cabeça e continuo: — Eles pegam uma amostra de Gabe e a processam até ter basicamente o esperma concentrado a fim de aumentar as chances de concepção. Depois eles injetam lá. É um procedimento bem simples. — Bato na barriga e rio. — É como uma gravidez normal... menos o pênis dentro de mim.

— Ah, sim. Tão normal... — Sydney ri enquanto Edie se aproxima do nosso banco, chamando-me desesperadamente, como faz pelo menos duas vezes por semana.

— Senhorita Josie! Senhorita Jo-*sieeee*!

— O que houve, querida? — pergunto, fingindo estar mais alarmada do que estou.

— Wesley me chamou de "menina burra" — chora ela, as lágrimas escorrendo pelo rosto. — Ele é *tão* mau.

Eu a abraço e digo que não acredito que ele seja mesmo mau, depois de meses de observação.

— Querida, o Wesley a provoca porque *gosta* de você.

— Não, ele *me odeia* — insiste ela, e vejo Wesley no trepa-trepa, observando-nos com um sorriso malicioso.

— Confie em mim... Ele gosta de você — digo, imaginando os dois namorando um dia e contando a história de quando se conheceram, na primeira série da turma da senhorita Josie. Coisas mais estranhas que isso já aconteceram.

— E, sabe de uma coisa? — continuo, com a minha voz mais empolgada, como se estivesse contando um segredo.

— O quê? — pergunta ela, enxugando as lágrimas e olhando-me com olhos arregalados, cheios de confiança.

— Gosto de você também — sussurro no ouvido dela. — *Muito.*

Edie imediatamente para de chorar. Ela sorri antes de sair correndo, feliz novamente.

— A *preferida* da professora — diz Sydney, cutucando-me.

— Confesso — digo, sorrindo. — Ela é um amor... como a mãe dela, na verdade.

— Pena que o pai dela é um saco.

Dou de ombros, sentindo-me indiferente ao pai de Edie, e digo:

— Não sei. Will não é *tão* ruim assim... Ele é só meio bobo... Estou feliz por não ter me casado com ele.

— Uau. Você realmente fez progresso.

— É, acho que fiz. — Penso que uma virada estranha e intensa na minha vida aconteceu desde o primeiro dia de aula, quando temia Edie, detestava Will e colocava todas as minhas esperanças num homem que talvez jamais conhecesse.

Duas horas antes da nossa reserva no Sotto Sotto, meu restaurante italiano preferido em Atlanta, Pete me liga, perguntando se pode vir me buscar. Digo que admiro a proposta, mas que não faz sentido ele vir até Buckhead sendo que mora em Inman Park, tão perto do restaurante.

— E se eu buscar *você?* — digo.

Ele começa a reclamar, insistindo que não se importa de dirigir, mas o interrompo:

— Quando você vai aprender que não está lidando com uma moça tradicional aqui?

Pete ri.

— Certo. Tem razão. Quer vir mais cedo para beber alguma coisa?

— Claro. Às sete?

— Perfeito. Druid Circle, número oitenta e sete... logo depois do Krog Street Market.

Escrevo o endereço no bloco de notas e digo:

— Anotado. Até daqui a pouco.

— Mal posso esperar — diz Pete.

Alguns minutos depois das sete, estou diante do belo chalé Craftsman de Pete, tocando a campainha. A porta se abre imediatamente e ali está ele, mais bonito do que nunca.

— Oi — digo, sorrindo.

— Oi. — Ele retribui o sorriso e dá um passo para o lado, segurando a porta aberta. — Você está linda.

— Obrigada.

Entro e ele me abraça. Não sei se está usando perfume ou se é só o sabonete, mas adoro o cheiro.

— Você está cheiroso — digo, assim que nos separamos. — E gostei do seu cabelo.

— Está sendo sarcástica? — Ele passa a mão na cabeça, adoravelmente tímido. — Na verdade, pretendia cortar o cabelo hoje...

— Não, gostei *mesmo*. Gosto do cabelo um pouco mais comprido nos homens...

— Nos homens, hein? — diz Pete, provocando.

— Em *você* — esclareço.

Ele sorri e agradece, depois me leva até a cozinha, onde um prato básico de queijo, biscoitos e até uvas verdes nos aguarda.

— Posso pegar algo para você beber? Uma taça de vinho? Uma cerveja?

— Adoraria uma cerveja — digo, sentando-me à mesinha redonda.

Eu o vejo pegar duas cervejas SweetWater da geladeira. Ele as abre, serve em canecas geladas tiradas do congelador, me entrega a minha e se senta ao meu lado.

— Como foi seu dia?

Eu conto os pontos altos, assim como alguns acontecimentos triviais, depois pergunto como foi o dia dele. Ele diz que foi ótimo e conta uma inspiradora história sobre um de seus clientes preferidos: um jogador de futebol americano do ensino médio que está se recuperando de uma torção no menisco. Enquanto ele fala, me ocorre que nunca o vi de mau humor.

— Então, sobre o que você queria conversar comigo? — pergunta Pete.

Eu o encaro, confusa, e ele esclarece rapidamente:

— Quando você estava em Nova York... você me disse que queria falar sobre alguma coisa.

— Ah, é mesmo — respondo, vacilando e pensando em como aquele telefonema parece distante. Apesar de parte de mim querer lhe falar tudo ali mesmo, sem qualquer filtro, outra parte de mim, mais forte, simplesmente quer jantar com o cara de quem gosto.

— Na verdade era mais de uma coisa... mas podemos falar sobre isso mais tarde — digo, consultando meu relógio. — Vamos indo?

— Claro. Você dirige?

— Sim — concordo, sorrindo.

— Vai abrir a porta do carro para mim também?

Rio e respondo que é claro que vou.

Duas horas mais tarde, depois de um jantar descontraído, mas ainda assim romântico, estaciono diante da casa de Pete.

— Obrigada pela noite maravilhosa. E obrigada pelo jantar.

— O prazer é meu — diz ele, mordendo o lábio e lançando-me um olhar sério. — Pode entrar um minuto? Prometo que não a prenderei por muito tempo... Sei que você tem de acordar cedo.

Hesito, dividida. Por mais que queira que a noite termine bem – e atrase o inevitável um pouco mais –, sei que não é justo com Pete. Ele merece saber a verdade. Com uma sensação de vazio no estômago, meneio a cabeça e digo que sim, que posso entrar por uns minutos. Saímos do carro e andamos até a porta, nossos ombros se tocando enquanto ele a destranca.

Uma vez lá dentro, ele imediatamente me abraça e não resisto ao delicioso calor do corpo dele contra o meu. Meu coração dispara com a ansiedade das testas se tocando, depois os rostos e narizes. Prendo a respiração quando os lábios dele tocam os meus e ele sussurra que *este* é nosso primeiro beijo oficial, não o que trocamos no Johnny's. Meu coração se parte um pouco quando penso que é mais provável que seja nosso último. Recuo e digo o nome dele.

— Sim? — Ele me encara com mais intensidade ainda.

— Podemos nos sentar por um minuto? E conversar?

Ele faz que sim e diz que é claro, levando-me então para uma sala cheia de itens de colecionador dos Packers e porta-retratos com fotos da família – tudo parecendo tão feliz e desinibido, coisa de gente do Meio-Oeste como ele. Nós nos sentamos ao lado um do outro no sofá e ele segura minha mão.

— Então. Queria mesmo conversar com você sobre umas coisas. — Meu coração lateja com emoções conflitantes.

Sinto-o me encarando ao respirar fundo e digo que não sei por onde começar.

— Comece em qualquer lugar — diz ele. — Só *fale* comigo...

É o que faço, as palavras vertendo de mim enquanto conto tudo sobre meu passado. Começo pela parte mais difícil, com a noite em que meu irmão morreu, depois avanço para nosso jantar com Sophie, minha briga com Meredith, volto e falo a parte, essencial, de quando Will me pegou na cama com Gabe e terminou comigo. Pete ouve com atenção, perguntando poucas coisas para esclarecer pequenas dúvidas, a maioria sobre a ordem cronológica. Ao terminar, respiro fundo e digo:

— Então. Esse é o resumo dos últimos quinze anos.

Ele segura minha mão e me encara.

— Sinto muito, Josie.

— Obrigada. Obrigada por ouvir toda essa... *merda.* — Rio para não chorar.

— Não é merda. É a vida. — Ele finalmente solta minha mão, mas só para poder me abraçar. — E agora?

Faço que não com a cabeça.

— Não sei... A única coisa de que tenho certeza é que já estou pronta para seguir com a vida. Estou pronta para ser mãe. Quero minha própria família. Não para recomeçar, mas talvez para curar... — digo, imaginando se isso parece egoísmo, se é egoísmo. — Quero ter um bebê.

Ele faz que sim e diz que compreende.

— E ainda não lhe disse isso, mas recebi o resultado dos meus exames... e infelizmente minha contagem de óvulos está baixa para minha idade... Então tenho que fazer isso *agora.*

— Entendo — repete ele, engolindo em seco. — Você... tomou alguma decisão quanto ao doador?

— Tomei. — Sinto uma onda renovada de tristeza, mas estou determinada quanto à minha decisão.

— E? — pergunta ele, com um olhar esperançoso de partir o coração.

Respiro fundo e me obrigo a lhe dizer o restante.

— Decidi ter um bebê com Gabe.

— Gabe? — Ele está mais do que surpreso. — Vocês estão... juntos?

— Não. — Balanço a cabeça. — De jeito nenhum. Nunca teremos nada assim. Mas ele é meu melhor amigo e sei que posso sempre contar com ele. É mais seguro... menos complicado...

— Menos complicado? Sério? — pergunta ele, a testa franzida.

— Bom, menos complicado do que usar *você*. — Sinto uma pontada de culpa e espero não tê-lo magoado. Espero que ele não ache que estou desdenhando de seus sentimentos, sejam lá quais forem. — A sua oferta foi *real?* — pergunto, sem saber direito que resposta quero ouvir.

— Claro que foi. — Ele me olha nos olhos. — Você sabe que foi.

— Obrigada, Pete. — Contenho as lágrimas. — Você é uma pessoa *maravilhosa*.

— Você também, Josie — sussurra ele.

Ficamos sentados em silêncio por alguns segundos torturantes, antes de eu dizer que é melhor ir embora. Ele rapidamente faz que sim, se levanta e me leva até a porta.

— Boa noite, Josie — diz ao chegarmos à porta, dando-me um constrangido abraço.

— Boa noite, Pete. — Beijo-o no rosto, meu coração sofrendo com a expectativa do que poderia ter sido.

Capítulo trinta e dois

MEREDITH

Depois de uma emotiva sessão por telefone com Amy no domingo à tarde, concordamos que devo passar mais uma ou duas noites em Nova York – que esta pode ser minha última chance de realmente refletir sobre tudo sozinha. Então, passo mais quarenta e oito horas pensando, rezando, chorando e revendo os acontecimentos dos últimos dias e dos últimos quinze anos.

Quando chego em casa, no fim da tarde de terça-feira, encontro Nolan e Harper numa cozinha toda bagunçada, preparando biscoitos e ouvindo a *The Little Drummer Boy*. Eles estão de costas para mim e, por um instante, fico olhando sem ser percebida. Quando ele ergue nossa filha para pré-aquecer o forno, fico fascinada com a cena aconchegante que se passa ao ritmo de *pa rum pa pum pum* – tanto que quase me esqueço do quanto odeio corais de Natal antes do Dia de Ação de Graças. Quase me esqueço de *tudo*, na verdade, menos do amor que sinto por minha filha. Então Nolan a coloca no chão e os dois se viram e me veem, o encanto quebrado. Para meu alívio, os olhos de Harper brilham imediatamente, numa expressão de pura alegria.

— Mamãe! — grita ela, correndo na minha direção, jogando-se nos meus braços e me emocionando.

— Harper.

Eu a abraço por um longo tempo. Finalmente ela se separa de mim, voltando ao seu banquinho diante da bancada, falando sem parar, contando que eles estão preparando biscoitos doces com açúcar verde e vermelho, "ensaiando" (uma das expressões de Nolan) para a fornada que prepararão para o Papai Noel no mês seguinte. Ouço e meneio a cabeça, apegando-me a cada palavra, perguntando-me como ela pode parecer mais velha depois de só uma semana e meia, jurando nunca mais ficar tanto tempo longe dela novamente. Determinada a ser mais presente, paciente e grata. Enquanto isso, evito contato visual com Nolan e sinto que ele está fazendo o mesmo comigo.

— Ah, mamãe. Sabe de uma coisa? — pergunta Harper, seu preâmbulo de sempre.

— O quê? — digo, aproximando-me da bancada e vendo-a mexer com a colher de pau, seu bracinho sem força suficiente para bater a massa ainda cheia de farinha.

— O papai diz que *podemos* comer massa crua. — Os olhinhos dela brilham, vitoriosos.

Começo a querer reclamar, falando dos riscos da salmonela nos ovos e na manteiga, como sempre faço. Em vez disso, balanço a cabeça e digo:

— Certo. Só uma vez.

— Vivendo perigosamente — ouço Nolan murmurar.

Finalmente olho na direção dele, abrindo um sorriso sério, meu coração retorcido com muitas emoções conflitantes.

— Oi — digo.

— Oi. — Ele com um sorriso tenso. — Como foi a viagem? Divertida?

Tento interpretar o tom de voz dele, perguntando-me se está irreverente ou furtivo, mas não sei direito.

— A viagem foi boa, mas não diria que foi *divertida*... Senti saudade demais de Harper para conseguir me divertir.

— E você sentiu a falta do papai também? — pergunta Harper.

Olho nos olhos dela, perguntando-me se é assim tão intuitiva e perspicaz – ou se essa pergunta simplesmente faz parte de seu falatório habitual.

— Sim, senti a falta do papai — minto, se bem que uma partezinha de mim realmente teve saudades dele. Ao menos da parte dele que está ligada à nossa filha.

— Você nos ajudar a preparar biscoitos? — pergunta Harper.

— Adoraria. — Arregaço as mangas e vou lavar as mãos.

Harper se antecipa a mim, apontando-me com a colher de pau, séria.

— Lave as mãos primeiro, mamãe. Os aviões são *nojentos*.

Pelo canto dos olhos, vejo Nolan sorrir.

— Essa é sua filha mesmo.

— Sim — respondo, a caminho da pia. — Com certeza é.

Depois de três dúzias de biscoitos assados e decorados, Nolan e eu mal conversamos, ao menos não diretamente. Ficamos apenas nas frases curtas, usando Harper como canal, como quando ela disse "fale para a mamãe da sua ida ao dentista" e "você e o papai adivinham quem foi me visitar em Nova York?".

Diante dessa questão, olho para Nolan, certa de que Josie já o avisou e que ele sabe que *eu* sei sobre a noite em que Daniel morreu. Seu olhar cheio de remorso confirma minha intuição.

— Tia Josie — chuta Harper.

Digo que sim, vendo Nolan tirar um biscoito enorme com uma espátula. O biscoito claramente não esfriou o bastante, mas ele continua assim mesmo, quebrando-o. Coloca metade na boca e finalmente fala comigo diretamente.

— Como foi a visita? — pergunta ele.

— Você já não sabe como foi? — Sinto minha raiva emergir.

Nolan abre a boca para responder, mas a fecha. Talvez tenha acabado de optar por se calar para não se incriminar, e digo-lhe isso.

— Daqui a pouco conversamos — diz ele, apontando para Harper, que agora está indo para a sala com biscoitos nas duas mãos.

Balanço a cabeça.

— Não com Harper acordada — digo, pensando que não há como termos essa conversa sem elevarmos o tom. Ao menos eu não consigo.

— Meus pais vêm pegá-la. — Ele consulta o relógio no micro-ondas. — Daqui a uma hora.

— O quê? Por quê? Acabei de chegar. Quero ficar com ela.

— Bom, você não nos informou dos seus planos. E já perguntei se eles podiam cuidar dela para mim.

— Para você poder fazer *o quê*, exatamente? — pergunto, sem querer acusá-lo de algo, embora pareça. Não nesse sentido.

Nolan semicerra os olhos.

— Hmmm. Acho que só precisava de um tempo. — Ele fala com uma voz calma, mas cheia de ressentimento. — Você sabe, Meredith... Fui pai solteiro por duas semanas...

— Antes de mais nada — digo, cruzando os braços, a hostilidade aumentando. — Faz onze dias, não duas semanas. Depois, adoraria cuidar dela pelos próximos onze dias. Começando agora. Diga a seus pais que não vamos precisar deles.

— *Precisamos*, sim. Temos que conversar. E meus pais vão ficar com Harper enquanto isso — diz ele, com uma autoridade rara e incontestável.

Eu o encaro e dou de ombros.

— Tudo bem. — Deixo-o ganhar dessa vez, pensando que podemos muito bem seguir em frente e arrancar de uma vez o Band-Aid do nosso vergonhoso casamento. — Mas vou colocá-la para dormir hoje à noite.

Pouco depois, entro no banho para evitar ver os pais de Nolan, demorando-me ao secar os cabelos, me vestir e me maquiar. Parte de mim está protelando, mas outra parte está realizando meu ritual de autoconfiança antes de entrar num território adverso. De uma coisa tenho certeza: não estou me embelezando para meu marido e não prevejo a reação de Nolan, que é me olhar de cima a baixo quando entro na sala.

— Você está linda — diz ele.

— Obrigada — digo, involuntariamente amaciada pelo elogio, apesar de o efeito durar poucos segundos. — Então Harper já foi?

— Já, eles acabaram de sair. Quer sair? Comer alguma coisa, talvez?

Estreito os olhos, balanço a cabeça e digo que não, não estou com fome. Espero que minha implicação seja clara – *como ele pode pensar em comida agora?*

— Certo. Só perguntando. Você geralmente não se veste assim para ficar em casa...

Eu me pergunto se é uma crítica velada, mas me atenho à situação como um todo.

— Podemos conversar aqui mesmo — respondo, apreensiva ao me sentar no canto do sofá.

— Tudo bem. — Ele me olha com expectativa.

— Você queria conversar. Então, comece — digo, preparada para ouvi-lo, ouvir todas as suas explicações intrincadas ou tentativas de justificar o segredo de quinze anos.

Ele faz que sim e respira fundo, surpreendendo-me com as primeiras palavras.

— Sei que Josie lhe contou tudo... e só queria dizer que errei.

Ele para e espera pela minha resposta. Como não digo nada, continua:

— Estava completamente errado. Nunca deveria ter escondido isso de você e dos seus pais. Cheguei perto de mentir, sem mentir.

— *Foi* mentira — digo, então literalmente mordo a língua para não o atacar mais.

— Tudo bem. Tem razão. — Ele meneia a cabeça, desarmando-me mais ainda. — *Foi* mentira. E foi errado. E sinto muito.

Prevejo o "mas" antes de os lábios dele formarem a palavra.

— Mas eu *juro*, Meredith. Não escondi isso para meu próprio bem. — Seus olhos estão enormes, redondos e cheios de dor.

— Por *quem* você mentiu, então?

— No começo? — diz ele, falando mais baixo. — Por causa de Josie...

A resposta é um golpe surpreendente no meu coração.

— Você não é casado com *Josie* — digo, pensando que isso provavelmente explicaria o caso nos primeiros anos, mas não depois que começamos a namorar. Depois disso, a lealdade dele por mim deveria ser superior a todo o resto.

— Sei disso — diz ele.

Hesito e pergunto algo em que sempre, no fundo, pensei:

— Você queria ser? Queria ter se casado com Josie?

— O quê? — Ele parece sinceramente horrorizado. — Não seja ridícula, Meredith. Claro que não queria ter me casado com sua irmã. Nossa.

— Tem certeza? — insisto, incapaz de me conter. — Você nunca gostou dela? Nem mesmo *no começo?* Você sempre pareceu ter uma queda por ela... ou ela tinha uma queda por você...

Ele hesita o bastante para meu estômago se revirar.

— Certo. Olha. Há muito tempo, achava que ela era gostosa...

— Quando?

— Quando estávamos no ensino médio e na faculdade... bem no começo.

— E quanto àquela noite? — pergunto, sem saber direito se isso importa.

— Sim. Naquela noite também. Josie é bonita. Muito bonita. Mas e daí? Há muitas garotas bonitas.

— Mas você nunca gostou dela "romanticamente"?

— Não. Absolutamente não. Nunca gostei dela *assim*. Pare com isso, Mere. De onde vem tudo isso?

— Você mentiu para mim por *quinze* anos, Nolan. E agora me diz que mentiu pelo bem da Josie. O que devo pensar? Como você acha que me sinto?

Ele passa as mãos nos cabelos e diz:

— Mal. Entendo isso. Mas não foi *só* para o bem dela. Foi por sua mãe e seu pai também... por toda a sua família. Por *você*, Meredith.

Faço um som de escárnio.

— Como você pode ter feito isso *por mim*?

Nolan respira fundo e diz:

— Vamos ver... Só imagine se na manhã seguinte ao acidente... depois de termos conversado no meu carro... se eu tivesse entrado na sua casa e dito à sua família que Josie estava completamente bêbada na noite anterior...

— E que *você* ligou para Daniel ir buscá-la — interrompo-o, erguendo a voz, apontando para ele. — Não esqueça essa parte.

— Nunca. Nem por um dia. — Ele respira fundo novamente, tentando se recompor. — Então eu me sento com todos vocês e conto aquela história...

— *Aquela história?* Não é uma *história*, Nolan. Aconteceu mesmo.

— Certo, Meredith — diz ele, cansado. — Pare de agir como advogada e me deixe terminar. Por favor.

— Tudo bem. Continue. — Fecho a boca e cruzo os braços.

— Então conto tudo o que aconteceu... Conto que Josie estava bêbada e liguei para Daniel ir buscá-la...

— E? — pergunto, pensando que é exatamente isso o que ele *deveria* ter contado.

— E o que isso teria feito à sua família? Como isso teria sido útil para alguém?

Encaro-o.

— Como sua mãe se sentiria quanto a Josie? Ela seria capaz de perdoá-la? E quanto ao seu pai? Ele tinha acabado de perder o único filho e... — Sua voz desaparece.

— E *o quê*? Conclua a frase...

— Ele tinha acabado de perder o único filho — repete Nolan — e inevitavelmente se perguntaria se seu alcoolismo de alguma forma levou Josie a beber... Ele viveria toda uma vida de culpa *e* dor... E então temos você e Josie... O que a verdade teria feito com a relação de vocês?

— A mesma coisa que está fazendo agora. — Baixo o olhar.

— Exatamente — diz ele, como se tivesse acabado de endossar o próprio argumento.

— Mas e quanto a *nós*, Nolan? Você e eu?

Ele me olha, sem palavras.

— Por que você realmente se casou comigo, Nolan? — pergunto, o coração batendo com força.

— Já respondi a isso. Eu lhe disse na Blackberry Farm...

— Repita.

— Porque me apaixonei por você — responde ele, automaticamente demais.

Balanço a cabeça e digo:

— Não acredito nisso, Nolan. Acho que você gostava da *ideia* de se casar com a irmã de Daniel. E acho que assim você se sentia menos culpado pelo que aconteceu naquela noite... Isso o ajudava a encontrar sentido em algo que não tinha sentido e era horrível...

Ele balança a cabeça e diz que não, mas sem convicção.

— Daniel era como um irmão para você — digo. — Então você queria resolver as coisas para minha família.

— *Nossa* família. É *nossa* família agora.

Digo que isso é irrelevante.

— Não — retruca ele, o tom de voz aumentando, frustrado. — É relevante, *sim*. Você é minha família, Meredith. Você e Harper e seus pais e sua irmã doidinha e o bebê que ela está prestes a trazer a este mundo. Vocês todos são minha família. E eu *amo* você...

Eu o interrompo e grito:

— Certo. Mas você é *apaixonado* por mim?

Ele geme de frustração e diz:

— Não sei, Mere. Você dificulta as coisas às vezes.

Entendo isso como um não e insisto.

— Você *algum dia* já esteve apaixonado por mim?

— Sim — diz ele, rapidamente diminuindo o tom afirmativo da resposta. — Ao menos acho que sim...

— Você *acha* que sim?

— Sim. Acho que sim... mas... talvez não. — Faz um gesto desdenhoso, claramente angustiado. — Talvez você tenha razão...

Concordo balançando a cabeça. A admissão dele me dá ao mesmo tempo alívio e tristeza.

— Era o que eu pensava — digo.

— Mas eu a amo, Meredith — repete ele, tocando minha mão. Deixo-o segurá-la e o encaro: — E faria qualquer coisa por você e Harper. *Qualquer coisa*. Isso não basta?

Eu o encaro por muito tempo, pensando que este realmente é o ápice da nossa crise e da pergunta que tenho feito há anos. Basta sermos parceiros e pais juntos? Compartilhar a mesma história e valores - e, mais importante, um amor profundo e inflexível por nossa filha e nossa família? Tudo isso pode nos sustentar e superar a peça que falta e que nunca consegui identificar, sabendo apenas que ela não estava lá?

Quero desesperadamente que a resposta seja sim e, por um segundo, quase me convenço que posso ter força de vontade para tanto. Mas, no fundo, sei que não é assim que funciona, ao menos não para mim. Sinto minha resposta se cristalizando de uma forma que nunca senti antes.

— Não, Nolan — digo finalmente, balançando a cabeça. — Sinto muito, mas acho que não basta.

Capítulo trinta e três

JOSIE

É Dia de Ação de Graças e passaram-se exatamente duas semanas desde que a dra. Lazarus me fertilizou com o esperma de Gabe. Também é o dia em que ela nos disse para fazermos o teste de gravidez de forma a obter um resultado confiável. Acordo e vou ao quarto de Gabe, encontrando-o sem camisa diante do armário.

— Feliz Dia de Ação de Graças — digo, feliz por estarmos passando o feriado juntos, qualquer que seja o resultado do teste.

— Feliz Dia de Ação de Graças — responde ele, olhando a caixa do teste de gravidez na minha mão.

— Vamos fazer isso agora? — Ergo e balanço a caixa. — Ou esperamos até mais tarde?

Ele dá de ombros, escolhendo uma camisa de rúgbi verde que tem desde a faculdade.

— Você é quem sabe. Estou pronto quando você estiver.

— Talvez devêssemos fazer mais tarde — digo, bufando. — Para não estragarmos o dia se der negativo?

— Isso realmente *estragaria* o Dia de Ação de Graças? — pergunta Gabe de uma forma que me faz pensar, não pela primeira vez, que ele espera secretamente um resultado negativo. — Digo, só vamos nos reunir com meus pais e sua mãe. E não vamos contar a ninguém mesmo... Não foi isso o que decidimos?

Faço que sim.

— Pois é.. Foi o que decidimos... Mas com certeza vou ficar decepcionada. Você não? — pergunto, estudando a expressão dele.

— Um pouco. Mas, sinceramente, vou ficar mais surpreso se você *estiver* grávida. A dra. Lazarus não disse que temos vinte por cento de chance?

— Sim. Na melhor das hipóteses.

— Certo. Então, se você não estiver, e provavelmente não está, tentamos novamente. E talvez ela lhe dê algum remédio para fertilidade dessa vez.

Racionalmente, sei que ele tem razão. Foi só um mês, uma *tentativa*, apesar de bem cara. Penso nos casais que tentam durante *anos* antes de obterem um resultado positivo, passando por várias rodadas de fertilização in vitro, e sei que não tenho direito de ficar desanimada por causa disso. Ainda assim tenho a sensação de que isso pode ser *definitivo*. Minha única chance. E que, se não acontecer agora mesmo com Gabe, talvez nunca mais aconteça.

Quando tento explicar isso, espero que Gabe me tranquilize, ou diga que estou sendo melodramática. Mas ele apenas balança a cabeça e diz:

— Pois é. Sei o que você quer dizer.

— Você se sente assim também? — Sinto um aperto no peito.

— Um pouco. — Ele senta-se ao meu lado na beirada da cama. — Quero dizer, acho que você terá um bebê *em alguma hora*... Só não sei se será *comigo*.

Meu estômago se revira com a decepção.

— Por causa de Leslie? — pergunto. Não que ela esteja sendo difícil ou tenha expressado ciúme por todo esse processo. Ao contrário, ela tem lidado com tudo com graça e generosidade, o que só fez com que Gabe a adore e a respeite *mais*.

Mas ele balança a cabeça e diz que não, que não tem nada a ver com Leslie.

— Então, por quê? — pergunto.

Ele me olha com franqueza e diz:

— Por causa de Pete.

Faço que não.

— Não. Pete aceitou isso. Ele está mesmo torcendo por nós — digo, pensando no quanto ele expressou seu apoio nas últimas semanas, ligando para saber como estava e até me desejando boa sorte antes da inseminação.

Gabe sorri e diz:

— Deixe disso, Josie. Ele gosta de você. *Muito.*

— Eu *sei* que ele gosta. E eu gosto dele. Mas ele concorda que precisamos manter as coisas... compartimentadas.

— Certo. Então, o que estamos esperando?

— Acho que nada. — Olho para a caixa no meu colo antes de lentamente tirar o invólucro de celofane, pegar um pauzinho da sorte e semicerrar os olhos para ler as instruções no verso da caixa.

Ele ri, pegando a caixa das minhas mãos e expulsando-me carinhosamente da cama.

— Pare. Como se você não tivesse feito isso antes — diz ele. — Pare de enrolar e vá descobrir se está grávida.

Menos de cinco minutos mais tarde, depois de ter feito xixi no pauzinho, fechá-lo com cuidado e o deixado na bancada do banheiro de Gabe, volto para o quarto dele e o encaro, impassível. Ele me encara também, igualmente sem expressão, e tenta adivinhar:

— Negativo?

Balanço a cabeça.

— Positivo? — diz ele, a voz cheia de descrença.

Balanço a cabeça novamente, dizendo que não sei.

— Não olhei... Pode ver para mim?

Ele faz que sim e se levanta, parecendo pálido, algo difícil para alguém de pele morena.

— Espere. — Seguro-o pelo braço. — Qual você *quer* que seja o resultado?

Gabe engole em seco, hesita e, inteligente, evita responder a pergunta.

— Quero que você tenha o bebê que tanto quer...

— Pare com isso. Não saia pela tangente. Você espera que seja negativo? Ou positivo?

Ele respira fundo e diz:

— Certo... Quero que seja positivo.

— Por quê? — pergunto, o coração disparado.

— Por quê? Como assim *por quê?* Por que teríamos feito tudo isso se não quiséssemos que o resultado fosse positivo?

— Então você não tem um pé atrás? Nem um pouco?

Gabe faz que não com a cabeça e diz:

— Estou nervoso, sim. E é um pouco louco que estejamos fazendo isso... *muito* louco... Mas que se foda... agora estou dentro. — Ele dá de ombros e me lança um olhar rebelde.

— Que se foda? — digo, apreensiva. — Que se *foda*?

— Você entendeu... — Ele sorri. — Agora é tarde demais.

— Mas *não* é tarde demais se for negativo. Você estaria livre... Não teríamos de tentar novamente.

— Verdade. — Ele meneia a cabeça, claramente se esforçando para ser paciente comigo. — Mas, se for positivo...

— Como você se sentiria? — eu o interrogo.

— Sei lá, Josie. — Ele balança a cabeça e olha para o nada. — Feliz... empolgado, surpreso... morto de medo... *várias* coisas.

— Mas não se arrependeria?

Ele faz que não.

— Não. Não me arrependo.

— Promete?

— Juro. — Ele ergue três dedos, apesar de nunca ter sido escoteiro.

— Tudo bem. — Eu o olho de lado. — Porque, Gabe, tenho de lhe contar uma coisa...

— É? — pergunta ele, olhando-me com apreensão.

— Eu olhei o pauzinho, *sim* — confesso, o coração batendo enlouquecidamente no peito.

— E?

— E é positivo.

— Cala a boca! — diz ele, correndo para o banheiro. Volta pouco depois acenando com o pauzinho e as duas linhas paralelas. Seus olhos brilham e o rosto está cheio de uma felicidade pura, uma expressão que sinceramente não esperava e que raramente vi nele. — Caralho — Ele me abraça e me aperta com tanta força que não consigo respirar. — Vamos ter um bebê.

— Sim! — Estou rindo e chorando ao mesmo tempo. — Vamos ter um *bebê*.

Estou grávida. Estou grávida. Estou grávida.

Durante vários dias, repito as palavras mentalmente, seguidas vezes. Gabe e eu não falamos de outra coisa, nós dois com dificuldade para digerir a magnitude do que temos pela frente. A coisa toda ainda parece surreal, e tenho a sensação de que só vamos ter a dimensão real depois que compartilharmos as notícias com ao menos uma outra pessoa.

No passado, sempre me imaginei contando para minha família primeiro, depois para os amigos íntimos e para o mundo todo em torno dos três meses. Se bem que sempre imaginei seguir a ordem tradicional das coisas – *amor, casamento, gravidez* – e agora isso claramente está fora de questão.

Então, dias depois, decido ser *realmente* heterodoxa e contar a Pete primeiro. Em parte é uma decisão pragmática, já que temos planos de sair pela primeira vez em semanas, e sei que ele provavelmente me perguntará se estou grávida (não que isso tenha me impedido de mentir para Sydney quando o assunto vem à tona, dizendo que ainda não tinha feito o teste). Mas o mais importante é que, por algum motivo inexplicável, *quero* mesmo que ele seja o primeiro a saber.

Por respeito a Gabe, ligo e pergunto se ele não tem problema com isso enquanto dirijo até a casa de Pete.

— Não devemos esperar até ouvir os batimentos cardíacos? — pergunta ele.

— Acho que não aguento esperar até lá. Além do mais, tenho certeza de que ele vai perguntar...

— Você é quem sabe. Se quiser contar, tudo bem por mim...

— Então você ainda não contou para Leslie?

— Não.

— Você *vai* contar a ela?

— Uma hora, sim. — Ele ri. — Vai ser meio difícil esconder, não é?

Decido não analisar suas palavras nem interrogá-lo sobre se ele queria *poder* esconder isso dela e simplesmente digo que ligarei mais tarde.

— Até mais — diz ele, desligando abruptamente.

Reviro os olhos, lembrando que o fato de estar grávida do filho dele não significa que de repente ele vai mudar sua personalidade.

Alguns minutos depois, entro na casa de Pete. Ele sorri para mim e diz:

— Tão bom vê-la.

— Também gosto — respondo, pensando que devo esperar a hora certa para contar as novidades. Mas antes mesmo de tirar o casaco eu conto tudo. — Estou grávida — digo, sentindo o que tenho certeza de ser o primeiro enjoo.

Ele me olha, surpreso, um sorriso congelado no rosto.

— Está falando sério?

— Sério como um ataque cardíaco ou uma gravidez fora do casamento — respondendo, uma brincadeira que Gabe e eu inventamos há algumas noites.

Observo-o assimilar a novidade, sua expressão nublando e se tornando melancólica.

— Uau. Isso foi *rápido*.

— Pois é. Eu sei — respondo com uma risada alta e nervosa. — Primeira tentativa.

— Parabéns... Estou muito feliz por você.

— Obrigada.

Ele sorri e se aproxima para me abraçar com algum constrangimento, dando-me um tapinha nas costas antes de me ajudar a tirar o casaco, depois pendurando-o no armário da entrada. Ele se vira e me leva à cozinha, fazendo várias perguntas.

— E como você se sente? Empolgada?... Como está Gabe? — A voz é animada, mas algo nele parece tenso.

— Ainda é meio difícil de pensar em tudo — digo, notando a garrafa aberta de vinho tinto e as duas taças na bancada. — Mas estamos felizes. E muito gratos.

— Bom... isso é fantástico. Fantástico mesmo. — Ele serve duas taças e para de repente. — Merda. O que estou fazendo. Você não pode beber isso, não é?

Faço que não, de repente envergonhada, apesar de não saber direito por quê.

Ele derrama o conteúdo das duas taças numa só, bebe um gole, engole e sorri.

— Então o que posso servir para você beber?

— Ah, nada. Estou bem.

Ficamos nos olhando constrangidos, e chega a me passar pela cabeça a ideia de só dizer adeus e ir embora.

— Deixe-me ao menos lhe dar água — diz ele, pegando um copo do armário e enchendo-o com água da pia. Ele olha o copo, derrama a água e me serve uma garrafa de água mineral Poland Spring da geladeira.

— Obrigada — digo, tirando a tampa.

— Quer um copo?

— Não, tudo bem.

Ele sorri sem mostrar os dentes, faz que sim e pergunta para quando é o bebê.

— Três de agosto. De acordo com nossos cálculos... mas temos uma consulta na semana que vem para ver tudo isso.

— Então você não foi à médica ainda?

Faço que não.

— Então, como pode ter certeza de que está grávida? — pergunta ele, parecendo esperançoso, se bem que pode ser só coisa da minha cabeça.

— Uns cinco testes me dizem que estou, sim. — Abro um sorriso forçado.

Ele sorri para mim, meneia a cabeça e pergunta como meus pais reagiram à notícia.

— Suponho que estejam empolgados também.

— Ainda não contei a eles.

— Não? Nem para sua irmã?

— Não. Ainda não falei com ela desde que fui embora de Nova York... Você é a primeira pessoa para quem conto — digo, com uma risada nervosa, de repente questionando minha decisão.

— Uau, Josie... Obrigado. Isso é tão legal... Eu me sinto muito honrado. E emocionado.

Faço que sim e desvio o olhar, murmurando que não é nada de mais.

— É, sim — diz ele gentilmente, parecendo mais o Pete que conheço de novo. — Estou tão *feliz* por você. Era o que você queria – e você conseguiu. Que bom. — Ele me abraça novamente, desta vez um abraço caloroso e sincero.

— Obrigada. Agradeço muito mesmo — digo, ao nos separarmos. — Mas há alguns problemas... — A frase pende no ar, mas me esforço ao máximo para não parecer triste.

— É? — pergunta ele. — E quais são?

— Bom... antes de mais nada... vou ficar bem gorda. — Eu rio.

— *Grávida*. Não *gorda* — diz ele.

É a coisa certa a se dizer, e comento isso.

Ele sorri e celebra comigo.

— Tem que comemorar quando se diz a coisa certa a uma grávida.

Sorrio.

— E qual é o outro problema?

Bebo outro gole d´água, enrolando por uns segundos antes de admitir a verdade. Como *realmente* me sinto.

— Estou um pouco triste também.

— Por quê?

— Por *nós*... Sei que isso vai mudar tudo entre nós.

Pete faz que sim, agora parecendo inegavelmente triste também.

— Pois é. Acho que vai mesmo.

Sinto um aperto no peito, apesar de estar também aliviada pela sinceridade dele. Na verdade, a honestidade sem frescura talvez seja uma das coisas de que mais gosto em Pete. Então insisto e faço a pergunta na qual tenho pensado desde aquela manhã do Dia de Ação de Graças.

— Então me diga uma coisa. Se eu não tivesse ido por esse caminho... com Gabe... se não estivesse grávida...? — Paro de repente e balanço a cabeça diante da futilidade de tantas hipóteses. — Deixe para lá — digo, fazendo que não.

— Não. Continue — insiste ele, encarando-me. — Por favor.

— Certo. — Meneio a cabeça, respiro fundo e concluo: — Se eu não fosse ter um bebê, acha que haveria futuro para nós? Quero dizer, qualquer *possibilidade* de futuro?

Os olhos de Pete dizem tudo, antes mesmo de ele balançar a cabeça e expressar um "sim" muito claro.

Mordo o lábio, dizendo a mim mesma para não me arrepender. Dizendo a mim mesma que poderíamos muito bem ter terminado o namoro em poucos meses, adiando ainda mais meu sonho, cada vez mais próxima da minha inevitável infertilidade. Também lembro que isso é o que sempre quis – que serei mãe e, apesar de a maternidade ser um dom, também é um sacrifício: o *maior* dos sacrifícios. É melhor eu ir me acostumando com isso.

— Ah, que coisa — digo, finalmente, dando de ombros e sorrindo. — A história da minha vida.

Vários segundos se passam antes de ele pigarrear e dizer:

— Mas faça a pergunta de outra forma.

Hesito, confusa.

— Como assim?

— Me pergunte se *ainda* imagino um futuro para nós — diz ele, o rosto vermelho.

Meu coração dispara e faço a pergunta, nossos olhares fixos um no outro:

— Você *ainda* imagina um futuro para nós?

Ele segura uma das minhas mãos.

— Sim. *Imagino*, sim... É um improvável... mas ainda imagino.

Fico toda arrepiada, nos braços e pernas e na nuca.

— Mesmo? — pergunto, amolecendo por dentro, a voz trêmula. — Você está falando sério?

Ele faz que sim, mais sincero do que nunca – o que é um feito e tanto.

— Sim, Josie, estou falando sério. Andei pensando muito nisso... E esse bebê não é um divisor de águas para mim. Ele só me faz gostar *ainda mais* de você.

Tenho dificuldades para acreditar no que ouvi, mas acredito assim mesmo.

— Por quê? — sussurro.

Ele para e franze a testa, pensativo.

— Porque mostra quem você é de verdade — diz ele finalmente. — Mostra que você é forte e independente e que está comprometida com a coisa mais linda que uma mulher pode fazer... Estou pasmo... — Ele sorri. — Pasmo, mas não vou a lugar algum.

— Mesmo que isso possa ser muito complicado? — pergunto, pensando em como Will se sentia quanto a Gabe. Quanto a tudo que não se encaixasse no roteiro dele sobre como a vida *deveria* ser.

— Sim. O amor sempre dá um jeito. Até mesmo nos momentos mais difíceis.

— Espere aí. — Sinto um sorriso se abrir no meu rosto. — Você está dizendo que *me ama?*

— Não — responde ele, rindo e segurando minha outra mão. — Mas não estou excluindo a possibilidade... Posso me ver te amando... amando *vocês dois*...

Por um segundo acho que ele está falando de Gabe, mas então percebo que está falando do bebê.

— Isso é engraçado. — Aperto a mão dele e sorrio. — Porque certamente posso ver a *nós dois* retribuindo seu amor.

Capítulo trinta e quatro

MEREDITH

— Há outra forma? — pergunta Nolan no começo de dezembro ao caminharmos pelo Jardim Botânico, aproveitando o Festival das Luzes com Harper, uma das nossas tradições de fim de ano.

— Como assim "outra forma"? — digo, de olho em Harper, que está a uns dez metros de nós.

— Não podemos encontrar uma forma de sermos felizes? Mesmo você não me amando?

Suspiro, cansada desses comentários cheios de comiseração, e digo:

— Nolan, eu te amo.

— Certo. Apesar de você não estar *apaixonada* por mim — responde ele, e começamos a discutir em círculos.

Você também não está apaixonado por mim.

Estou, sim.

Não está.

Mas estou feliz com nosso casamento.

Não pode estar.

Estou feliz o bastante.

"Feliz o bastante" não *é o bastante.*

Para mim basta, por que não basta para você?

E é assim que tem sido nas últimas semanas, desde que voltei de Nova York. O pior da minha raiva se dissipou e concordamos em não tomar nenhuma grande decisão antes das festas de fim de ano, mas a pergunta permanece: o que temos basta?

Penso na conversa recente que tive com Ellen e nas várias sessões no consultório de Amy. Conversei com minha mãe sobre o assunto, apesar de ter de admitir que a situação é meio assustadora. Todas concordamos que não há um teste preciso sobre o que funciona ou não num casamento ou para saber o que é a felicidade. Tudo se resume às duas pessoas na relação.

No outro extremo, raramente existem almas gêmeas e casamentos abençoados cheios de paixão, nos quais as duas partes estão sempre apaixonadas. Por outro lado, há casamentos de merda, marcados pela disfunção, pela maldade e até pela violência – casamentos destinados a acabar em divórcio ou desastre.

No meio desses extremos há casamentos que se encaixam numa enorme zona cinzenta. Alguns são arranjados por duas famílias, construídos totalmente com base em valores compartilhados, não na ideia do amor romântico. Outros se tornam assexuados ao longo dos anos, transformando-se numa parceria bem-sucedida, duas pessoas comprometidas com os filhos ou a instituição religiosa do casamento ou a ideia teórica de família e eternidade. Às vezes as pessoas se unem por solidão – ou abandono, porque ninguém mais parece querê-las.

Todas essas situações podem ser facilmente consideradas como algo triste ou uma espécie de desistência. E, por muito tempo, me apeguei a essa ideia também. Agora estou começando a ver que tipos diferentes de casamento podem dar certo, desde que *as duas* pessoas estejam satisfeitas com a situação. Mas tem de ser as duas pessoas, não só uma, e tenho certeza de que é isso o que Nolan está tentando dizer agora. Sou capaz de aceitar o que temos e quem somos juntos, e encontrar uma forma de ser feliz apesar do que *não* temos? Sou capaz de, pelo menos uma vez na vida, ver o lado bom das coisas? Sou capaz de embarcar com ele e encontrar uma forma de fazer com que isso dê certo?

Eu o vejo tomar um gole de seu chocolate quente e jogar o copo no lixo. Então, pega o telefone e chama Harper.

— Venha cá um pouco, querida. Fique aqui. Na frente dessa árvore — diz ele, apontando para uma enorme magnólia com milhares de luzinhas roxas e verdes.

Harper obedece alegremente, posando com um sorriso enorme, cheio de dentes, depois corre para Nolan novamente enquanto ele vê a imagem, faz uma cara feia, adiciona um filtro e me mostra sua obra de arte.

— Boa foto, não?

— Muito boa. Me mande por mensagem. Vou publicar no Insta — digo, desejando que a vida fosse assim tão simples. Pegar uma imagem com falhas e simplesmente editá-la, aumentar o brilho e saturá-la, adicionar um filtro legal. Transformá-la no que você quer que seja. Se bem que acho que é *assim* que Nolan encara a vida, com seus óculos coloridos.

Como se estivesse lendo meus pensamentos, ele diz:

— Sei que nosso casamento não é perfeito. Sei que temos coisas a resolver... mas somos uma boa equipe, Meredith. Não podemos nos esforçar um pouco mais... para conseguir um pouco daquela mágica?

Suspiro, notando que ele disse "conseguir" e não "recuperar", e digo que não acho que seja assim que as coisas funcionam; ou a mágica existe, ou não.

— Além do mais, não é isso o que temos *feito* nos últimos sete anos? — pergunto.

Nolan faz que não.

— Não. Não é *nada disso* o que temos feito... porque não estávamos sendo honestos um com o outro.

— *Eu* estava — digo, com meu instinto de defesa em alerta.

— Não estava, não — responde ele, animado. — Você não foi sincera no banco de reservas do campo de beisebol ao dizer sim. Você não foi honesta no nosso casamento... e, antes disso, não estava sendo sincera consigo mesma.

Sei que ele está falando do teatro e de Nova York e da faculdade de direito e talvez até sobre voltar a Atlanta e para a casa da minha infância, e não nego a acusação. Então só dou de ombros e digo que talvez ele tenha razão.

— Mas agora você sabe a verdade sobre a noite em que Daniel morreu — continua Nolan. — E sei a verdade sobre seus sentimentos... Agora *nós dois* sabemos a verdade... Não é um recomeço?

— Acho que sim. — Não sei bem o que um recomeço nos dá, além de perdão e compreensão. Não é pouca coisa, mas não basta para criar *mágica.* — Mas para onde vamos a partir daqui?

— Bom. Antes de mais nada, andei pensando sobre nossa casa... Acho mesmo que deveríamos vendê-la.

— Não podemos fazer isso — digo, mas me sinto aliviada só de pensar na possibilidade libertadora de viver em outro lugar, *qualquer lugar.*

— Claro que podemos.

— A mamãe ficaria arrasada. O papai também.

— Eles vão superar isso. É só *uma casa*... Não nos faz bem viver lá... Sempre que passamos pelo quarto dele...

— Eu sei — digo, poupando-o do restante.

— E acho que deveríamos considerar sair de Atlanta também. Ao menos por um tempo. Precisamos de uma aventura. Só nós três. Temos dinheiro para isso... e sempre terei um trabalho quando voltar — diz ele, empolgado.

— Para onde iríamos? — pergunto, dando corda por um segundo.

— Para onde quisermos. Nova York? Você poderia atuar novamente...

Faço que não com a cabeça e respondo que acho que finalmente superei a coisa de Nova York – *e* de atuar.

— Tudo bem. Onde você gostaria de viver? O que você quer fazer?

Digo que não sei, qualquer coisa, menos advogar. Voltei para o escritório depois do Dia de Ação de Graças, mas já tomei a decisão de pedir demissão, percebendo que é muito mais fácil dizer o que *não* se quer fazer do que o que se quer.

— Então vamos pensar no assunto — diz ele, e nos apressamos para alcançar Harper. — Vamos pensar *mesmo* nisso. Vamos ser criativos... como Josie...

Fico imediatamente tensa quando ele menciona minha irmã – com quem não falei desde que ela foi embora de Nova York no meio da noite.

— Diga o que quiser sobre ela — continua Nolan. — E entendo... ela pode ser mesmo um pé no saco. Mas a moça sabe ser criativa.

— Ela é egoísta — respondo, a descrição que sempre faço da minha irmã.

— É mesmo? Ou será que ela só está tentando ser verdadeira consigo mesma? Ter um bebê sozinha é muita coragem.

— Ela não vai fazer isso. Não tem tanta coragem assim.

— Talvez sim, talvez não. Mas *nós* podemos ter. Vamos ser corajosos juntos, Meredith. Que tal manter a mente aberta e tentar uma última vez?

Antes, a ideia que ele fazia de tentar parecia falsidade, até mentira. Ter outro bebê. Fazer nossos pais felizes. Sair de férias rumo à Disney e à praia, sorrindo e posando para fotos imediatamente publicadas para todo o mundo ver. Fazer de tudo para fingir ser a família perfeita. *A irmã de Daniel e o melhor amigo dele, unidos pela tragédia, ainda assim completamente "feitos um para o outro". Hashtag abençoados.*

Mas de repente a ideia que ele faz de tentar parece sincera e vejo uma faísca de possibilidade.

— Talvez — digo.

Ele segura minha mão, para de andar e me encara.

— Não diga *talvez*. Diga *sim*, Meredith. Não por Daniel, nem por seus pais, nem por Harper. E sim por *nós dois*. — Ele está pedindo, *implorando*, apesar de parecer muito forte.

Olho nos olhos dele e me ocorre que estamos na mesma posição do nosso casamento, diante da família e dos amigos, prometendo a eternidade. Ainda assim, sinto-me mais próxima dele agora, na encruzilhada de uma crise.

Hesito, prendendo a respiração, antes de finalmente menear a cabeça e dizer sim. É um sim baixinho e trêmulo, cheio de apreensão, mas ainda é um sim, e é mais sincero do que meu sim no banco de reservas do campo de beisebol há tanto tempo. Então, pela primeira vez, seguro a mão *dele*, não o contrário, e continuamos em frente, seguindo nossa menininha pela trilha iluminada do jardim.

Capítulo trinta e cinco

JOSIE

É 22 de dezembro, o que seria o aniversário de quarenta anos de Daniel, e estou esperando Meredith no bar do Blue Ridge Grill. Não nos falamos desde Nova York, exceto por um e-mail combinando o encontro de hoje, que eu tomei a iniciativa de mandar. Às oito horas, vamos jantar com nossos pais, Gabe, Nolan e Harper, mas concordamos em conversar antes e encontrar uma forma de deixar nossas diferenças de lado, ao menos esta noite.

Determinada a não me atrasar, uma das reclamações de sempre de Meredith, estou até quinze minutos adiantada e uso o tempo para me preparar mentalmente para o que tenho pela frente. Gabe e eu planejamos dar a notícia a todos hoje à noite – a notícia de que estamos "grávidos" de seis semanas. Mas começo a ter dúvidas, com medo de Meredith me acusar de transformar essa data emotiva num acontecimento a meu respeito. Pode até fazer sentido, a não ser pelo fato de que essa pode ser a minha única chance de vê-la – temo que isso não se repetirá, ao menos não no curto prazo.

Sentada a um canto do bar, bebendo soda com limão, fico de olho na porta, vendo minha irmã assim que ela entra. Ela me vê imediatamente também e acena. Respiro fundo e rezo pelo melhor.

— Oi — digo assim que ela se aproxima de mim. Sua expressão é séria, mas não raivosa, e encaro isso como um bom sinal.

— Oi — responde ela, lentamente desabotoando e tirando o casaco, para depois pendurá-lo no encosto da cadeira. Ela se senta, cruza as pernas de um lado, depois do outro.

— Eu ia pedir uma bebida para você — digo quando o bartender vem anotar nossos pedidos. — Mas não sabia o que você queria.

Ela me diz que tudo bem, lança um olhar mecânico ao homem e pede um vinho cabernet.

— Temos duas opções — diz ele, mostrando-lhe o cardápio num iPad.

Ela recusa e diz:

— Você escolhe, por favor.

Só então Meredith se vira para me olhar diretamente.

— Então — diz ela, tensa. — Como você está, Josie?

— Estou bem — respondo, duplamente nauseada por causa do enjoo que dura o dia todo e só de pensar na noite que tenho pela frente. — E você?

Ela suspira novamente e diz que está bem também.

— Voltou a trabalhar?

Ela faz que não.

— Não. Pedi demissão ontem, na verdade.

— *Uau*. Parabéns.

Dá para ver que foi a coisa certa a dizer, já que ela sorri com sinceridade.

— Obrigada. Já era para ter feito isso há tempos.

— Já pensou no que quer fazer? — pergunto, pensando que minha irmã pode fazer qualquer coisa que quiser.

— Ainda não. Vou pensar nisso ano que vem... Por enquanto, quero me ater a Harper e às festas de fim de ano.

Faço que sim com a cabeça e digo:

— Como está Harper?

— Está ótima. — A expressão de Meredith fica mais amena. — Ela está empolgada com o Papai Noel. Ela faz uma lista nova para ele todas as manhãs.

— Sinto a falta dela.

— Ela sente sua falta também. Muito.

— Posso vê-la? Estava pensando se poderia levá-la para patinar no gelo no St. Regis.

Meredith faz que sim enquanto o bartender lhe traz o vinho.

— Isso seria bom... Ela adoraria.

Respiro fundo.

— Então, sobre hoje à noite — digo, minha voz mais fina por causa do nervosismo. — Queria conversar com você antes dos outros chegarem...

Meredith bebe o primeiro gole de vinho, aguardando.

— Queria conversar sobre o que aconteceu em Nova York — continuo. — Nosso jantar com Sophie... nossa briga. Tudo.

— Tudo bem. — Ela bebe outro gole. Parece acolhedora, mas claramente não pretende facilitar as coisas para mim.

— Você contou para a mamãe? — pergunto.

— Não. — Ela balança a cabeça.

— Você não contou sobre Sophie? Ou não contou sobre nossa briga?

— Nenhuma das duas coisas.

Faço que sim, resistindo à vontadezinha de mencionar que ela está agindo como Nolan e eu agimos. Tentando poupar alguém que ela ama.

Meredith deve ter lido meus pensamentos, porque diz:

— Faz pouco tempo... Ainda estou digerindo tudo.

— Certo. — Entendo seu ponto de vista, mas também vejo como umas poucas semanas podem facilmente se transformar em poucos anos.

Ela não responde, olhando para o nada, e de repente olha para meu copo.

— O que você está bebendo? Vodca?

Engulo em seco e respondo:

— Não. Só refrigerante.

Ela arqueia as sobrancelhas e me olha.

— Por quê? Você está grávida?

Não consigo imaginar uma forma menos agradável e mais decepcionante de dar a notícia, mas a última coisa que farei agora é mentir para minha irmã. Então balanço a cabeça e digo que sim, estou grávida.

Ela ri e imediatamente percebe que estou falando sério.

— Mesmo? — pergunta.

— Mesmo. — Meu coração dispara. — Seis semanas.

— De Pete?

Faço que não e respondo:

— Não. De Gabe.

— *Gabe?*

— Sim. Fizemos uma inseminação mês passado... e tivemos sorte.

Eu a vejo processar a novidade, a expressão passando da surpresa para algo parecido com felicidade. Ela sorri e se aproxima para me abraçar, sussurrando parabéns.

— Pois é — digo. — Estamos empolgados... e com medo... Estamos levando isso muito a sério... Não é um capricho, Meredith.

Ela balança a cabeça e diz que sabe. Mas não sei se está convencida, então sigo falando, tentando explicar o que sinto para a pessoa que menos me entende.

— Durante anos, não consegui superar Will e os erros que cometi naquele namoro. Não fui sincera com ele... assim como não fui sincera com você.

Ela me encara, ouvindo com atenção.

— Queria muito mesmo ter conversado com você antes — concluo.

— Pois é — diz ela com tristeza. — Sei disso. E acredito em você.

As palavras dela me dão força para continuar.

— Se pudesse voltar no tempo, faria tudo diferente. Mas não posso... Ninguém pode... Só podemos seguir em frente. E é o que estou tentando fazer. Quero ser mãe. Sei que não vai ser fácil, mas vou dar tudo de mim. Por isso é que escolhi Gabe... Ele é maravilhoso, um amigo de verdade. Ele sempre, sempre me apoia... e acho que essas qualidades, essa lealdade, farão dele um pai excelente. — Obrigo-me a parar de tagarelar.

— Fico feliz por você. E acho que escolheu certo.

Desta vez, vejo que ela está falando sério.

— Obrigada. Sua opinião é muito importante para mim. — Sorrio e acrescento: — Mas achava que você não gostava do Gabe.

— Bom... ele nunca foi meu preferido. — Ela para e sorri. — Se bem que você também não.

— *Touché*! — digo, brindando com ela.

Rimos uma para a outra por um tempo, as duas olhando para o nada. Vários segundos se passam antes de eu quebrar o silêncio, pedindo desculpas e tentando não parecer louca.

— Meredith, desculpe. Sinto muito, muito, muito *mesmo*.

Ela fecha os olhos com força e morde o lábio, aparentemente à beira das lágrimas.

— Sinto muito por beber demais naquela noite. Por não dizer a verdade assim que suspeitei dela. Por não ser uma irmã melhor.

Com essa última afirmação, ela me olha nos olhos e diz – pela primeira vez na vida, ou ao menos pela primeira vez que me lembro:

— Sinto muito também.

— Mesmo? — digo, incapaz de esconder minha surpresa.

— Sim. Mesmo. Na noite do acidente... lembra que brigamos?

Faço que sim e digo que é claro que lembro. Brigamos por causa de um colar que queria emprestar dela.

— Eu simplesmente deveria ter dado o colar para você — diz ela.

Não sei aonde ela quer chegar com isso. Balanço a cabeça e digo que não teria feito diferença.

— Talvez não. Mas talvez *sim* — diz ela. — Talvez você tivesse ligado para eu ir buscá-la... talvez você não tivesse bebido tanto... Você tende a beber mais quando está irritada... — A voz dela treme.

Faço que não com a cabeça, perplexa.

— Não. Não foi isso. Você e seu colar barato e feio não tiveram nada a ver com nada... — digo, brincando para ela não chorar.

— Sim, mas tampouco você e Nolan... Vocês não podiam prever o que aconteceria... Desculpe por ter dito que você era responsável pela morte de Daniel... Não é. Aquilo foi cruel. E não é verdade.

Faço que sim, meu coração curado e talvez até absolvido.

— E quanto a Nolan? — pergunto. — Vocês fizeram as pazes?

— Estamos nos esforçando. Estamos tentando... mas não sei... — A frase pende no ar e ela balança a cabeça, parecendo triste demais.

— Por causa da nossa mentira? — pergunto.

— Por vários motivos. Mas principalmente porque não sei se somos as pessoas certas um para o outro... Mas vamos tentar resolver as coisas. Tentar *mesmo*. Para o bem de Harper. Para o bem de *todos*.

Faço que sim, certa de que ela está se referindo a toda a família. De repente me pergunto se isso não faz parte do ressentimento acumulado ao longo dos anos. A sensação de que ela é de alguma forma responsável por nos manter unidos.

— Espero que vocês possam resolver tudo, Meredith... mas, se não for possível, tudo bem também...

Ela faz que sim, aparentemente grata. Empolgada com a sensação de que pela primeira vez posso ser a irmã mais forte, continuo:

— E o que quer que aconteça você tomou a decisão certa também. Você escolheu o pai certo para *sua* filha.

Viro-me no banquinho e a abraço, esperando que ela me empurre, aliviada por ela não fazer isso. Ela ergue a cabeça e me olha com os olhos arregalados.

— Sei disso, Josie — diz ela. — Obrigada.

Mudamos de assunto depois disso, falando de coisas mais leves, fingindo que nada aconteceu, como sempre fazemos até em nossas maiores discussões. Talvez seja uma forma de negação. Talvez seja a melhor forma de agir quando duas pessoas são tão diferentes, como Meredith e eu somos. Talvez seja apenas um jeito estranho de expressarmos amor e perdão, que geralmente são uma coisa só.

À medida que os outros chegam e nos sentamos à mesma mesa redonda perto da lareira onde nos sentamos com Daniel e Sophie quinze anos antes, na mesma hora, tenho certeza de que a última teoria é a correta. Que tudo se resume ao amor. Afinal, foi o amor por Daniel que aproximou Nolan e Meredith, e é o amor o que os está fazendo tentar novamente. É o amor pela minha família o que me faz querer ser mãe. E é o amor de Gabe o que me dá coragem para fazer com que isso aconteça.

Depois de pedirmos e do nosso garçom servir champanhe a todos, menos o papai, Harper e eu, erguemos nossos copos e brindamos à memória de Daniel. Contamos histórias sobre nosso irmão, filho e amigo. Choramos e rimos e choramos até que, em certo momento, Meredith segura minha mão e sussurra:

— Vá em frente. Conte a novidade...

E, ao fazer isso, com a ajuda de Gabe, tenho medo da jornada desconhecida à frente, mas também me sinto em paz. Agora sei que você não pode controlar a vida, por mais que tente. Que inevitavelmente as pessoas vão embora e nos decepcionam e morrem. Mas existe uma coisa mais constante, algo com que sempre se pode contar: não só o amor vem em primeiro lugar como, no final das contas, é a única coisa que permanece.

Agradecimentos

Antes de mais nada, este livro é sobre a família e a sagrada relação fraternal. Desde minhas mais remotas lembranças e ao longo de toda a vida, tive a sorte de ter Sarah Giffin ao meu lado. Não existe irmã mais gentil e que mais me apoie.

Sou eternamente grata a nossa mãe maravilhosa, Mary Ann Elgin. Ela me ensinou não apenas a amar as histórias, como também fez com que eu me interessasse pelas relações entre as pessoas, em toda a sua confusa glória. Eu não seria a pessoa e a escritora que sou hoje sem ela.

Nancy LeCroy Mohler dissecou praticamente todas as frases dos meus oito romances. Ela foi a primeira a conhecer Rachel e Darcy no outono de 2001 e a última a analisar Josie e Meredith, e agradeço muito sua amizade e suas incansáveis leituras.

Estou em dívida com minha editora, Jennifer Hershey, por sua compaixão e sabedoria, e também pela generosidade ao compartilhar sua história de maternidade comigo.

Agradeço também à incrível equipe da Random House por sua energia, criatividade e profissionalismo, principalmente a Gina Centrello, Kara Welsh, Kim Hovey, Scott Shannon, Matt Schwartz, Theresa Zoro, Susan Corcoran, Jennifer Garza, Kate Childs, Sanyu Dillon, Debbie Aroff, Kesley Tiffey, Melissa Milsten, Denise Cronin, Toby Ernst, Paolo Pepe, Belina Huey, Loren Noveck, Victoria Wong, Anne Speyer, Cynthia Lasky, Allyson Pearl e toda a equipe de vendas.

Não imagino escrever um livro – ou mostrá-lo aos leitores – sem Stephen Lee. Assessor de imprensa, leitor dos manuscritos e confidente, Stephen fez tudo isso desde que comecei minha jornada no mercado editorial.

Um agradecimento especial à minha assistente, Kate Hardie Patterson, por sua prestatividade, lealdade e pelo extraordinário dom de tornar tudo ao seu redor mais belo e feliz.

Agradeço à minha incomparável agente, Theresa Park, pelo carinho e força – e por acreditar em mim até quando duvido de mim mesma. Obrigada ainda a Emily Sweet, Abby Koons e toda a equipe da Park Literary, e também a minha web designer, Mollie Smith.

Sou grata a meu maravilhoso pai e minha madrasta, Bill e Kristina Giffin; minha adorável família; e todos os meus leitores e amigos, de perto e de longe, velhos e novos. Um obrigada especial aos mais íntimos que fizeram contribuições específicas a este livro: Julie Portera, Allyson Jacoutot, Jennifer New, Jeff MacFarland, Martha Arias, Glenn Saks, Lisa Ponder e Steve Fallon.

E, finalmente, minha gratidão eterna a meu círculo mais íntimo: Buddy, Edward, George e Harriet. Vocês me lembram todos os dias que o amor sempre vem em primeiro lugar.